Então todos escutaram enquanto Elrond, com clara voz, falava de Sauron e dos Anéis de Poder, e de como foram forjados na Segunda Era do mundo, muito tempo antes. Parte de sua história era conhecida de alguns ali, mas de ninguém a história completa, e muitos olhos se voltaram para Elrond, com temor e assombro, quando falou dos Ferreiros-élficos de Eregion, de sua amizade com Moria e de sua avidez por conhecimento, pela qual Sauron os engodou. Pois naquele tempo ele ainda não era maligno de se contemplar, e receberam sua ajuda e se tornaram poderosos em seu ofício, enquanto que ele aprendeu todos os seus segredos, e os traiu, e forjou secretamente na Montanha de Fogo o Um Anel para ser mestre deles. Mas Celebrimbor estava atento a ele e ocultou os Três que fizera; e houve guerra, e a terra foi arrasada, e o portão de Moria fechou-se.

Então, durante todos os anos seguintes ele seguiu o rastro do Anel; mas, visto que essa história é contada alhures, como o próprio Elrond a registrou em seus livros de saber, ela não será recordada aqui. Pois é uma história longa, repleta de feitos grandes e terríveis, e, apesar de Elrond falar com brevidade, o sol se alçou no céu, e a manhã terminava quando ele cessou.

De Númenor falou ele, de sua glória e sua queda, e do retorno dos Reis dos Homens à Terra-média desde as profundas do Mar, trazidos nas asas da tempestade.

O Senhor dos Anéis: A Sociedade do Anel
Livro II, "O Conselho de Elrond"

J.R.R. TOLKIEN

A QUEDA DE NÚMEROR

E OUTROS CONTOS DA SEGUNDA ERA DA TERRA-MÉDIA

Editado por BRIAN SIBLEY
e compilado de *O Senhor dos Anéis*,
O Silmarillion, *Contos Inacabados*,
volumes de *A História da Terra-média* de
CHRISTOPHER TOLKIEN e outras fontes

Tradução de
EDUARDO BOHEME
GABRIEL OLIVA BRUM
REINALDO JOSÉ LOPES
RONALD KYRMSE

Com ilustrações de
ALAN LEE

Rio de Janeiro, 2022

Publisher *Samuel Coto*
Editora *Brunna Castanheira Prado*
Estagiárias editoriais *Camila Reis, Giovanna Staggmeier* e *Renata Litz*
Produção gráfica *Lúcio Nöthlich Pimentel*
Preparação de texto *Jaqueline Lopes*
Revisão *Leticia Castanho* e *Eduardo Boheme*
Diagramação *Sonia Peticov*
Adaptação de capa *Alexandre Azevedo*

Catalogação na Publicação (CIP)
(BENITEZ Catalogação Ass. Editorial, MS, Brasil)

T589q Tolkien, J.R.R., 1892-1973
1. ed. A queda de Númenor: e outros contos da Segunda Era da Terra-média / J.R.R. Tolkien; tradução Eduardo Boheme, Gabriel Oliva Brum, Reinaldo José Lopes, Ronald Kyrme; ilustração Alan Lee; [edição Brien Sibley]. – 1 ed. – São Paulo: HarperCollins Brasil, 2022.
352 p.; il.; 13,5 x 20,8 cm.

Título original: *The Fall of Númenor and Other Tales from the Second Age of Middle-earth*
ISBN: 978-65-55113-98-3

1. Ficção inglesa. I. Brum, Gabriel Oliva. II. Lee, Alan. III. Sibley, Brien. IV. Título.

09-2022/91 CDD: 823

Índice para catálogo sistemático:
1. Ficção: Literatura inglesa 823
Bibliotecária: Aline Graziele Benitez CRB-1/3129

HarperCollins Brasil é uma marca licenciada à Casa dos Livros Editora LTDA.

Rua da Quitanda, 86, sala 218 — Centro
Rio de Janeiro — RJ — CEP 20091-005
Tel.: (21) 3175-1030
www.harpercollins.com.br

À memória de
Priscilla Reuel Tolkien
(1929–2022)
sempre uma amiga dos
amigos da Terra-média

Sumário

Gravuras

Sobre este livro

A Queda de Númenor visa apresentar em um único volume textos selecionados das obras de J.R.R. Tolkien publicadas postumamente acerca da Segunda Era da Terra-média. Esse livro não teria sido possível sem as extraordinárias realizações literárias de Christopher Tolkien, que introduziu os leitores de *O Hobbit* e *O Senhor dos Anéis* ao rico legado de mitos e história dos Dias Antigos e da Segunda Era. Ele conseguiu isso nos seus longos anos de dedicada curadoria: editando, reunindo, compilando e fornecendo comentários inestimáveis sobre os muitos manuscritos e rascunhos de seu pai. Foi nas páginas de *O Silmarillion*, *Contos Inacabados*, volumes de *A História da Terra-média* e outras obras, conforme editados e preparados para publicação por Christopher Tolkien, que foi contada pela primeira vez a história da Queda de Númenor, da ascensão de Sauron, do forjamento dos Anéis de Poder e da Última Aliança de Elfos e Homens contra o Senhor Sombrio de Mordor.

A intenção não é a de substituir essas obras, visto que cada uma delas já é considerada a apresentação definitiva dos escritos de J.R.R. Tolkien, com comentários e análises incomparáveis e esclarecedores feitos por Christopher Tolkien, mas sim fornecer excertos desses textos — com o mínimo possível de intervenções editoriais — que ilustrem, nas próprias palavras do autor, os ricos e tumultuosos eventos da Segunda Era conforme resumidos por J.R.R. Tolkien em seu "O Conto dos Anos (Cronologia das Terras Ocidentais)", que aparece como parte do Apêndice B em *O Senhor dos Anéis* e que é reproduzido no início deste volume. Para aqueles que desejarem se aprofundar na história desse período, as notas fornecidas no final do livro, muitas das quais fazem uso da inestimável perícia editorial de Christopher Tolkien com a reprodução ou citação de suas próprias notas das fontes publicadas originais, auxiliarão em suas explorações ao procurarem descobrir mais sobre a Segunda Era da Terra-média.

As referências de páginas remetem em todos os casos à primeira edição da obra em questão, com exceção de *O Senhor dos Anéis*, onde as referências são feitas à edição recomposta publicada em 2005 para o quinquagésimo aniversário do livro.*

As passagens e trechos selecionados foram organizados seguindo a ordem cronológica estabelecida em "O Conto dos Anos (Cronologia das Terras Ocidentais)", e são apresentados em capítulos intitulados de acordo com a cronologia. Essa apresentação sofreu acréscimos de duas outras fontes: os nomes e datas dos Reis Númenóreanos apresentados em "Apêndice A: Anais dos Reis e Governantes" — mais uma vez em *O Senhor dos Anéis* — e "A Linhagem de Elros: Reis de Númenor" conforme encontrado em *Contos Inacabados*, Segunda Parte: "A Segunda Era".

Os eventos da Segunda Era, conforme se desenrolam respectivamente em Númenor e na Terra-média, são relatados com o uso de materiais das seguintes fontes.

Para a história númenóreana: o texto de "Akallabêth" (em *O Silmarillion*); a história de "Aldarion e Erendis" e a tabela genealógica "As primeiras gerações da Linhagem de Elros" (em *Contos Inacabados*); e levando-se em consideração materiais encontrados em "A História do Akallabêth" (*The Peoples of Middle-earth* [Os Povos da Terra-média]), "A História Inicial da Lenda", "A Queda de Númenor" (ambos em *The Lost Road and Other Writings* [A Estrada Perdida e Outros Escritos]) e "A Submersão de Anadûnê" (em *Sauron Defeated* [*Sauron Derrotado*]).

Como Christopher Tolkien teria desejado, continuam as pesquisas acerca das obras de seu pai, e o texto também se baseia noutro volume póstumo de escritos de Tolkien, *A Natureza da Terra-média* (2021), editado por Carl F. Hostetter. Essas fontes foram editadas de modo a contar a história do estabelecimento de Númenor, sua geografia, fauna e as vidas dos Númenóreanos

* Para esta edição brasileira, as páginas referenciadas de obras já traduzidas são daquelas publicadas pela HarperCollins Brasil: *O Silmarillion* (2019), *A Sociedade do Anel* (2020), *As Duas Torres* (2020), *O Retorno do Rei* (2020), *Contos Inacabados* (2020) e *A Natureza da Terra-média* (2021). O texto da tradução dos volumes de *O Senhor dos Anéis* tem como base o da edição inglesa publicada em 2014, que por sua vez é uma atualização da edição de 2005 mencionada acima. [N. T.]

e, além disso, incluem ou se baseiam em "Uma Descrição da Ilha de Númenor" (em *Contos Inacabados*) e, de *A Natureza da Terra-média*, em "Da Terra e dos Animais de Númenor", "As Vidas dos Númenóreanos" e "O Envelhecimento dos Númenóreanos". As passagens usadas não aparecem necessariamente como apresentadas originalmente naquele volume, mas antes em uma ordem mais bem adequada à narrativa cronológica.

Os eventos que se desenrolam na Terra-média simultaneamente àqueles em Númenor foram retirados do texto "Dos Anéis de Poder e da Terceira Era" (em *O Silmarillion*), "A História de Galadriel e Celeborn" e "O Desastre dos Campos de Lis" (em *Contos Inacabados*), e "Galadriel e Celeborn" (em *A Natureza da Terra-média*).

Este volume adere ao princípio estabelecido por Christopher Tolkien de que os textos publicados são tratados como sendo as versões finais, e, nos casos em que materiais são incluídos de rascunhos preliminares com nomes, datas e grafias variantes, essas variações foram emendadas para ficarem de acordo com aquelas adotadas por fim. As palavras ou expressões na letra de seu pai que ele considerou incertas são precedidas por um ponto de interrogação.

Intervenções editoriais encontram-se numa fonte menor e recuadas; emendas explicativas feitas pelo editor para introduzir passagens ou dentro do corpo do texto de um trecho são mostradas entre colchetes. As palavras iniciais das passagens, que no original não se encontram em maiúsculas, foram emendadas sem comentários com uma letra maiúscula para facilitar a leitura. Omissões de palavras dentro de uma passagem são indicadas por reticências.

O livro também inclui trechos de *As Cartas de J.R.R. Tolkien* (1981), editado por Humphrey Carpenter com a assistência de Christopher Tolkien, e incorpora passagens significativas de *O Senhor dos Anéis* relacionadas à Segunda Era, que fornece materiais importantes e relevantes. Em algumas dessas passagens, o texto foi abreviado (com as edições indicadas por reticências) ou reorganizado sem comentários; em todos os casos, notas de fim direcionarão o leitor às passagens relevantes nas três partes da obra, indicadas como "*Sociedade*", "*Torres*" e "*Retorno*".

Introdução

A Saga de "Uma Era Sombria"

E um momento de poder duradouro na literatura moderna: o Um Anel — o Anel Mestre de Poder do Senhor Sombrio Sauron, cuja destruição foi o objetivo de uma demanda épica — cai no coração flamejante do Monte da Perdição; assim, retornando ao inferno no qual foi forjado, o Anel, enfim, é desfeito.

É claro, há muito com o que o autor ainda precisa lidar: questões relacionadas com resgate, cura e uma Coroação, seguidas por acertos de contas e reconciliações finais, despedidas, separações e partidas. Mas a destruição do Anel Regente, e, com ela, a queda de Sauron e sua torre sombria, e um fim para a sua guerra de atrito milenar contra os Povos Livres da Terra-média, é efetivamente o momento climático em *O Senhor dos Anéis* de J.R.R. Tolkien.

No entanto, para o autor era um apêndice elaborado de uma história — ou série de histórias — muito mais antiga com qual ele esteve envolvido por muitos anos e para a qual a sua imaginação estivera trabalhando por mais tempo ainda. Como ele viria a escrever alguns anos antes de *O Senhor dos Anéis* ser publicado: "Não me recordo de uma época na qual eu não o estivesse elaborando".

Por meio dos esforços incansáveis dos motores da cultura popular, *O Senhor dos Anéis* é agora um símbolo universalmente apropriado da arte da criação de mitos, elencado entre o acervo secular de lendas, folclores e contos de fada do mundo. Mas, para Tolkien, os feitos de Bilbo Bolseiro e a demanda monumental de seu sobrinho Frodo também eram apenas uma parte de uma história muito maior que remontava a um passado distante.

Ao escrever ao filho Christopher em novembro de 1944, J.R.R. Tolkien revelou o quanto o "grande Romance" com o qual estava envolvido era uma crônica que crescia, mudava e desenvolvia-se continuamente. Ele comentou ao enviar a Christopher os capítulos terminados mais recentemente com um esboço do restante da narrativa: "Provavelmente isso se desenvolverá de modo muito diferente desse plano quando realmente for escrito, visto que a coisa parece escrever a si própria assim que começo, como se então a verdade surgisse, apenas imperfeitamente vislumbrada no esboço preliminar."[1]

Essa abordagem da escrita criativa vinha do fato de Tolkien ser ao mesmo tempo tanto um estudioso reconhecido como um praticante amador (o que ele próprio admitia ser) do ofício de romancista. Embora tivesse raízes profissionais e passionais na pesquisa e fosse educado na compreensão e uso das palavras, ele era constantemente — e para sua genuína surpresa e deleite — impelido e redirecionado pela inspiração independente e libertadora da imaginação criativa. O resultado foi *O Senhor dos Anéis*: uma obra-prima da literatura de fantasia, concebida e realizada de maneira singular, que era uma "continuação" ambiciosa da sua história anterior mais modesta, *O Hobbit*.

Inicialmente, os leitores de Tolkien estavam cientes apenas do próprio livro, não de sua fundação construída de modo forense, até mesmo obsessivo, que era o labor disciplinado de uma mente acadêmica. Somente mais tarde, de maneira gradual, o público tomou conhecimento da vasta estrutura labiríntica de linguística, cronologias, genealogias e histórias que sustentava a narrativa épica (ainda que íntima e particular) da Guerra do Anel. Parte dessa fundação era uma obra-em-andamento conhecida como "O Silmarillion", um mosaico intricado de escritos imaginativos que constituíam a pré-história de *O Senhor dos Anéis* e a gênese do legendário da Terra-média.

Em 1951, Tolkien procurava uma editora que estivesse disposta a não só considerar o recém-engendrado *O Senhor dos Anéis*, mas que também estivesse preparada a se comprometer com a publicação de "O Silmarillion", um projeto com o qual, àquela altura, ele estivera envolvido por cerca de trinta e sete anos.

A fim de promover a sua causa, Tolkien escreveu aquilo a que se referiu como "um breve esboço" (embora tivesse mais de 7.500 palavras) para servir como um resumo tanto de "O Silmarillion" como de *O Senhor dos Anéis*, e que se esforçava para detalhar a codependência dos dois projetos.

Ele primeiro delineou a feitura da Terra-média — um mito de criação de considerável poder e beleza literários —, seguida de histórias elaboradas com opulência de suas diferentes raças e os feitos grandiosos que realizaram e as grandes tragédias que se abateram sobre elas através das gerações que constituíam o que ele chamava de Primeira Era. Então, voltando-se para os eventos da Era que se seguia, Tolkien escreveu: "O ciclo seguinte trata (ou trataria) da Segunda Era. Mas é na Terra uma era de trevas, e pouco de sua história é (ou precisa ser) contada".[2]

Essa era uma declaração curiosa, uma vez que Tolkien já havia escrito boa parte daquela história — em muitos rascunhos detalhados de tamanho considerável —, incluindo a origem e ascensão de Sauron, o personagem titular de *O Senhor dos Anéis*, e o forjamento dos Anéis de Poder e do Um Anel que a todos rege.

De modo similar, a partir da mesma extensão de mais de 3.400 anos, ele havia registrado um relato do estabelecimento da ilha de Númenor com sua geografia e natureza, seu povo e sua história política, social e cultural, e, por fim, os eventos que levaram enfim à sua corrupção, declínio e queda catastrófica.

O plano ambicioso de Tolkien de apresentar aos leitores o escopo total da mitologia, lenda e história de seu mundo criado como um prelúdio ao drama de *O Senhor dos Anéis* não deu em nada — as editoras ficaram compreensivelmente desconfiadas de um investimento tão custoso e incerto —, e não lhe restou alternativa a não ser aceitar que a história de Frodo Bolseiro e da Comitiva do Anel precisaria se sustentar por si só.

Ainda assim, a criação e ruína final de Númenor e a feitura dos Anéis de Poder eram eventos centrais na cronologia da Terra-média e quando, em julho e novembro de 1954, os primeiros dois volumes de *O Senhor dos Anéis — A Sociedade do Anel* e *As Duas Torres* — foram enfim publicados pela George Allen & Unwin, os leitores tiveram os primeiros vislumbres instigantes daquela história passada, que fornecia um pano de fundo ricamente variegado à luta dos Povos Livres da Terra-média contra Sauron e as forças de Mordor. Esses elementos potentes, ainda que periféricos à narrativa principal, mostraram-se — como, de fato, permaneceram — uma parte integral do apelo do livro.

Quando, em 1955, *O Retorno do Rei* foi publicado como o terceiro e último volume de *O Senhor dos Anéis*, Tolkien acrescentou mais de cem páginas de Apêndices que forneciam muitos detalhes sobre a Terra-média: suas línguas, a linhagem de seus Reis e Governantes e uma linha do tempo dos eventos da Segunda e Terceira Eras. Por muitos anos, esses apêndices, tal como emendados em 1966 para a segunda edição de *O Senhor dos Anéis*, foram os únicos vestígios de informações disponíveis ao leitor médio que estivesse em busca de mais antecedentes para as aventuras publicadas do Sr. Bilbo Bolseiro e da demanda posterior empreendida pelo seu sobrinho, Frodo.

Como Tolkien escreveu em 1965 em seu Prefácio da Segunda Edição de *O Senhor dos Anéis*: "Este conto cresceu à medida que era contado, até se tornar uma história da Grande Guerra do Anel e incluir muitos vislumbres da história ainda mais antiga que a precedeu". Com a morte do autor em 2 de setembro de 1973, pode ter parecido que não haveria mais explicações sobre aquela "história ainda mais antiga" da Terra-média; mas, em maio de 1977, Humphrey Carpenter publicou *J.R.R. Tolkien: uma biografia*, que não só revelou de modo mais abrangente do que havia sido compreendido até então o vasto escopo da obra que Tolkien havia criado como também forneceu novos e instigantes detalhes de narrativas em verso e prosa específicas como "A Viagem de Earendel, a Estrela Vespertina" e "A Queda de Gondolin": referências fascinantes que prenunciariam o surgimento, em setembro do mesmo ano, de *O Silmarillion*, conforme apresentado para publicação por Christopher Tolkien.

Embora *O Silmarillion* se concentrasse principalmente na mitologia e na história dos "Dias Antigos" da Terra-média, ele também trazia duas obras fundamentais relacionadas à Segunda Era: o ensaio autoexplicativo "Dos Anéis de Poder e da Terceira Era" e o "Akallabêth". Este segundo texto fornecia um relato do reino insular de Númenor — presenteado aos Homens da

Terra-média que haviam lutado lealmente ao lado dos Elfos na Guerra da Ira no final da Primeira Era — que descrevia como, por meio da corrupção de Sauron, sua destruição foi levada a cabo. O título original de Tolkien para essa narrativa era "The Fall of Númenor", mais tarde alterado para "The Downfall of Númenor" [A Queda de Númenor].* Em *O Silmarillion*, Christopher Tolkien usou o título "Akallabêth", que na língua dos Númenóreanos significa "Aquela que Caiu", ou "A Decaída", observando que, embora nenhuma versão da obra usasse esse título, esse era o nome pelo qual seu pai se referia a ela.[3]

Mais detalhes númenóreanos — históricos, geográficos e genealógicos — foram revelados quando, em 1980, Christopher Tolkien publicou *Contos Inacabados de Númenor e da Terra-média*, uma seleção adicional de narrativas, em grande parte incompletas, retirada dos escritos de seu pai que recontam vários momentos dramáticos durante as Três Eras da Terra-média.

Assim como *O Silmarillion*, *Contos Inacabados* surgiu do estudo dedicado de Christopher dos documentos de seu pai, e o sucesso do livro, apesar de sua natureza fragmentária, deu início a uma empreitada singular na esfera das pesquisas literárias que resultaria, no decorrer de um período de treze anos, na série magistral de doze volumes, *A História da Terra-média*.

É preciso mencionar dois outros textos significativos de J.R.R. Tolkien relacionados a Númenor. O seu fascínio com a sua criação insular e o destino dela deviam sua origem, em parte, a um pesadelo recorrente que começara na infância e que continuou até a vida adulta. Em uma carta, escrita em 1964, ele descreveu essa experiência: "A lenda ou mito ou lembrança vaga de alguma história antiga sempre me incomodou. Ao dormir eu tinha o terrível sonho da Onda inelutável, ora saindo de um mar calmo, ora elevando-se sobre as verdejantes terras do interior. Ele ainda ocorre ocasionalmente, apesar de agora exorcizado por ter escrito sobre ele".[4]

---

* As palavras inglesas *fall* e *downfall* possuem significados e usos similares, tanto literais como figurativos, que se traduzem por "queda". [N. T]

Um incentivo para Tolkien tentar esse exorcismo surgiu, como parece provável, em 1936 como resultado de uma conversa com C.S. Lewis, seu amigo e membro do mesmo grupo literário, os Inklings. Tolkien relembrou mais tarde: "L[ewis] disse-me um dia: 'Tollers, há muito pouco do que realmente gostamos nas histórias. Receio que teremos de tentar escrever algumas nós mesmos.' Concordamos que ele deveria tentar uma 'viagem espacial' e eu deveria tentar uma 'viagem no tempo'".[5]

Lewis viria a escrever *Além do planeta silencioso*,[6] o primeiro volume de uma trilogia que usa a ficção científica para tratar de forma alegórica de temas morais e teológicos. A tentativa de Tolkien mostrou-se menos bem-sucedida. "Comecei", escreveu ele, "um livro abortivo de viagem no tempo cujo final seria a presença de meu herói na submersão de Atlântida. Esta seria chamada *Númenor*, a Terra no Oeste".[7] A história abrangeria muitas gerações de uma família, começando com um pai e um filho, Edwin e Elwin, e traçaria a linhagem deles através do tempo até personagens importantes na época da queda de Númenor. "Minha tentativa", Tolkien refletiu subsequentemente, "após alguns capítulos promissores, esgotou-se: era um desvio demasiado grande para o que eu realmente queria fazer, uma nova versão da lenda de Atlântida".[8]

Embora Tolkien tenha escrito sobre o que chamava de seu "complexo de Atlântida" ou "assombração de Atlântida", obviamente reconhecendo um elo com a ilha fictícia descrita nos diálogos de Platão, ele estava mais diretamente atraído pelo romance de uma civilização sobrepujada por uma tragédia atlante, algo que tem cativado a imaginação humana no decorrer de muitos séculos de cultura popular.[9]

Na interpretação de Tolkien, a submersão cataclísmica de Númenor sob as ondas é seguida pelo ato de o mundo ser remodelado — ou "curvado" — de plano para redondo, e com as terras do Oeste sendo "removidas para sempre dos círculos do mundo". Um elemento crucial desse mito era a existência contínua de uma Rota Reta para o Antigo Oeste que, embora agora oculta, podia ser percorrida por qualquer um que conseguisse encontrá-la: um conceito incorporado no título proposto para o livro, *A Estrada Perdida*.

A ascensão e queda literais da ilha de Tolkien (pois ela fora inicialmente erguida do mar como presente aos Homens) era embasada não só pela alegoria filosófica de Platão acerca da política de Estado, mas também pela narrativa judaico-cristã da fragilidade e falibilidade da humanidade tal como relatada no Livro do Gênesis bíblico. Isso está evidente na descrição de Tolkien de *A Queda de Númenor* como "a Segunda Queda da Humanidade (ou do homem reabilitado, mas ainda mortal)".[10]

Está claro pelo estudo detalhado de Christopher Tolkien dos documentos de seu pai que a história dos Númenóreanos e de seu destino foi concebida em completa harmonia com "O Silmarillion", com a história da Terra-média em contínuo desenvolvimento e com as leis naturais e sobrenaturais às quais ela estava sujeita. A "competição" inicial com Lewis para escrever o que Tolkien descreveu como "um 'Thriller' excursionista [...] descobrindo um Mito"[11] rapidamente adquiriu uma importância muito maior como componente em seu legendário — de fato, Númenor tornou-se uma pedra fundamental na estrutura emergente de Tolkien para os eventos da Segunda Era.

Embora incompleto, Tolkien mostrou à sua editora os primeiros capítulos rascunhados de *A Estrada Perdida* em 1937, mas a resposta desencorajadora que recebeu foi de que, ainda que fosse terminado, era improvável que livro fosse um sucesso comercial.

Em 1945 Tolkien retornou à ideia de uma exploração independente do conceito atlante de viagem no tempo (ainda ligado à Terra-média) quando começou a escrever *Os Documentos do Clube Notion*, um romance planejado que tomaria a forma imaginativa de uma descoberta, no então distante ano de 2012, de documentos variados que relatavam as reuniões de um círculo literário de Oxford e das tentativas de dois dos membros de experimentar a viagem no tempo. O Clube Notion é uma referência com trocadilho aos Inklings, um clube similar de Oxford, com base em uma universidade, de confessos escritores "amadores" de ficção, do qual Tolkien e Lewis eram os principais impulsionadores. O nome Inklings, é claro, tinha sido engenhosamente escolhido para sugerir tanto "ideias" como aqueles que se dispõem a mexer com tinta, e a escolha de Tolkien da palavra "notion" [noção] era um sinônimo óbvio para "inkling" [vaga ideia]; além disso, os personagens listados como membros do "Clube Notion" eram retratos velados de si próprio e de seus colegas Inklings.

Na época da composição do texto, Tolkien ainda não terminara *O Senhor dos Anéis*, e *Os Documentos do Clube Notion*, assim como *A Estrada Perdida*, acabou sendo abandonado, embora não antes de uma considerável parte do livro ter sido rascunhada e um adicional investimento de tempo considerável ter sido gasto na criação de um idioma númenóreano, adûnayân — ou, em sua forma anglicizada, adûnaico ("idioma do Oeste"). Depois de voltar para *O Senhor dos Anéis* e finalmente terminá-lo, Tolkien não foi capaz de dar prosseguimento ao trabalho em *Os Documentos do Clube Notion* devido, sem dúvida, ao fato de que ele cada vez mais concentrava a sua atenção nos Dias Antigos da Terra-média.

Apesar de o conteúdo de *A Estrada Perdida* e *Os Documentos do Clube Notion* como planejados e parcialmente completados possuir uma ligação temática importante com os escritos númenóreanos encontrados no "Akallabêth" de *O Silmarillion* e em outras narrativas da Segunda Era publicadas postumamente, eles são radicalmente individuais em seus estilos e tons — especialmente nos conceitos de viagem no tempo que envolvem cenários parciais do "mundo real" (e do "mundo futuro").

Os leitores que desejarem explorar ainda mais esses experimentos separados do registro do conceito númenóreano são encorajados a ler dois volumes da *História da Terra-média* de Christopher Tolkien: *The Lost Road and Other Writings* (1987) e *Sauron Defeated* (1992), porém, a título de ilustração, uma narrativa extensa e particularmente significativa, retirada de "A Estrada Perdida" e chamada por Christopher naquele texto de "Os capítulos númenóreanos", foi incluída neste volume na forma de um Apêndice.

Christopher Tolkien faleceu em 2020 aos 95 anos, após uma vida de envolvimento íntimo com os anais da Terra-média e uma carreira de quase cinquenta anos fazendo meticulosamente a curadoria da obra de seu pai. O incomparável legado erudito que permanece tem enriquecido de forma imensurável a compreensão e a apreciação dos leitores do livro que, em 1997, foi eleito a obra de ficção mais adorada do século XX e que agora — através de uma variedade de mídias — detém um lugar incontestável nas preferências de um público internacional.

Sem a paixão, dedicação e habilidade de Christopher, a história da Segunda Era da Terra-média jamais teria sido contada.

NOTAS

1. *As Cartas de J.R.R. Tolkien* [*Cartas*], carta nº 91.
2. *Cartas*, carta nº 131. Tolkien escreveu essa carta para Milton Waldman, um editor da William Collins, Sons & Co Ltd., a fim de interessá-lo em *O Silmarillion* e *O Senhor dos Anéis* porque a sua editora atual, George Allen & Unwin (apesar de ter tido considerável sucesso com *O Hobbit*), estava apreensiva com a ideia de encomendar dois livros grandes numa época em que a indústria editorial tinha como empecilho a escassez de papel no pós-guerra. Para relatos desse período difícil do nascimento de uma obra-prima literária, ver Humphrey Carpenter, *J.R.R. Tolkien: uma biografia* (1977) [ed. brasileira, 2018], pp. 283–90 e Rayner Unwin, *George Allen & Unwin: A Remembrancer* (2021), pp. 71–104.
3. *The Peoples of Middle-earth* [*Peoples*], p. 142.
4. *Cartas*, carta nº 257.
5. *ibid.*, carta nº 294.
6. *Além do planeta silencioso* foi publicado em 1938, o primeiro volume da "Trilogia Espacial" (ou "Trilogia Cósmica") de C.S. Lewis, seguido em 1943 por *Perelandra* (também conhecido como *Viagem a Vênus*) e *Uma força medonha* em 1945.
7. *Cartas*, carta nº 257.
8. *ibid.*, carta nº 294.
9. Em janeiro de 1961, Tolkien escreveu (*Cartas*, carta nº 227): "Númenor, forma encurtada de *Númenórë*, é minha própria invenção, composta de *numē-n*, "descida" (√ndū, nu), pôr-do-sol, Oeste e *nōrë* "terra, país" = *Ociente*. As lendas de *Númenórë* estão apenas no segundo plano de *O Senhor dos Anéis*, embora (é claro) elas tenham sido escritas primeiro e estejam apenas resumidas no Apêndice A. Elas são meu uso para meus próprios propósitos da lenda de *Atlântida*, porém não são baseadas em um *conhecimento* especial, mas em uma preocupação pessoal especial com essa tradição dos culturais homens do Mar, que afetou tão profundamente a imaginação dos povos da Europa com costas ocidentais".
10. *ibid.*, carta nº 131.
11. *ibid.*, carta nº 24.

Antes da Segunda Era

O Senhor dos Anéis de J.R.R. Tolkien teve sua fundação no livro que agora conhecemos como *O Silmarillion*, que veio a ser publicado em 1977 com a edição maestral de seu filho, Christopher. Era um volume que reunia todo o tema da criação da Terra-média e de sua passagem de uma era de mito para uma época em que estórias se fundem com histórias — inspirado, como seu autor diria, por sua "paixão igualmente básica [...] por mitos (não alegorias!) e por estórias de fadas e, acima de tudo, por lendas heroicas no limiar dos contos de fadas e da história, de que há tão pouco no mundo (que me é acessível) para meu apetite".

Muito antes da publicação de *O Silmarillion* com seus contos da Primeira Era da Terra-média — e, de fato, antes mesmo de *O Senhor dos Anéis* chegar às mãos de um público leitor, Tolkien escreveu a seu amigo, Milton Waldman, a respeito do escopo de sua ambição como contador de histórias:[1]

> Não ria! Mas, certa vez (minha crista baixou há muito tempo), tive a intenção de criar um corpo de lendas mais ou menos interligadas, que abrangesse desde o amplo e cosmogônico até o nível da estória de fadas romântica — o maior apoiado no menor em contato com a terra, o menor sorvendo esplendor do vasto pano de fundo —, que eu poderia dedicar simplesmente à Inglaterra, ao meu país. Deveria possuir o tom e a qualidade que eu desejava, um tanto sereno e claro, com a fragrância do nosso "ar" (o clima e solo do Noroeste, isto é, da Grã-Bretanha e das regiões europeias mais próximas; não a Itália ou o Egeu, muito menos o Oriente); possuiria (se eu conseguisse alcançá-la) a beleza graciosa e fugidia que alguns chamam de céltica (apesar de raramente encontrada nas antiguidades célticas genuínas), deveria ser "elevado", purgado do grosseiro e adequado à mente mais adulta de uma terra

> há muito impregnada de poesia. Eu desenvolveria alguns dos grandes contos na sua plenitude e deixaria muitos apenas no projeto e esboçados. Os ciclos deveriam ligar-se a um todo majestoso e, ainda assim, deixar espaço para outras mentes e mãos, munidas de tinta, música e drama. Absurdo.

Ambicioso, certamente, mas — felizmente para nós — não tão absurdo quanto Tolkien imaginava em seus momentos de maior frustração e dúvidas, e era um conceito ao qual ele retornava constantemente e buscava com determinação, ainda que o seu modo de busca fosse aquele de um viajante errante: familiarizando-se com línguas, fazendo mapas e sempre pronto a deixar a estrada de sua narrativa central para explorar caminhos pitorescos ou perigosos, antes de retornar à estrada adiante — o que sem dúvida explica por que a ideia da "Estrada" é uma que perpassa, com suas voltas e curvas, tantos de seus escritos.

Ao comentar a grandiosa extensão imaginada de seu esquema "absurdo", Tolkien admitiu de pronto que ele não havia sido concebido nem desenvolvido "de uma só vez"; na verdade, havia tomado forma de uma maneira que explica o impacto muito específico que sua obra viria a ter — e ainda tem — num público leitor que se estende por continentes e culturas. "As próprias histórias", escreveu, "eram o ponto principal. Elas surgiam em minha mente como coisas 'determinadas' e, conforme vinham, separadamente, assim também cresciam os elos. Um trabalho absorvente, embora continuamente interrompido (especialmente porque, mesmo à parte das necessidades da vida, a mente voava para o polo oposto e desdobrava-se sobre a linguística); porém, sempre tive a sensação de registrar o que já estava 'lá' em algum lugar, não de 'inventar'".

Talvez o poder de toda grande literatura esteja naquele momento audacioso de suspensão de descrença. A referência de Tolkien à "linguística" é, por si só, central àquele processo criativo, uma vez que seu grande conhecimento e amor por idiomas imbui o fictício com antiguidade. Como ele escreveu:

> Muitas crianças inventam, ou começam a inventar, idiomas imaginários. Tenho feito isso desde que aprendi a escrever.

> Mas nunca parei, e é claro que, como filólogo profissional (interessado especialmente na estética linguística), mudei meus gostos, aprimorei-me em teorias e provavelmente em habilidade. Por trás de minhas histórias há agora um nexo de idiomas (a maioria apenas estruturalmente esboçada). Mas àquelas criaturas que, em inglês, chamo enganosamente de Elfos são designados dois idiomas relacionados bastante completos, cuja história está escrita e cujas formas (que representam dois lados diferentes do meu próprio gosto linguístico) são cientificamente deduzidas de uma origem comum. A partir desses idiomas foram criados quase todos os *nomes* que aparecem em minhas lendas. Isso confere certo caráter (uma coesão, uma consistência de estilo linguístico e uma ilusão de historicidade) à nomenclatura, ou assim creio, que está notavelmente ausente em outros materiais similares.

Os comentários acima eram um prefácio de sua tentativa de fornecer um resumo dos eventos registrados no seu complexo legendário, e que ocorrem na longa Era que precede aquela relatada no presente volume.

> "Os ciclos começam", escreveu, "com um mito cosmogônico: a *Música dos Ainur*. Deus e os Valar [...] são revelados. Estes últimos são o que chamaríamos de poderes angélicos, cuja função é exercer uma autoridade delegada em suas esferas [...] São 'divinos', isto é, originalmente estavam 'fora' e existiam 'antes' da criação do mundo."

Após a história da criação, a narrativa de *O Silmarillion* continua como Tolkien resumiu em sua carta:

> Passa-se então rapidamente para a *História dos Elfos*, ou o *Silmarillion* propriamente dito; para o mundo tal como o percebemos, mas obviamente transfigurado de uma maneira ainda semimítica: isto é, ele trata de criaturas racionais encarnadas de estatura mais ou menos comparável à nossa. Esses são os *Primogênitos*, os Elfos, e os *Seguidores*, os Homens. O destino dos Elfos é o de serem imortais, amarem a beleza do mundo, conduzi-lo

ao florescimento pleno com seus dons de delicadeza e perfeição, durarem enquanto ele durar, jamais o deixando mesmo ao serem "mortos", mas retornando — com isso, quando os Seguidores chegarem, ensiná-los e abrir caminho para eles, "desvanecer" à medida em que os Seguidores crescem e absorvem a vida da qual ambos originaram-se. A Sina (ou a Dádiva) dos Homens é a mortalidade, a liberdade para além dos círculos do mundo.

Como eu disse, o *Silmarillion* lendário é peculiar e difere de todos os materiais similares que conheço. [...] Seu centro de vista e interesse não está nos Homens, mas nos "Elfos". Os Homens surgem inevitavelmente: afinal de contas, o autor é um homem e, se ele tiver um público, este será de Homens, e os Homens devem ingressar em nossas histórias como tais, e não meramente transfigurados ou parcialmente representados como Elfos, Anões, Hobbits etc. Mas eles permanecem periféricos — recém-chegados e, por muito que cresçam em importância, não são atores principais.

A parte principal da história, o *Silmarillion* propriamente dito, trata da queda do mais talentoso clã dos Elfos, de seu exílio de Valinor (uma espécie de Paraíso, o lar dos Deuses) no longínquo Oeste, de sua reentrada na Terra-média, a terra de seu nascimento, mas há muito sob o jugo do Inimigo, e de sua luta contra ele, o poder do Mal ainda visivelmente encarnado. A história recebe seu nome porque os eventos estão todos interligados ao destino e significado das *Silmarilli* ("radiância de pura luz") ou Joias Primevas. [...] mas as Silmarilli eram mais do que simples objetos belos em si. Havia a Luz. Havia a Luz de Valinor tornada visível nas Duas Árvores de Prata e Ouro.[2] Estas foram mortas pelo Inimigo por malícia e Valinor foi escurecida, embora delas, antes de morrerem por completo, tenham se derivado as luzes do Sol e da Lua. (Uma diferença evidente aqui entre essas lendas e a maioria das demais é que o Sol não é um símbolo divino, mas algo de segunda categoria, e "luz do Sol" (o mundo sob o sol) torna-se um termo para designar um mundo caído e uma visão imperfeita e deslocada.)[3]

Mas o principal artífice dos Elfos (Fëanor) havia aprisionado a Luz de Valinor nas três joias supremas, as Silmarilli, antes que as Árvores fossem maculadas ou mortas. Essa Luz, portanto, desde então, sobreviveu apenas nessas gemas. A queda dos Elfos ocorre através da atitude possessiva de Fëanor e seus sete filhos para com essas gemas. Elas são capturadas pelo Inimigo, engastadas em sua Coroa de Ferro e guardadas em sua fortaleza impenetrável. Os filhos de Fëanor fazem um juramento terrível e blasfemo de inimizade e vingança contra todos ou qualquer um, mesmo dentre os deuses, que ouse reivindicar qualquer quinhão ou direito sobre as Silmarilli. Corrompem a maior parte de seu clã, que se rebela contra os deuses, deixa o paraíso e vai mover uma guerra sem esperança contra o Inimigo. O primeiro fruto da sua queda é a guerra no Paraíso, o assassinato de Elfos por Elfos, e esse fato, bem como seu juramento maligno, persegue todo o seu heroísmo subsequente, gerando traições e arruinando todas as vitórias. *O Silmarillion* é a história da Guerra dos Elfos Exilados contra o Inimigo, que ocorre no Noroeste do mundo (Terra-média). Vários contos de vitória e tragédia misturam-se a ela; mas ela termina em catástrofe e com a passagem do Mundo Antigo, o mundo da longa *Primeira Era*. As joias são recuperadas (pela intervenção final dos deuses), e os Elfos as perdem para sempre, uma no mar, uma nas profundezas da terra e uma como uma estrela no céu. Esse legendário termina com uma visão do fim do mundo, sua ruptura e reconstrução, e com a recuperação das Silmarilli e da "luz anterior ao Sol" [...]

Conforme as histórias tornam-se menos míticas e mais semelhantes a histórias e romances, os Homens são entrelaçados nelas. Na sua maior parte são "Homens bons" — famílias e seus líderes que, ao rejeitar o serviço ao Inimigo e ao escutar rumores dos Deuses do Oeste e dos Altos Elfos, fogem em direção ao oeste e entram em contato com os Elfos Exilados em meio à guerra destes. Os Homens que aparecem são principalmente aqueles das Três Casas dos Pais de Homens, cujos líderes tornam-se aliados dos Senhores-élficos. O contato entre Homens e Elfos já prenuncia a história das Eras posteriores, e um tema recorrente é a ideia de que nos Homens (como o são agora) há um traço de "sangue" e hereditariedade derivado dos Elfos, e de que a arte e poesia dos Homens são em grande medida dependentes dele ou modificadas por ele.[4] Ocorrem, assim, dois casamentos entre mortal e elfo — ambos posteriormente unindo-se no clã

> de Eärendil, representado por Elrond, o Meio-Elfo, que aparece em todas as histórias, inclusive em *O Hobbit*. A principal história de *O Silmarillion*, e que recebe o tratamento mais pleno, é a *História de Beren e Lúthien, a Donzela-élfica*. Aqui encontramos, entre outras coisas, o primeiro exemplo do motivo (que se tornará dominante nos Hobbits) de que as grandes políticas da história mundial, "as rodas do mundo", são frequentemente giradas não pelos Senhores e Governantes, ou mesmo pelos deuses, mas pelos aparentemente desconhecidos e fracos — devido à vida secreta que há na criação, e à parte incompreensível a toda sabedoria, exceto Uma, que reside nas intrusões dos Filhos de Deus no Drama. É Beren, o mortal proscrito, quem tem sucesso (com o auxílio de Lúthien, uma mera donzela, apesar de ser uma elfa régia) naquilo em que todos os exércitos e guerreiros fracassaram: ele penetra no reduto do Inimigo e arranca uma das Silmarilli da Coroa de Ferro. Assim, ele conquista a mão de Lúthien, e o primeiro casamento entre mortal e imortal é realizado.
>
> Como tal, a história é (creio que um belo e poderoso) romance de fadas heroico, passível de ser recebido por si só, mediante um conhecimento apenas bem geral e vago do pano de fundo. Mas é também um elo fundamental do ciclo, destituído de seu pleno significado se for retirado do lugar que lá ocupa. Pois a captura da Silmaril, uma vitória suprema, leva ao desastre. O juramento dos filhos de Fëanor torna-se operante, e a cobiça pela Silmaril leva todos os reinos dos Elfos à ruína.

Contudo, foi da união de Beren e Lúthien Tinúviel que surgiu a linhagem dos Meio-Elfos, posteriormente incluindo não só Elrond, Mestre de Valfenda, como também Elros, seu irmão gêmeo e primeiro Rei de Númenor, e, em uma outra geração, reflete-se em outro casamento entre Homem e Elfa nas pessoas do Rei Aragorn e da Senhora Arwen. Tolkien continuou:

> Há outras histórias tratadas com quase a mesma plenitude e igualmente independentes e, ainda assim, ligadas à história geral. Há os "Os Filhos de Húrin", o conto trágico de Túrin Turambar e sua irmã Níniel — em que Túrin é o herói [...] Há "A Queda de Gondolin": a principal fortaleza élfica.[5] E o conto,

ou contos, de "Eärendil, o Errante". Ele é importante por ser a pessoa que conduz o Silmarillion à sua conclusão e que, através de seus descendentes, proporciona os principais elos com pessoas nas histórias de Eras posteriores. Sua função, como representante das duas Gentes, Elfos e Homens, é encontrar uma rota marítima que leve de volta à Terra dos Deuses e, como embaixador, persuadi-los a se preocuparem novamente com os Exilados, a se apiedarem deles e resgatá-los do Inimigo. Sua esposa, Elwing, descende de Lúthien e ainda possui a Silmaril. Mas a maldição ainda atua, e o lar de Eärendil é destruído pelos filhos de Fëanor. Contudo, esse fato fornece a solução: Elwing, lançando-se ao Mar para salvar a Joia, chega a Eärendil e, com o poder da grande Gema, eles por fim passam para Valinor e completam sua missão — ao custo de nunca mais terem permissão para retornar ou habitar com Elfos ou Homens. Os deuses então agem mais uma vez, e um grande poder surge do Oeste, e a Fortaleza do Inimigo é destruída, e ele próprio [é] lançado para fora do Mundo e enviado para o Vazio, para nunca mais ressurgir em forma encarnada. As duas Silmarils restantes são recuperadas da Coroa de Ferro — apenas para serem perdidas. Os dois últimos filhos de Fëanor, compelidos por seu juramento, roubam-nas e são destruídos por elas, lançando a si próprios no mar e nas profundezas da terra. O navio de Eärendil, adornado com a última Silmaril, é colocado no céu como a mais brilhante das estrelas. Assim terminam *O Silmarillion* e os contos da Primeira Era.

NOTAS

1. As citações deste capítulo foram todas retiradas de *Cartas*, carta nº 131.
2. Tolkien acrescentou em uma nota de rodapé: "Na medida em que tudo isso possui significado simbólico ou alegórico, a Luz é um símbolo tão primevo na natureza do Universo que mal pode ser analisada. A Luz de Valinor (derivada da luz antes de qualquer queda) é a luz da arte não divorciada da razão, que vê as coisas tanto científica (ou filosófica) como imaginativamente (ou subcriativamente) e diz que são boas — como belas. A Luz do Sol (ou da Lua) é derivada das Árvores somente após elas serem maculadas pelo Mal".
3. Em outra parte dessa carta a Milton Waldman, Tolkien escreveu sobre o que via como os temas primários de seus escritos sobre a Terra-média, sendo um dos quais o conceito da "Queda", geralmente associado a crenças

judaico-cristãs com origem na narrativa bíblica de Adão e Eva (Gênesis, capítulo 3), mas com uma aplicabilidade muito mais ampla dada por Tolkien: "Na cosmogonia há uma queda: uma queda de Anjos, diríamos, apesar de evidentemente ser bem diferente, em forma, daquela do mito cristão. Essas histórias são 'novas', não são derivadas diretamente de outros mitos e lendas, mas devem possuir inevitavelmente uma ampla medida de motivos ou elementos antigos e difundidos. Afinal, acredito que as lendas e mitos são compostos mormente da 'verdade', e, sem dúvida, aspectos presentes nela só podem ser recebidos nesse modo; e, há muito tempo, certas verdades e modos dessa espécie foram descobertos e devem reaparecer sempre. Não pode haver qualquer 'história' sem queda — todas as histórias, no fim, são sobre a queda —, pelo menos não para mentes humanas tal como as conhecemos e possuímos. Assim, prosseguindo, os Elfos sofrem uma queda, antes que sua 'história' possa tornar-se histórica. (A primeira queda do Homem, por razões explicadas, não aparece em lugar algum — os Homens não entram em cena até que tudo isso tenha há muito passado, e há apenas um rumor de que por algum tempo eles sucumbiram ao domínio do Inimigo e de que alguns se arrependeram.)"

4. Tolkien acrescentou, como uma nota: "É claro que, na realidade, isso significa apenas que meus 'elfos' são simplesmente uma representação ou apreensão de uma parte da natureza humana, mas esse não é o modo lendário de se falar".
5. *Os Filhos de Húrin* e *A Queda de Gondolin*, editados por Christopher Tolkien como obras independentes, foram publicados, respectivamente, em 2007 e 2018.

O CONTO DOS ANOS

(CRONOLOGIA DAS TERRAS OCIDENTAIS)

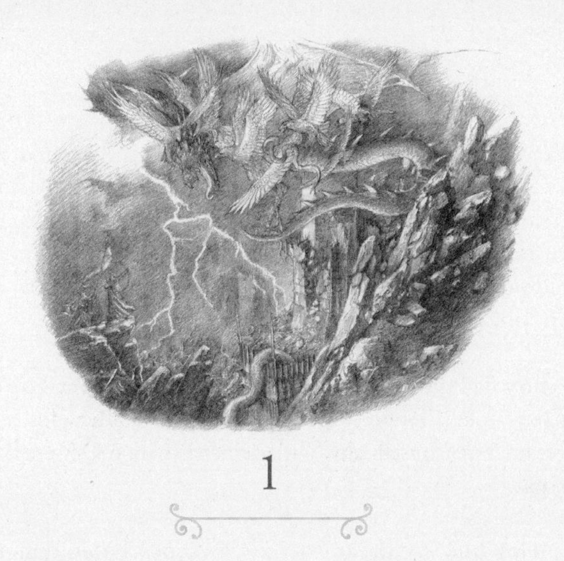

1

Fundação dos Portos Cinzentos e de Lindon.

Em seus apêndices de 1955 de *O Senhor dos Anéis*, J.R.R. Tolkien escreveu sobre a Segunda Era: "Estes foram os anos sombrios para os Homens da Terra-média, mas os anos da glória de Númenor".[1] No que Christopher Tolkien identificou como a primeira tentativa de seu pai de estabwelecer um "Esquema Temporal" (que mais tarde se tornaria "O Conto dos Anos"), a Segunda Era foi descrita como "os 'Anos de Trevas', ou a era entre a Grande Batalha e a derrota de Morgoth, e a Queda de Númenor e a derrocada de Sauron".[2]

Esses tempos repletos de conflitos e, em particular, a tragédia monumental representada por Númenor — grandeza estabelecida, mas que então é solapada e destruída — resultaram, através das narrativas da Segunda Era, tanto na formação da história da Terra--média como na reforma física do mundo inteiro: uma história que fornece um poderoso prelúdio de grande projeção ao grande drama da Guerra do Anel.

A história começa nos últimos dias do Ano 587 da Primeira Era:

Na Grande Batalha e nos tumultos da queda das Thangorodrim aconteceram magnas convulsões na terra, e Beleriand foi destroçada e devastada; e a norte e a oeste muitas terras afundaram sob as águas do Grande Mar. No leste, em Ossiriand, as muralhas das Ered Luin foram quebradas, e uma grande fenda foi feita nelas na direção do sul, e um golfo do mar escorreu para dentro. Naquele golfo o Rio Lhûn seguiu um novo curso e ele foi chamado, portanto, de Golfo de Lhûn. Aquele país tinha outrora recebido dos Noldor [aqueles do segundo clã dos Elfos] o nome de Lindon, e esse nome passou a ter desde então.[3]

No final da Primeira Era, os Valar realizaram um concílio e os Eldar na Terra-média foram convocados — "se não ordenados, ao menos severamente aconselhados" — a retornar para o Oeste e lá ficarem em paz.[4]

Aqueles que escutaram as convocações habitaram na Ilha de Eressëa;[5] e há, naquela terra, um porto que é chamado de Avallónë,[6] pois é de todas as cidades a mais próxima a Valinor, e a torre de Avallónë é a primeira vista que o marinheiro contempla quando, por fim, se aproxima das Terras Imortais ao cruzar as léguas do Mar.[7]

Nem todos os Elfos atenderam ao chamado dos Valar, e habitavam ainda na Terra-média, "demorando-se, avessos, por ora, a abandonar Beleriand, onde tinham lutado e labutado longamente. Gil-galad, filho de Fingon, era seu rei, e com ele estava Elrond Meio-Elfo, filho de Eärendil, o Marinheiro, e irmão de Elros, primeiro rei de Númenor."[8]

Ao comentar sobre esse evento, em sua carta de 1951 a Milton Waldman, Tolkien escreveu: "Vemos uma espécie de segunda queda, ou pelo menos um 'erro' dos Elfos. Essencialmente, nada havia de errado em sua permanência, a despeito do aconselhamento, ainda tristemente com* as terras mortais de seus antigos feitos heroicos. Mas eles não queriam abrir mão de coisa alguma. Queriam a paz, a bem-aventurança e a lembrança perfeita do 'Oeste' e, ainda assim, permanecer na terra comum, onde seu prestígio como o povo mais elevado, acima dos Elfos selvagens, dos Anãos e dos Homens, era

*Algumas palavras do manuscrito original foram omitidas pela datilógrafa nesta frase.

> maior do que na base da hierarquia de Valinor. Tornam-se assim obcecados com o 'desvanecer', o modo pelo qual as mudanças do tempo (a lei do mundo sob o sol) eram percebidas por eles. Tornam-se tristes, e sua arte, (digamos) antiquária, e seus esforços na verdade são todos uma espécie de embalsamamento — embora eles também tenham mantido o antigo motivo de sua espécie, a ornamentação da terra e a cura de suas feridas. Ouvimos falar de um reino remanescente, no extremo Noroeste, mais ou menos no que sobrara das antigas terras de O Silmarillion, sob o governo de Gil-galad".

No começo dessa era ainda permaneciam muitos dos Altos Elfos. A maioria deles habitava em Lindon, a oeste das Ered Luin; mas antes da construção de Barad-dûr muitos dos Sindar passaram para o leste, e alguns estabeleceram reinos nas florestas distantes, onde seu povo era na maioria de Elfos Silvestres. Thranduil, rei no norte de Verdemata, a Grande, era um deles. Em Lindon, ao norte do Lûn, habitava Gil-galad, último herdeiro dos reis dos Noldor no exílio. Era reconhecido como Alto Rei dos Elfos do Oeste. Em Lindon, ao sul do Lûn, habitou por algum tempo Celeborn, parente de Thingol; sua esposa era Galadriel, a maior das mulheres élficas. Era irmã de Finrod Felagund, Amigo-dos-Homens, outrora rei de Nargothrond, que deu a vida para salvar Beren, filho de Barahir.

Mais tarde alguns dos Noldor foram a Eregion, no oeste das Montanhas Nevoentas e perto do Portão-oeste de Moria. Fizeram isso porque souberam que o *mithril* fora descoberto em Moria. Os Noldor eram grandes artífices, e menos hostis aos Anãos que os Sindar; mas a amizade que se formou entre o povo de Durin e os artífices-élficos de Eregion foi a mais próxima que já houve entre as duas raças. Celebrimbor foi Senhor de Eregion e o maior dos seus artífices; ele descendia de Fëanor.[9]

[Galadriel] não foi para o Oeste por ocasião da Queda de Melkor [Morgoth], mas atravessou as Ered Lindon com Celeborn e chegou a Eriador. Quando entraram naquela região, havia muitos Noldor em seu séquito, além de Elfos-cinzentos e Elfos-verdes; e por algum tempo habitaram na região em volta do Lago Nenuial (Vesperturvo, ao norte do Condado).

Celeborn e Galadriel chegaram a ser considerados Senhor e Senhora dos Eldar em Eriador, aí incluídos os grupos errantes de origem nandorin que nunca haviam passado para o oeste por sobre as Ered Lindon para chegar a Ossiriand.[10]

[Sobre Galadriel, é dito que ela] era forte de corpo, mente e vontade, rivalizando tanto com os sábios como com os atletas dos Eldar nos dias da juventude destes. Era considerada bela mesmo entre os Eldar, e seu cabelo [dourado] era tido como maravilha sem par [...] e os Eldar diziam que a luz das Duas Árvores, Laurelin e Telperion, havia sido apanhada em seus cachos [...] Desde os primeiros anos, tinha um maravilhoso dom de penetrar na mente alheia, mas julgava os outros com compaixão e compreensão [...][11]

No relato da visita da Sociedade do Anel a Caras Galadhon em fevereiro do ano T.E. 3019, temos uma descrição de Celeborn e Galadriel:

O salão estava repleto de uma luz suave; suas paredes eram verdes e prateadas, e seu teto, de ouro. Muitos Elfos estavam assentados ali. Em duas cadeiras abaixo do caule da árvore, tendo um ramo vivente por dossel, estavam sentados lado a lado Celeborn e Galadriel. Levantaram-se para saudar os visitantes, à maneira dos Elfos, mesmo os que eram tidos por reis poderosos. Eram muito altos, e a Senhora não era menor que o Senhor; e eram graves e belos. Estavam trajados todos de branco; e os cabelos da Senhora eram de dourado profundo, e os cabelos do Senhor Celeborn eram de prata, longos e luzidios; mas não portavam sinal de idade, a não ser no fundo de seus olhos; pois estes eram aguçados como lanças à luz das estrelas e, no entanto, profundos, poços de intensa memória.[12]

Escrevendo em *Contos Inacabados*, Christopher Tolkien opinou: "Não há nenhuma parte da história da Terra-média mais repleta de problemas que a história de Galadriel e Celeborn", e os leitores que desejarem compreender melhor essa história devem consultar "A História de Galadriel e Celeborn", o ensaio extenso de Christopher sobre o tema, que está incluído na Parte Dois daquela obra.[13]

Nas costas do Golfo de Lhûn os Elfos construíram seus portos e deram-lhes o nome de Mithlond; e ali tinham muitos navios, pois o ancoradouro era bom. Dos Portos Cinzentos os Eldar, de quando em vez, içavam vela, fugindo da escuridão dos dias da Terra; pois, pela misericórdia dos Valar, os Primogênitos ainda podiam seguir a Rota Reta e retornar, se desejassem, à sua gente em Eressëa e em Valinor, além dos mares circundantes.[14]

> No final da Primeira Era, enquanto os Eldar foram convocados a zarpar para o Oeste, um destino diferente foi apresentado a Elros e Elrond, os filhos de Eärendil, que descendiam de uma união entre Elfos e Homens e eram conhecidos como Peredhil, ou Meio-Elfos. A eles os Valar deram "uma escolha irrevogável sobre a gente à qual iriam pertencer".[15]

Elrond escolheu ser da gente dos Elfos e tornou-se mestre da sabedoria. A ele, portanto, foi concedida a mesma graça que àqueles Altos Elfos que ainda permaneciam na Terra-média: que, quando estivessem finalmente fatigados das terras mortais, poderiam tomar uma nau nos Portos Cinzentos e passar ao Extremo Oeste; e esta graça continuou após a mudança do mundo. Mas aos filhos de Elrond também foi designada uma escolha: passarem com ele para além dos círculos do mundo; ou, se permanecessem, tornarem-se mortais e morrerem na Terra-média. Para Elrond, portanto, todas as sortes da Guerra do Anel estavam repletas de pesar.

Elros escolheu ser da gente dos Homens e permanecer com os Edain; mas foi-lhe concedida uma grande duração de vida, muitas vezes a dos homens menores.[16]

NOTAS

1. *O Senhor dos Anéis*, Apêndice B, p. 1538.
2. *Peoples*, p. 166.
3. *O Silmarillion*, "Dos Anéis de Poder e da Terceira Era" [Anéis], pp. 373–4.
4. *Cartas*, carta nº 131. Para compreender a evolução da narrativa que está incluída em *O Silmarillion* como "Akallabêth", os leitores devem consultar *The Peoples of Middle-earth*, Part One: The Prologue and Appendices to *The Lord of the Rings*, V "The History of the Akallabêth" [*Os Povos da*

Terra-média, Parte Um: O Prólogo e os Apêndices de *O Senhor dos Anéis*, V "A História do Akallabêth"], pp. 140 ss.

5. Tol Eressëa, também conhecida como a Ilha Solitária, estava situada a leste de Aman ("reino abençoado"), onde ficava Valinor, lar dos Valar. Sua história é contada no capítulo 5 de *O Silmarillion*.
6. A etimologia do nome Avallónë é tratada em *The Lost Road and Other Writings*, "The Etymologies" [*A Estrada Perdida e Outros Escritos*, "As Etimologias"], p. 249 e p. 370, mas está claro que esse nome proporcionou a Tolkien uma feliz coincidência de ligar a ilha do legendário da Terra-média à ilha lendária de Avalon, que aparece nas lendas arthurianas e que Tolkien citou como uma influência literária, fazendo um paralelo entre a passagem do moribundo Rei Arthur em uma barca e a partida do Portador-do-Anel para as Terras Imortais: "A Bilbo e Frodo é concedida a graça especial de ir com os Elfos que amavam — um final arthuriano, no qual, é claro, não fica explícito se isso é uma 'alegoria' da morte, ou uma espécie de cura e restauração que conduz a um retorno". (*Sauron Defeated*, Part One: The End of the Third Age, "The Epilogue" [*Sauron Derrotado*, Parte Um: O Fim da Terceira Era, "O Epílogo"], p. 132).
7. *O Silmarillion*, "Akallabêth", p. 342. Ver nota 4 anterior. Também são de interesse as primeiras versões de Tolkien de seu conceito atlante: *The Lost Road and Other Writings*, I "The Early History of the Legend" [*A Estrada Perdida e outros escritos*, I "A História Inicial da Lenda"], pp. 7–10 e II "The Fall of Númenor" ["A Queda de Númenor"], pp. 11 ss.; e *Sauron Defeated*, Part Three: "The Drowning on Anadûnê" [*Sauron Derrotado*, Parte Três: "A Submersão de Anadûnê"], pp. 331 ss.
8. Anéis, p. 374.
9. Apêndice B, pp. 1538–9. Nos escritos de Tolkien, várias linhagens são atribuídas a Gil-galad, mas, ao editar *O Silmarillion*, Christopher Tolkien resolveu usar a opção de seu pai: "Gil-galad, filho de Fingon". Seu parentesco é discutido brevemente em *Peoples*, Part Two: Late Writings, XI "The Shibboleth of Fëanor" [Shibboleth] [*Povos*, Parte Dois: Escritos Tardios, XI "O Xibolete de Fëanor"], p. 347. "[Gil-galad, cuja história posterior está inextricavelmente ligada ao destino da Segunda Era, era chamado, assim, em quenya,] 'estrela de radiância' [...] porque seu elmo e cota de malha, e seu escudo recoberto de prata e adornado com um emblema de estrelas brancas, refulgiam ao longe como uma estrela à luz do sol ou da lua e podiam ser vistos por olhos élficos a grande distância, caso ele estivesse em um ponto elevado."
10. *Contos Inacabados* [*CI*], p. 318.
11. *CI*, pp. 311–12. Parte de uma descrição muito mais longa fornecida em um "ensaio muito tardio e essencialmente filológico" citado por Christopher Tolkien em *Contos Inacabados*; ver também a nota 14 abaixo.
12. *Sociedade*, Livro II, 7 "O Espelho de Galadriel", p. 501. Em *A Natureza da Terra-média* [*Natureza*], p. 403, nota 8, com comentários etimológicos

adicionais de Tolkien sobre o nome de Galadriel, é dito: "O nome *Galadriel*, nessa forma, é sindarin. Seu sentido original era 'donzela do diadema faiscante', uma referência aos reflexos brilhantes do cabelo dourado dela, o qual, na juventude, Galadriel usava preso em três grandes tranças, com a do meio em volta da cabeça. *Celeborn* também é sindarin nessa forma, mas originalmente significava 'alto de prata'".

13. Na íntegra, Christopher Tolkien escreveu: "Não há nenhuma parte da história da Terra-média mais repleta de problemas que a história de Galadriel e Celeborn, e deve-se admitir que há graves inconsistências 'embutidas nas tradições'; ou, olhando o assunto de outro ponto de vista, que o papel e a importância de Galadriel emergiram apenas lentamente, e que sua história sofreu contínuas readaptações". Ver *CI*, Segunda Parte: A Segunda Era, IV "A História de Galadriel e Celeborn", pp. 309 ss; ver também *Natureza*, Parte Três: O Mundo, suas Terras e seus Habitantes, 16 "Galadriel e Celeborn", pp. 396 ss.
14. Anéis, p. 374.
15. *O Senhor dos Anéis*, Apêndice A [Apêndice A], p. 1469.
16. Apêndice A, pp. 1469–70.

32

Os Edain chegam a Númenor.[1]

Os Valar, os "Guardiões do Mundo", que haviam sido incumbidos por Eru Ilúvatar, o criador transcendente Todo-Poderoso, de dar forma ao mundo e governá-lo, também pensaram no destino da raça dos Homens, ou Edain, como eram chamados na língua sindarin dos Elfos. As tribos dos Homens que haviam se tornado amigas e nobres aliadas dos Elfos, lutando ao lado deles nos confrontos contra Morgoth, eram de três casas: a Casa de Bëor, conhecida como a Primeira Casa dos Edain; a Casa de Haleth era a Segunda Casa, conhecida, entre outros nomes, como o Povo de Haleth, os Haladin; e a Terceira Casa era o Povo de Marach, posteriormente mais conhecido como a Casa de Hador. A história de suas vidas e feitos durante a Primeira Era é contada em *O Silmarillion*.[2]

Os Valar, em concílio, decidiram oferecer aos Edain um meio de serem removidos "dos perigos da Terra-média".[3] Os Valar, auxiliados por Maiar, que eram seres espirituais primordiais "da mesma ordem que os Valar, mas de menor grau [...] seus serviçais e ajudantes",[4] deram existência à ilha de Númenor.

Aos Pais de Homens das três casas fiéis rica recompensa também foi dada. Eönwë[5] veio no meio deles e os ensinou; e lhes foram dados sabedoria, e poder, e vida mais duradouros que os que quaisquer outros de raça mortal possuíram. Uma terra foi feita para que os Edain nela habitassem, nem parte da Terra-média nem de Valinor, pois era separada de ambas por um vasto mar; contudo, estava mais perto de Valinor. Foi erguida por Ossë[6] das profundezas da Grande Água, e foi estabelecida por Aulë[7] e enriquecida por Yavanna;[8] e os Eldar trouxeram para lá flores e fontes de Tol Eressëa. Àquela terra, os Valar chamaram de Andor, a Terra da Dádiva;[9] e a Estrela de Eärendil brilhou forte no Oeste como um sinal de que tudo estava pronto e como um guia através do mar; e os Homens maravilharam-se ao ver aquela chama de prata nos caminhos do Sol.[10]

Então os Edain zarparam pelas águas profundas, seguindo a Estrela;[11] e os Valar puseram uma paz sobre o mar por muitos dias e enviaram luz do sol e bom vento nas velas, de modo que as águas faiscavam diante dos olhos dos Edain como vidro fluido, e a espuma voava feito neve diante dos cascos de seus navios. Mas tão brilhante era Rothinzil que, mesmo pela manhã, os Homens podiam vê-lo luzir no Oeste, e, na noite sem nuvens, ele brilhava sozinho, pois nenhuma outra estrela podia ficar a seu lado. E, estabelecendo seu curso na direção dele, os Edain cruzaram, por fim, as léguas de mar e viram, ao longe, a terra que lhes fora preparada, Andor, a Terra da Dádiva, chamejando em uma névoa dourada. Então saíram do mar, e encontraram belo e fértil país, e ficaram contentes. E chamaram àquela terra Elenna, que é Rumo-à-estrela; mas também Anadûnê, que é Ociente, Númenórë na língua alto-eldarin.

Esse foi o princípio daquele povo que na fala élfico-cinzenta é chamado de Dúnedain: os Númenóreanos, Reis entre Homens. Mas não escaparam assim da sina da morte que Ilúvatar pusera sobre toda a Gente dos Homens, e eram mortais ainda, embora seus anos fossem longos e não conhecessem enfermidade antes que a sombra caísse sobre eles. Portanto, tornaram-se sábios e gloriosos, e em todas as coisas mais semelhantes aos Primogênitos do que todos os outros das gentes dos Homens; e eram altos, mais do que os mais altos dos filhos da Terra-média; e a luz de seus olhos era como a das estrelas brilhantes. Mas seu número só aumentava devagar na terra, pois, embora filhas e filhos lhes nascessem, mais belos que seus pais, suas crianças eram poucas.[12]

Um relato mais detalhado da chegada dos Homens da Terra-média à terra que lhes foi preparada e o tempo levado para a migração é recontado da seguinte maneira:

As lendas da fundação de Númenor falam com frequência como se todos os Edain que aceitaram a Dádiva tivessem zarpado de uma única vez e em uma única frota. Mas isso deve-se somente à brevidade da narrativa. Em tratados históricos mais detalhados está relatado (como é possível deduzir pelos eventos e os números envolvidos) que, após a primeira expedição, liderada por Elros, muitos outros navios, sozinhos ou em pequenas frotas, foram para o oeste levando outros dos Edain, fossem aqueles que a princípio estavam relutantes em desbravar o Grande Mar, mas que não suportavam ficar separados daqueles que haviam partido, fossem alguns que estavam muito dispersados e não puderam ser reunidos para partirem com a primeira frota.

Uma vez que os barcos usados eram modelos élficos, velozes, mas pequenos, e cada um guiado e capitaneado por um dos Eldar delegados por Círdan, teria sido necessária uma grande frota para transportar todas as pessoas e bens que vieram a ser levados da Terra-média a Númenor. As lendas não fazem suposições quanto aos números, e os tratados históricos dizem pouco. Diz-se que a frota de Elros era composta de muitos navios (de acordo com alguns, 150 embarcações, com outros, duzentas ou trezentas) e que transportou "milhares" dos homens, mulheres e crianças dos Edain: provavelmente por volta de 5.000 ou no máximo 10.000. Porém, todo o processo de migração parece na verdade ter levado pelo menos 50 anos, possivelmente mais, e encerrou-se por fim somente quando Círdan (sem dúvida instruído pelos Valar) deixou de fornecer mais navios ou guias.[13]

Mas um comando havia sido imposto aos Númenóreanos, a "Interdição dos Valar": estavam proibidos de navegarem rumo ao oeste, fora de vista de suas próprias costas, ou de tentarem pôr os pés nas Terras Imortais. Pois, apesar de ter sido concedida a eles uma longa duração de vida, no começo o triplo da dos Homens menores, eles tinham de permanecer mortais, visto que aos Valar não era permitido tirar deles a Dádiva dos Homens (ou Sina dos Homens, como foi chamada depois).[14]

Por muitos anos, os Númenóreanos aceitariam e respeitariam a interdição de velejarem "no rumo oeste a uma distância em que as costas de Númenor não mais pudessem ser vistas" e "continuaram contentes, embora não entendessem completamente o propósito dessa interdição". Manwë — Rei dos Valar e irmão do Senhor Sombrio Melkor (Morgoth) — era, em matéria de autoridade (embora não de poder), o maior dos Ainur e, como o Senhor do Alento de Arda, era seu Regente.[15]

32

REIS E RAINHAS DE NÚMENOR I:

Elros Tar-Minyatur[16]

Nascimento: 532 da Primeira Era; Morte: S.E. 442 (500 anos)
Reinado: S.E. 32–442 (410 anos)

Considera-se que o Reino de Númenor começou no trigésimo segundo ano da Segunda Era, quando Elros, filho de Eärendil, ascendeu ao trono na Cidade de Armenelos, tendo então noventa anos de idade.[17]

Está escrito que "o cetro era o principal emblema da realeza em Númenor"[18] do reinado do Primeiro Rei ao do Vigésimo Quinto Rei, e que, após sobreviver por 3.287 anos, foi perdido com Ar-Pharazôn na Queda.

Daí em diante [Elros] ficou conhecido no Pergaminho dos Reis pelo nome de Tar-Minyatur;[19] pois era costume dos Reis assumirem seus títulos nas formas do idioma quenya ou alto-élfico, visto que esse era o idioma mais nobre do mundo, e esse costume perdurou até os dias de Ar-Adûnakhôr (Tar-Herunúmen).[20]

NOTAS

1. Nos rascunhos iniciais de Tolkien de "Do Conto dos Anos", ele registrara "A Fundação de Númenor" com a data do ano 50 da Segunda Era (ver *Peoples*, Part One, VI, p. 168); essa data foi subsequentemente emendada para S.E. 32, mas ao preparar "O Conto dos Anos" para ser incluído em *Retorno*, Apêndice B, o ano 32 é dado como sendo a data em que "Os Edain chegam a Númenor". Presume-se que o autor considerasse que esses dois eventos — a Fundação de Númenor e a chegada dos Edain — tivessem ocorrido durante o mesmo espaço de tempo.
2. Ver *O Silmarillion:* 12 "Dos Homens"; 17 "Da Vinda dos Homens para o Oeste"; as Genealogias (III "A Casa de Bëor"; IV e V "A Casa de Hador e o Povo de Haleth").
3. Apêndice A, p. 1470.
4. *O Silmarillion*, Valaquenta [Valaquenta], p. 57.
5. Um líder dos Maiar descrito no "Valaquenta", p. 57, como "o alferes e arauto de Manwë, cujo poder em armas não é ultrapassado por ninguém em Arda".
6. Um Maia descrito no "Valaquenta", p. 57, como "mestre dos mares que banham as costas da Terra-média".
7. Um Vala descrito no "Valaquenta", pp. 53–4, como possuidor de senhorio "sobre todas as substâncias das quais Arda é feita [...] a feição de todas as terras foi seu labor [...] um ferreiro e um mestre de todos os ofícios".
8. Uma Valië e a esposa de Aulë, descrita no "Valaquenta", p. 54, como "a Provedora dos Frutos [...] amante de todas as coisas que crescem na terra e todas as formas incontáveis delas ela tem em sua mente".
9. Das palavras *anna* (dádiva) e *dor* (terra) em quenya.
10. Akallabêth, pp. 342–3.
11. Como observado por Christopher Tolkien em *Peoples*, p. 144, §5, a passagem original em "A Submersão de Anadûnê" conforme apresentada em *Sauron Defeated*, p. 360, diz o seguinte: "Então os Edain ajuntaram todos os navios, grandes e pequenos, que haviam construído com a ajuda dos Elfos e aqueles que estavam dispostos a partir tomaram suas esposas e seus filhos e toda a riqueza que possuíam, e zarparam pelas águas profundas, seguindo a Estrela".
12. Akallabêth, p. 343.
13. Publicado pela primeira vez em *Peoples*, p. 144, §5, continuado na p. 145, não tendo sido incluído entre os trechos apresentados em *Contos Inacabados*. Diziam que Círdan, o Armador, "enxergava mais longe e mais fundo o futuro do que qualquer outro na Terra-média" (*Peoples*, pp. 385 ss.), e foi a ele que Celebrimbor confiou o anel Narya, o Anel de

Fogo, que era um dos Três Anéis élficos. Círdan subsequentemente passou Narya a Gandalf na chegada deste à Terra-média, dizendo: "Toma este anel, Mestre [...] pois tua labuta será pesada; mas ele te sustentará na exaustão que tomaste sobre ti. Pois este é o Anel de Fogo, e podes com ele reacender os corações em um mundo que se torna gélido. Mas quanto a mim, meu coração está com o Mar, e habitarei junto às praias cinzentas até que zarpe a última nau. Esperarei por ti". (*Retorno*, Apêndice B, 1542) Círdan lutou na Última Aliança de Elfos e Homens e, mais tarde, como Mestre dos Portos Cinzentos, recebeu Galadriel, Celeborn, Elrond, Gandalf, Frodo e Bilbo quando os Portadores-dos-Anéis se prepararam para embarcar rumo às Terras Imortais no navio que ele construída para a última viagem deles.

14. Apêndice A, p. 1470. Em outro lugar está registrado: "Ao povo númenóreano como um todo é atribuída uma longevidade cerca de cinco vezes maior que a dos demais Homens"; ver o comentário de Christopher Tolkien, *CI*, p. 305, nota 1.

15. A fonte dos trechos citados nessa nota editorial é "Akallabêth", p. 345. Em outro lugar (*Cartas*, carta nº 156), Tolkien escreveu: "Pois o ponto de vista desta mitologia é de que a 'mortalidade', ou uma duração curta de vida, e a 'imortalidade', ou uma duração indefinida de vida, eram partes do que poderíamos chamar de natureza biológica e espiritual dos Filhos de Deus, Homens e Elfos (os primogênitos), respectivamente, e *não* poderia ser alterada por ninguém (mesmo um Poder ou deus) e não seria alterada pelo Uno, exceto talvez por uma daquelas estranhas exceções a todas as regras e regulamentações que parecem surgir na história do Universo e apresentam o Dedo de Deus como o único Livre-arbítrio e Agente".

Acrescentando em uma nota: "A história de Beren e Lúthien é a maior exceção, uma vez que é o modo pelo qual a 'elficidade' fica enredada como uma linha na história humana".

Tolkien então continuou: "[Os Edain] foram proibidos de navegar *para o oeste* além de sua própria terra, pois não tinham a permissão de serem ou de tentarem ser 'imortais'; e neste mito o Reino Abençoado é representado como ainda possuidor de uma existência física verdadeira como uma região do mundo real, uma região que poderiam ter alcançado com navios, por serem marinheiros formidáveis".

16. Em um rascunho de uma carta a um(a) leitor(a) de *O Senhor dos Anéis*, Tolkien escreveu (*Cartas*, carta nº 244): "Um Rei númenóreano era *monarca*, com o poder de decisão inquestionável em debates; porém, ele governava o reino de acordo com a antiga lei, da qual era administrador (e intérprete), mas não o criador". A genealogia dos Reis e Rainhas de Númenor (houve três destas últimas) seguida neste livro foi retirada de *Contos Inacabados*, Segunda Parte: A Segunda Era, III "A Linhagem de Elros: Reis de Númenor", pp. 297–308. Uma lista resumida aparece em *O Senhor dos Anéis*, Apêndice A, Anais dos Reis e Governantes I, "Os Reis Númenóreanos", pp. 1468–74, incluindo (pp. 1470–71) a seguinte notação:

Estes são os nomes dos Reis e Rainhas de Númenor: Elros Tar-Minyatur, Vardamir, Tar-Amandil, Tar-Elendil, Tar-Meneldur, Tar-Aldarion, Tar--Ancalimë (a primeira Rainha Governante), Tar-Anárion, Tar-Súrion, Tar-Telperiën (a segunda Rainha), Tar-Minastir, Tar-Ciryatan, Tar--Atanamir – o Grande, Tar-Ancalimon, Tar-Telemmaitë, Tar-Vanimeldë (a terceira Rainha), Tar-Alcarin, Tar-Calmacil, Tar-Ardamin.

Depois de Ardamin, os Reis assumiram o cetro em nomes na língua númenóreana (ou adûnaico): Ar-Adûnakhôr, Ar-Zimrathôn, Ar-Sakalthôr, Ar-Gimilzôr, Ar-Inziladûn. Inziladûn arrependeu-se dos costumes dos Reis e mudou seu nome para Tar-Palantir, "O de Visão Longínqua". Sua filha deveria ter sido a quarta Rainha, Tar-Míriel, mas o sobrinho do Rei usurpou o cetro e se tornou Ar-Pharazôn, o Dourado, último Rei dos Númenóreanos.

Nos dias de Tar-Elendil, as primeiras naus dos Númenóreanos retornaram à Terra-média. Seu primeiro descendente foi uma filha, Silmariën. O filho dela foi Valandil, primeiro dos Senhores de Andúnië no oeste da terra, renomados por sua amizade com os Eldar. Dele descenderam Amandil, o último senhor, e seu filho Elendil, o Alto.

O sexto Rei deixou apenas uma descendente, uma filha. Ela se tornou a primeira Rainha; pois foi feita então uma lei da casa real de que o descendente mais velho do Rei, fosse homem ou mulher, receberia o cetro.

17. Elros (em élfico, o nome significa "Espuma-de-estrelas") e seu irmão gêmeo, Elrond ("Domo-de-estrelas") nasceram no ano 532 da Primeira Era, filhos de Eärendil e de sua esposa, Elwing. Seis anos depois, os meninos foram capturados por Maglor e Maedhros (dois dos Filhos de Fëanor) no terceiro e mais cruel dos Fratricídios élficos, resultado de sua tentativa de recuperar a Silmaril que estava em posse de Elwing. Apesar de muita violência, Maglor e Maedhros pouparam as vidas das crianças e Maglor os criou em sua própria casa.

Após o Terceiro Fratricídio, Eärendil e Elwing viajaram para Valinor a fim de suplicar aos Valar auxílio aos Homens e Elfos da Terra-média em seus conflitos contra o Vala rebelde, Morgoth ("Sombrio Inimigo do Mundo"), o primeiro Senhor Sombrio e raiz de todo o mal na Terra-média. Apesar de violar a interdição dos Valar que proibia a entrada de um mortal no solo sagrado das Terras Imortais, Eärendil foi poupado da sentença de morte porque seu apelo foi feito em favor dos Elfos e Homens da Terra-média. Como Meio-Elfos, foi dada a ele e a Elwing a escolha de serem contados entre a raça dos Elfos ou entre a gente dos Homens, uma escolha que se estendeu aos seus filhos. Eärendil seguiu a escolha da esposa e foi contado entre a gente dos Elfos. Quanto aos seus filhos, Elrond fez a mesma escolha, enquanto Elros escolheu viver como um Homem e se tornou o primeiro rei de Númenor. A história completa desses eventos é contada em *O Silmarillion*, 24 "Da Viagem de Eärendil e da Guerra da Ira", pp. 327 ss. O final da história de Eärendil é contada em verso por Bilbo em Valfenda e ouvido por Frodo quando "vagou [...] por muito tempo em um sonho de música que se transformou em água corrente, e depois subitamente em uma voz". *Sociedade*, Livro II, 1 "Muitos Encontros", p. 338.

18. Apêndice A, I (iii), p. 1482, nota 24.

19. Elros assumiu o nome de Tar-Minyatur, que em quenya, a língua alto-élfica, significa "Alto Primeiro-governante", das palavras *tar* (rei), *minya* (primeiro) e *tur* (senhor ou mestre). Por convenção, subsequentes monarcas de Númenor adotaram o prefixo *Tar-* para o seu título régio até, como mencionado, o reinado do vigésimo rei, Ar-Adûnakhôr (Tar-Herunúmen), que assumiu um título em adûnaico, o idioma dos homens de Númenor.

20. *CI*, p. 302.

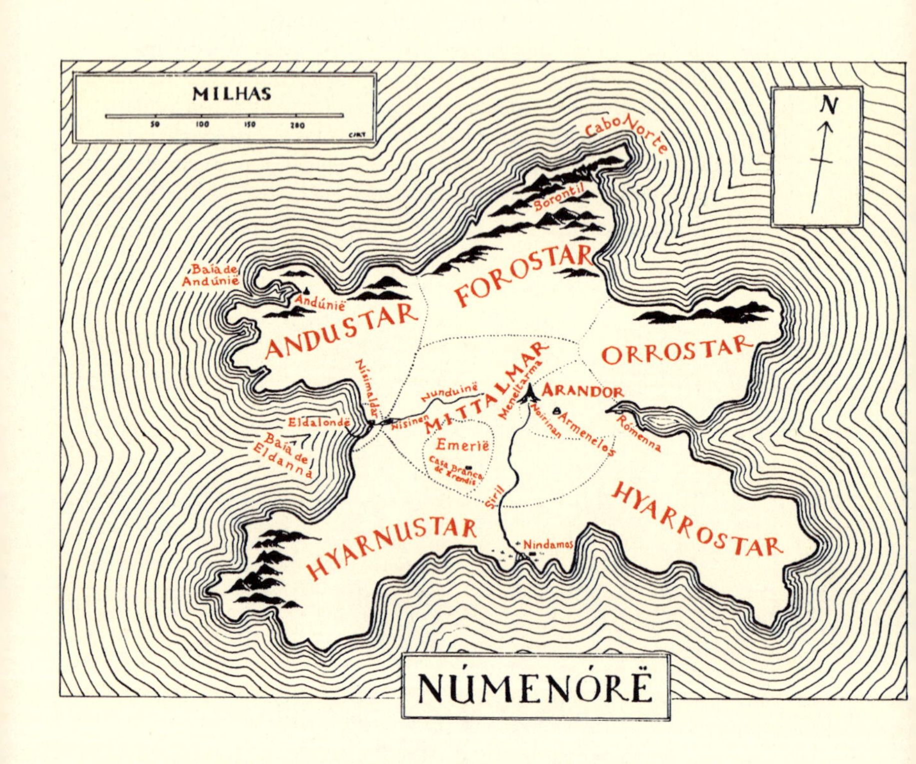

MILHAS
50
100
150
200
N
Cabo Norte
Borontil
FOROSTAR
Baía de Andúnië
Andúnië
ANDUSTAR
ORROSTAR
Nísimaldar
MITTALMAR
Nunduinë
Meneltarma
ARANDOR
Eldalondë
Nísinen
Noirinan
Armenelos
Rómenna
Baía de Eldanna
Emerië
Casa Branca de Erendis
Siril
HYARROSTAR
HYARNUSTAR
Nindamos
NÚMENÓRË

A geografia de Númenor[1]

Mapas precisos de Númenor foram feitos em vários períodos antes de sua queda; mas nenhum desses sobreviveu ao desastre. Eles foram depositados na Casa-Sede da Guilda dos Aventureiros, e esta foi confiscada pelos reis e transferida para o porto de Andúnië no oeste; todos os seus registros foram perdidos. Mapas de Númenor foram durante muito tempo preservados nos arquivos dos Reis de Gondor, na Terra-média; mas esses parecem ser derivados em parte de desenhos antigos feitos de memória pelos primeiros colonizadores; e (os melhores) a partir de um único mapa, com poucos detalhes além das profundidades do mar ao longo da costa e de descrições dos portos e seus acessos, que estava originalmente no navio de Elendil, líder dos que escaparam da queda.

Descrições da terra, e de sua flora e fauna, também foram preservadas em Gondor; mas não eram precisas ou detalhadas, nem distinguiam claramente entre o estado da terra em diferentes períodos, sendo vagas acerca de sua condição na época dos primeiros povoados. Visto que todos esses assuntos eram estudados pelos homens de saber em Númenor, e muitas histórias naturais e geografias precisas devem ter sido compostas, aparentemente elas, como quase tudo o mais das artes e ciências de Númenor em seu apogeu, desapareceram na queda.

Da Forma de Númenor

A terra de Númenor assemelhava-se, em seu contorno, a uma estrela de cinco pontas, ou pentagrama, com uma porção central de cerca de 250 milhas [402 km] de diâmetro, de norte a sul e de leste a oeste, da qual se estendiam cinco grandes promontórios peninsulares. Esses promontórios eram considerados regiões distintas e se chamavam Forostar (Terras-do-Norte), Andustar (Terras-do-Oeste), Hyarnustar (Terras-de-Sudoeste), Hyarrostar (Terras-de-Sudeste) e Orrostar (Terras-do-Leste). A porção central era chamada Mittalmar (Terras Interiores), e não tinha costa, exceto a região em torno de Rómenna e a cabeceira de seu braço de mar. Uma pequena parcela das Mittalmar era, no entanto, separada do restante, e se chamava Arandor, a Terra-do-Rei. Em Arandor ficavam o porto de Rómenna, o Meneltarma e Armenelos, a Cidade dos Reis; e essa foi em todos os tempos a região mais populosa de Númenor.

Os promontórios, embora não fossem todos precisamente da mesma forma ou tamanho, tinham cerca de 100 milhas [160 km] largura e mais de 200 milhas [321 km] de comprimento. Uma linha traçada da ponta mais setentrional das Forostar à mais meridional das Hyarnustar situava-se mais ou menos diretamente de norte a sul (no período dos mapas); essa linha tinha mais de 700 milhas [1.000 km] de comprimento, e cada linha traçada da extremidade de um promontório à extremidade de outro e que passasse através da terra (ao longo das fronteiras das Mittalmar) tinha mais ou menos o mesmo comprimento.

Das Mittalmar

As Mittalmar ficavam acima do nível geral dos promontórios, sem considerar a altura de quaisquer montanhas ou colinas nelas; e na época da colonização parecem ter tido poucas árvores e consistido principalmente em prados e planaltos. Quase em seu centro, ainda que um pouco mais perto da borda oriental, erguia-se a grande montanha, chamada Meneltarma, Pilar do Céu. Ela ficava a cerca de 3.000 pés [914 m] acima da planície. As encostas inferiores do Meneltarma eram suaves e parcialmente cobertas de relva, mas a montanha se tornava cada vez mais íngreme, e os últimos 500 pés [152 m] em determinados pontos não podiam ser escalados, exceto pela estrada ascendente.

A base do Meneltarma inclinava-se suavemente para a planície ao redor, mas estendia ao longe, como se fossem raízes, cinco cristas longas e baixas na direção dos cinco promontórios da terra; e essas chamavam-se Tarmasundar, as Raízes do Pilar.

Mas, em sua maior parte, as Mittalmar eram uma região de pastagens. A sudoeste havia pradarias ondulantes; e lá, em Emerië, ficava a principal região dos Pastores de Ovelhas.

Das Forostar

As Forostar eram a parte menos fértil; pedregosa, com poucas árvores, a não ser pelos bosques de abetos e lariços que existiam nas encostas ocidentais das charnecas elevadas, cobertas de urzes. Em direção ao Cabo Norte o terreno erguia-se em elevações rochosas, e lá o grande Sorontil erguia-se escarpado do mar em tremendos penhascos. Lá era a morada de muitas águias.

Das Andustar

As Andustar também eram rochosas nas suas regiões setentrionais, com altas florestas de abetos dando para o mar. Tinha três pequenas baías voltadas para o oeste, encravadas nos planaltos; mas ali em muitos lugares os penhascos não ficavam à beira-mar, e havia a seus pés um terreno inclinado [...] Mas grande parte da região meridional das Andustar era fértil, e lá também havia grandes florestas, de bétulas e faias no terreno mais alto, e de carvalhos e olmos nos vales inferiores. Entre os promontórios das Andustar e das Hyarnustar ficava o grande recuo curvado da Baía que se chamava Eldanna, pois estava voltada para Eressëa. E eram quentes (quase tão quentes quanto as terras do extremo Sul) as terras a seu redor, protegidas pelo norte e abertas para os mares a oeste, e era lá que mais chovia. No centro da Baía de Eldanna ficava o mais belo de todos os portos de Númenor, Eldalondë, o Verde; e a ele chegavam com maior frequência, nos dias de outrora, os velozes navios brancos dos Eldar de Eressëa.

O rio Nunduinë corria para o mar em Eldalondë e em seu curso formava o pequeno lago de Nísinen, que assim se chamava pela abundância de arbustos e flores de doce fragrância que cresciam em suas margens.

Das Hyarnustar

As Hyarnustar eram em sua parte ocidental uma região montanhosa, com grandes penhascos nas costas do oeste e do sul; mas a leste havia grandes vinhedos numa terra quente e fértil. Os promontórios das Hyarnustar e das Hyarrostar afastavam-se em ângulo muito aberto, e nessas longas praias o mar e a terra se uniam suavemente como em nenhum outro lugar de Númenor. Ali corria o Siril, o principal rio da terra (pois todos os demais, exceto o Nunduinë a oeste, eram torrentes curtas e velozes que se precipitavam para o mar), que nascia em fontes ao pé do Meneltarma no vale de Noirinan e, correndo através das Mittalmar para o sul, passava a fluir lento e sinuoso em seu curso inferior; pois a terra era quase plana, e não muito acima do nível do mar. Por fim desembocava no mar, entre largos alagados e brejos juncosos, e suas muitas pequenas fozes traçavam caminhos cambiantes através de grandes bancos de areia; por muitas milhas de ambos os lados havia largas praias brancas e cinzentos trechos pedregosos, e ali morava a maioria dos pescadores, em aldeias na terra firme entre os alagados e lagoas, sendo Nindamos a principal delas [que ficava] na margem leste do Siril, próximo ao mar. Grandes mares e ventos fortes raramente afligiam essa região. Em épocas posteriores, boa parte dessa terra foi cultivada, e transformou-se em uma região de grandes lagoas, onde abundavam peixes, com saídas para o mar, em volta das quais havia terras ricas e férteis.

Das Orrostar

As Orrostar eram mais frias, porém eram protegidas do nordeste (de onde vinham os ventos mais gélidos) por planaltos que se erguiam a uma altura de 2.100 pés [640 m] próximos da extremidade nordeste do promontório. Nas partes do interior, especialmente naquelas adjacentes à Terra-do-Rei, cultivava-se muito cereal.

A principal característica de Númenor eram os penhascos [...] Toda a terra de Númenor estava disposta como se tivesse emergido do Mar, mas ao mesmo tempo levemente inclinada para o sul. Exceto na extremidade meridional, já descrita, em quase todos os lugares a terra descia abruptamente para o mar em penhascos, em sua maior parte íngremes, ou escarpados. Estes eram mais elevados no norte e no noroeste, onde com maior frequência chegavam a 2.000 pés [609 m], e menos elevados no leste e no sudeste.

Mas esses penhascos, exceto em certas regiões como o Cabo Norte, raramente se erguiam diretamente da água. A seus pés encontravam-se costas de terra plana ou inclinada, com frequência habitáveis, que variavam em largura (a partir da água) de cerca de um quarto de milha a várias milhas. As orlas dos terrenos mais vastos geralmente ficavam sob água rasa mesmo em marés baixas; mas, nas bordas marinhas, todas essas praias tornavam a cair de forma abrupta na água profunda. As grandes praias e terras planas de maré do sul também terminavam em uma queda escarpada a profundezas oceânicas ao longo de uma linha que mais ou menos unia as extremidades meridionais dos promontórios a sudoeste e sudeste.

NOTAS

1. As descrições geográficas da ilha de Númenor foram retiradas de *CI* (Segunda Parte: A Segunda Era, I "Uma Descrição da Ilha de Númenor", pp. 229 ss.) e *Natureza* (Parte Três: O Mundo, suas Terras e seus Habitantes, 13 "Da Terra e dos Animais de Númenor", pp. 380 ss.), mas, para os propósitos deste livro, foram organizadas para melhor descrever a geografia física da ilha. A fim de evitar um excesso de notas, essas passagens foram retiradas dessas duas fontes, salvo indicação em contrário. Alguns detalhes relacionados a períodos ou a reinados de monarcas específicos foram mudados de lugar dentro dos espaços de tempo relevantes em que suas fontes são mencionadas.

A vida natural de Númenor[1]

Dos Homens e dos Animais

Aparentemente nem Elfos nem Homens habitaram nessa terra antes da chegada dos Edain. Animais e aves não tinham medo dos Homens; e as relações entre Homens e animais permaneceram mais amigáveis em Númenor do que em qualquer outro lugar do mundo. Diz-se que mesmo aqueles que os Númenóreanos classificavam como "predatórios" (queriam dizer com isso aqueles que, quando necessário, atacavam suas plantações e rebanhos domesticados) mantiveram uma "relação honorável" com os recém-chegados, procurando alimento até onde podiam nos ermos, e não demonstrando hostilidade aos Homens, exceto em épocas de guerra declarada, quando, após os devidos avisos, os criadores, por necessidade, caçavam as aves e animais predatórios para reduzir os seus números com moderação.

Como foi dito, não é fácil descobrir quais eram os animais, aves e peixes que já habitavam a ilha antes da chegada dos Edain, e quais foram trazidos por eles. O mesmo vale para as plantas. Tampouco os nomes que os Númenóreanos davam aos animais e às plantas são sempre fáceis de equiparar ou relacionar aos nomes daqueles encontrados na Terra-média. Muitos, embora atribuídos em formas aparentemente em quenya ou sindarin, não são encontrados nas línguas élficas ou humanas da Terra-média. Isso sem dúvida deve-se em parte ao fato de que os animais e as plantas de Númenor, embora similares e aparentados aos do continente, eram diferentes em variedade e pareciam necessitar de novos nomes.

Quanto aos principais animais, está claro que não havia nenhum das espécies caninas ou aparentadas. Certamente não havia mastins ou cães (todos os quais foram importados). Não havia lobos. Havia gatos selvagens, os mais hostis e indomáveis dos animais; mas não grandes felinos. Contudo, havia um grande número de raposas ou animais similares.

Seu principal alimento parece ter sido animais que os Númenóreanos chamavam de *lopoldi*. Estes existiam em grandes números e se multiplicavam rapidamente, e eram herbívoros vorazes; de maneira que as raposas eram estimadas como o melhor e mais natural meio de mantê-los em ordem, e as raposas raramente eram caçadas ou incomodadas. Em troca disso, ou pelo fato de seu suprimento de alimento ser abundante, as raposas parecem jamais ter adquirido o hábito de atacar as aves domésticas dos Númenóreanos. Os *lopoldi* parecem ter sido coelhos, animais que haviam sido desconhecidos por completo anteriormente nas regiões do noroeste da Terra-média. Os Númenóreanos não os apreciavam como alimento e os deixavam de boa vontade para as raposas.

Dos Ursos e Homens

Havia ursos em números consideráveis, nas partes montanhosas ou rochosas; tanto de uma variedade negra como de uma parda. Os grandes ursos negros eram encontrados principalmente nas Forostar. As relações entre os ursos e os Homens eram estranhas. Desde o início, os ursos demonstraram amizade e curiosidade para com os recém-chegados; e esses sentimentos eram mútuos.

Em momento algum houve qualquer hostilidade entre Homens e ursos; apesar de que, nas épocas de acasalamento, e durante a primeira juventude de seus filhotes, eles pudessem ficar irritados e perigosos se fossem perturbados. Os Númenóreanos não os perturbavam, exceto por algum incidente infeliz. Pouquíssimos Númenóreanos foram mortos por ursos; e esses infortúnios não eram considerados como razões para combater a raça inteira. Muitos dos ursos eram bastante dóceis. Jamais habitavam nos lares dos Homens ou próximos deles, mas os visitavam com frequência, da maneira casual de um chefe de família em visita a outro. Nessas ocasiões, costumavam lhes oferecer mel, para seu deleite. Somente um "urso mau" ocasional atacava as colmeias domesticadas. O mais estranho eram as danças-dos-ursos. Os ursos, especialmente os negros, possuíam curiosas danças próprias; mas estas parecem ser sido refinadas e elaboradas pela instrução dos Homens. Por vezes, os ursos realizavam danças para o entretenimento de seus amigos humanos. A mais famosa era a Grande Dança-dos-ursos (*ruxöalë*) de Tompollë, nas Forostar, à qual todos os anos, no outono, muitos compareciam vindos de todas as partes da ilha, uma vez que ela ocorria não muito depois do Eruhantalë, quando uma grande multidão se reunia. Àqueles não acostumados aos ursos, os movimentos lentos (mas respeitáveis) dos ursos, por vezes 50 ou mais reunidos, pareciam espantosos e cômicos. Mas ficava subentendido a todos que compareciam ao espetáculo que não devia haver riso aberto. O riso dos Homens era um som que os ursos não conseguiam compreender: alarmava-os e os enfurecia.

Dos Animais das Matas, Campos e Costas

As matas de Númenor abundavam em esquilos, na maior parte vermelhos, mas havia alguns castanho-escuros ou pretos. Eles não tinham medo, e eram facilmente domesticados. As mulheres de Númenor gostavam deles em particular. Frequentemente viviam nas árvores próximas a uma morada, e entravam, quando convidados, na casa. Nos rios curtos e riachos havia lontras. Texugos eram numerosos. Havia porcos selvagens pretos nas matas; e, no oeste das Mittalmar, à chegada dos Edain, havia manadas de bovinos selvagens, alguns brancos, alguns pretos. Cervos eram abundantes nos prados, dentro e próximo das fronteiras das florestas, vermelhos e fulvos; e nas colinas havia corços. Mas todos pareciam ser um tanto menores em estatura do que seu parentes na Terra-média. Na região meridional havia castores.

Os animais chamados de *ekelli* parecem ter sido ouriços ou porcos-espinhos de grande tamanho, com longos espinhos pretos. Eram numerosos em algumas partes, e tratados com amizade, pois viviam principalmente de minhocas e insetos. Parece ter havido cabras selvagens na ilha, mas não se sabe se os pequenos carneiros chifrudos (que eram uma das variedades de ovinos que os Númenóreanos criavam) eram nativos ou importados. Diz-se que uma pequena espécie de cavalo, menor do que um asno, preta ou castanha-escura, com crina e cauda esvoaçantes, mais robusta do que veloz, fora encontrada nas Mittalmar pelos colonizadores. Logo foram domados, mas se proliferavam e eram bem cuidados e amados. Eram muito usados nas fazendas; e as crianças os usavam para cavalgar.

Muitos outros animais havia, sem dúvida, que raras vezes são nomeados, visto que geralmente não eram do interesse dos Homens. Todos devem ter sido nomeados e descritos nos livros de saber que se perderam.

Em volta das costas as focas eram abundantes, especialmente no norte e no oeste. E havia também muitos animais menores que não eram mencionados com frequência: como camundongos e ratos-silvestres, ou pequenos predadores como doninhas. Lebres são mencionadas por nome; e outros animais de espécies incertas: alguns que não eram esquilos, mas que viviam em árvores, e eram tímidos, não só com os homens; outros que corriam pelo solo e se entocavam, pequenos e gordos, mas que não eram ratos nem coelhos. No sul havia alguns jabutis, de tamanho não muito grande; e também algumas pequenas criaturas de água doce semelhantes a tartarugas.

Dos Peixes de Água Salgada e de Água Doce

Peixes marinhos eram abundantes em todas as costas da ilha, e aqueles que eram bons de comer eram muito usados. Outros animais do mar também havia, longe das costas: baleias e narvais, golfinhos e toninhas, que os Númenóreanos não confundiam com peixes (*lingwi*), mas classificavam com os peixes como *nendili* todos aqueles que viviam somente na água e procriavam no mar. Tubarões os Númenóreanos viam somente em suas viagens, pois quer pela "graça dos Valar", como os Númenóreanos diziam, quer por outra causa, eles não se aproximavam das costas da ilha. De peixes do interior ouvimos pouco. Daqueles que vivem em parte no mar, mas adentram os rios por vezes, havia salmão no Siril, e também no Nunduinë, o rio que corria para o mar em Eldalondë, e em seu curso formava o pequeno lago de Nísinen (um dos poucos em Númenor) cerca de três milhas terra adentro: era assim chamado por causa da abundância de arbustos e flores perfumados que cresciam em suas margens. Enguias eram abundantes nos alagados e charcos em torno do curso inferior do Siril.

Das Aves

Eram incontáveis as aves de Númenor, desde as grandes águias até os diminutos *kirinki*, que não eram maiores do que carriças, porém escarlates e com piados agudos cujos sons encontravam-se no limite da audição humana. As águias eram de vários tipos; mas todas eram sagradas a Manwë, e jamais eram molestadas ou flechadas, não até que começassem os dias de mal e de ódio aos Valar. Antes disso, elas de sua parte não molestavam os homens, nem atacavam os seus animais. Dos dias de Elros até a época de Tar-Ankalimon [o décimo quarto Rei de Númenor], filho de Tar-Atanamir, cerca de dois mil anos, houve um ninho de águias douradas no alto da torre do palácio do rei em Armenelos. Ali um casal sempre morou e viveu da liberalidade do rei.

As aves que moram perto do mar, e nele nadam ou mergulham, e vivem de peixes, habitavam em Númenor em multidões além da conta. Jamais eram mortas ou molestadas propositalmente pelos Númenóreanos, e lhes eram totalmente amigáveis. Marinheiros diziam que, mesmo que fossem cegos, ainda assim saberiam que seu navio se aproximava do lar pelo grande clamor das aves costeiras. Quando qualquer navio chegava à terra erguiam-se aves marinhas em grandes revoadas, voando sobre ele com o único intento de boas-vindas e alegria. Algumas acompanhavam os navios em suas viagens, até mesmo os que iam à Terra-média.

Nos interiores, as aves não eram tão numerosas, mas ainda assim eram abundantes. Algumas além das águias eram aves de rapina, como os gaviões e falcões de muitos tipos. Havia corvos, especialmente no norte, e, pela terra, outras aves de sua família que viviam em bandos, pegas e gralhas e, em volta dos penhascos à beira-mar, muitas chucas. Pássaros canoros menores com vozes maviosas abundavam nos campos, nos alagados juncosos e nas matas. Muitas pouco diferiam daquelas das terras de onde os Edain vieram; mas os pássaros da família dos tentilhões eram mais variados e numerosos e de vozes mais agradáveis. Havia alguns de menor tamanho todos brancos, alguns todos cinzentos; e outros todos dourados, que cantavam com grande alegria em longas cadências trinadas durante a primavera e o início do verão. Tinham pouco medo dos Edain, que os amavam. O engaiolamento de aves canoras era considerado um ato cruel. Tampouco era necessário, isto é, para aqueles que eram "domesticados": aquelas que se juntavam de livre vontade a uma morada, que por gerações viviam perto da mesma casa, cantando no telhado ou nos peitoris, ou mesmo nos *solmar* ou aposentos daqueles que os recebiam de bom grado. Os pássaros que viviam em gaiolas eram em sua maioria criados desde filhotes após os pais terem morrido devido a algum infortúnio ou sido mortos por aves de rapina; mas mesmo eles eram em grande parte livres para ir e vir como bem quisessem. Rouxinóis eram encontrados, embora em lugar algum muito abundantes, na maioria das regiões de Númenor, exceto no norte. Nas partes setentrionais, havia grandes corujas brancas, mas nenhum outro pássaro dessa raça.

Das Árvores e Plantas

Das árvores e plantas nativas pouco está registrado. Embora algumas árvores tivessem sido levadas em sementes ou mudas da Terra-média, e outras (como foi dito) viessem de Eressëa, parece ter havido uma abundância de árvores quando os Edain desembarcaram. Das árvores que já lhes eram conhecidas, diz-se que sentiram falta do carpino, do pequeno bordo, e das castanheiras-floridas; mas encontraram outras que lhes eram novas: o olmo, a azinheira, bordos altos, e a castanheira-doce. Nas Hyarrostar eles também encontraram nogueiras; e o *laurinquë*, que admiravam por suas flores, pois não tinha outra serventia. Davam-lhe esse nome ("chuva dourada") por causa de seus longos cachos pendentes de flores amarelas; e alguns, que dos Eldar haviam ouvido falar de Laurelin, a Árvore Dourada de Valinor, acreditavam que ele provinha daquela grande Árvore, tendo sido trazido até ali pelos Eldar em forma de semente;

mas não era assim.[2] Macieiras-bravas, cerejeiras e pereiras também cresciam em Númenor; mas aquelas que cultivavam em seus pomares vinham da Terra-média, presentes dos Eldar. Nas Hyarnustar as vinhas cresciam selvagens; mas os vinhedos dos Númenóreanos parecem também ter vindo dos Eldar.

Das muitas plantas e flores de campo e florestas pouco agora está registrado ou é lembrado; mas canções antigas falam com frequência dos lírios, cujos muitos tipos, alguns pequenos, outros altos e belos, alguns de flor única, outros carregados de muitos sinos e trompetes, e todos fragrantes, eram o deleite dos Edain.

Sobre a flora de Eldalondë, o Verde, o porto no centro da Baía de Eldanna, está registrado:

Em toda a volta desse lugar, subindo pelas encostas marinhas e penetrando longe pelo país, cresciam as árvores perenes e fragrantes que eles trouxeram do Oeste, e tão bem se desenvolveram que os Eldar diziam ser lá quase tão belo quanto em um porto de Eressëa. Eram elas o maior encanto de Númenor, e eram lembradas em incontáveis canções muito tempo após terem perecido para sempre, pois poucas chegaram a florir a leste da Terra da Dádiva: *oiolairë* e *lairelossë*, *nessamelda*, *vardarianna*, *taniquelassë*, e *yavannamírë* com suas flores rosáceas e seus redondos frutos escarlates. Flor, folha e casca dessas árvores exalavam doces perfumes, e toda aquela região estava plena de fragrância mesclada; era, portanto, chamada Nísimaldar, Árvores Fragrantes. Muitas foram plantadas e cresciam, se bem que em muito menor abundância, em outras regiões de Númenor; mas somente ali crescia a vigorosa árvore dourada *malinornë*, que após cinco séculos atingia uma altura pouco menor do que a alcançada na própria Eressëa. Sua casca era prateada e lisa, e seus ramos um tanto ascendentes à maneira da faia; mas sempre crescia apenas com um único tronco. Suas folhas, semelhantes às da faia, porém maiores, eram de um verde-pálido na face superior e prateadas por baixo, cintilando ao sol; no outono não caíam, mas adquiriam um pálido tom dourado. Na primavera, a árvore dava flores douradas, em cachos como cerejas, que continuavam florindo durante o verão. E, assim que as flores se abriam, caíam as folhas, de forma que por toda a primavera e todo o verão um bosque de *malinorni* era atapetado e telhado de ouro, mas suas colunas eram de prata cinzenta.

Muito tempo depois, na Terceira Era, Legolas, o Elfo, usou palavras semelhantes ao falar sobre o reino-élfico de Celeborn e Galadriel aos remanescentes da Sociedade do Anel.

"Ali ficam as florestas de Lothlórien!", disse Legolas. "É a mais bela dentre todas as moradas de meu povo. Não há árvores como as árvores dessa terra. Pois no outono suas folhas não caem, mas se transformam em ouro. Só caem quando vem a primavera e o verde novo se abre, e então os ramos ficam carregados de flores amarelas; e o chão da floresta é dourado, e dourado é o teto, e suas colunas são de prata, pois a casca das árvores é lisa e cinzenta. Assim dizem ainda nossas canções em Trevamata. Meu coração se alegraria se eu estivesse sob o beiral dessa floresta e fosse primavera!"[3]

A relação entre as árvores da Floresta Dourada e o *malinornë* de Númenor foi relatado da seguinte forma:

"Seu fruto era uma noz com casca de prata; e alguns foram dados de presente por Tar-Aldarion, o sexto Rei de Númenor, ao Rei Gil-galad de Lindon. Não se enraizaram naquela terra; mas Gil-galad deu alguns à sua parenta Galadriel; e, sob seu poder, cresceram e vicejaram na terra protegida de Lothlórien à margem do Rio Anduin, até que por fim os Altos Elfos deixaram a Terra-média; mas não alcançaram a altura ou circunferência dos grandes bosques de Númenor".

Dos Animais e Aves dos Edain

Àquela terra os Edain levaram muitas coisas da Terra-média: ovelhas, e vacas, e cavalos, e cães; árvores frutíferas; e cereais. Aves aquáticas como as da família dos patos ou gansos eles encontraram ao chegar; mas outras eles levaram e misturaram com as raças nativas. Gansos e patos eram aves domésticas em suas fazendas; e lá eles também criavam inúmeros pombos ou rolas em grandes casas ou pombais, principalmente por seus ovos. Galináceos eles não haviam conhecido e não encontraram nenhum na ilha; entretanto, logo após as grandes viagens começarem, os marinheiros trouxeram galos e galinhas das terras meridionais e orientais, e eles proliferaram em Númenor, onde muitos escapavam e viviam nos ermos, embora caçados pelas raposas.

NOTAS

1. Os relatos que se seguem relacionados à flora e à fauna de Númenor mais uma vez foram retirados de *CI* (Segunda Parte: A Segunda Era, I "Uma Descrição da Ilha de Númenor", pp. 229 ss.) e *Natureza* (Parte Três: O Mundo, suas Terras e seus Habitantes, 13 "Da Terra e dos Animais de Númenor", pp. 380 ss.), mas, para os propósitos deste livro, foram organizados de forma a descrever melhor a narrativa; e, como em "A Geografia de Númenor" acima, notas só foram acrescentadas onde o material foi incluído de fontes adicionais.
2. Laurelin (A Árvore Dourada), com Telperion (A Árvore Prateada), eram as Duas Árvores de Valinor que davam luz àquele reino. Relatos de sua criação e destruição encontram-se em *O Silmarillion* ("Quenta Silmarillion", 1 "Do Princípio dos Dias", 8 "Do Obscurecer de Valinor") e em outros lugares. Embora sucessoras de Telperion tenham perdurado até a Terceira Era (como a Árvore Branca de Gondor), "na Terra-média não restava imagem de Laurelin, a Dourada" (*Retorno*, Apêndice A, I, (i) "Númenor", p. 1468).
3. *Sociedade*, Livro II, 6 "Lothlórien", pp. 475–6.

A vida dos Númenóreanos[1]

Das Cidades

Desde o começo, a principal cidade e porto de Númenor ficava no meio de suas costas ocidentais e era chamada de Andúnië, porque estava voltada para o poente [...] com sua cidade à beira-mar e muitas outras habitações que subiam pelas encostas íngremes para o interior.

Bem perto [do Meneltarma], sobre uma colina, ficava Armenelos, mais bela das cidades, e ali estava a torre e a cidadela que foi erigida por Elros, filho de Eärendil, a quem os Valar designaram para ser o primeiro Rei dos Dúnedain.[2]

Das Crenças e Adorações

Próximo ao centro das Mittalmar, erguia-se a grande montanha chamada Meneltarma, Pilar do Céu, consagrada à adoração de Eru Ilúvatar [...] Foi construída nela uma estrada em espiral, começando no sopé ao sul e terminando abaixo da borda do pico ao norte. Pois o pico era um tanto achatado e rebaixado, sendo capaz de conter uma grande multidão; mas permaneceu intocado durante toda a história de Númenor. Nenhuma edificação, nenhum altar, nem mesmo uma pilha de pedras brutas jamais se ergueu ali; e os Númenóreanos nunca tiveram nada que se assemelhasse a um templo, em todos os dias de sua graça, até a chegada de Sauron. Lá jamais se usara ferramenta ou arma; e lá ninguém podia dizer palavra, salvo o Rei.

Apenas três vezes a cada ano o Rei falava, oferecendo uma prece pelo ano vindouro na *Erukyermë* nos primeiros dias da primavera, louvor a Eru Ilúvatar no *Erulaitalë* no meio do verão e agradecimento a ele no *Eruhantalë* no final do outono. Nessas ocasiões, o Rei subia a montanha a pé, seguido de grande afluência do povo, trajando branco e usando guirlandas, mas em silêncio. Em outras épocas, as pessoas tinham a liberdade de subir ao pico sozinhas ou acompanhadas; mas diz-se que o silêncio era tão grande que até mesmo um estranho que ignorasse Númenor e toda a sua história, se para lá fosse transportado, não teria ousado falar em voz alta. Nenhuma ave jamais lá chegava, à exceção das águias. Se alguém se aproximasse do pico, imediatamente três águias surgiam e pousavam em três rochedos próximos à borda ocidental; mas nas épocas das Três Preces não desciam, permanecendo no céu e pairando sobre o povo. Eram chamadas Testemunhas de Manwë, e acreditava-se que eram enviadas por ele, de Aman, para vigiar a Montanha Sacra e toda a terra.[3]

Os Númenóreanos iniciaram, assim, um grande bem novo, e como monoteístas; mas [...] com apenas um único centro físico de "adoração": o pico da montanha Meneltarma, "Pilar do Céu" — literalmente, pois não concebiam o céu como uma residência divina —, no centro de Númenor; porém, não possuía construções ou templos, já que todas essas coisas possuíam associações malignas.[4]

[Entre as cristas de sudoeste e de sudeste das Tarmasundar, as Raízes do Pilar,] o terreno descia formando um vale raso. Este chamava-se Noirinan, o Vale dos Túmulos; pois em sua extremidade foram talhadas câmaras na rocha da base da montanha, onde ficavam os túmulos dos Reis e Rainhas de Númenor.

Dos idiomas

O idioma númenóreano era o adûnaico ("idioma do Oeste"), ou, em seu nome nativo, adûnayân.

O idioma númenóreano era na maior parte derivado da fala do povo [da Casa] de Hador (muito ampliado por acréscimos

das línguas-élficas em diferentes períodos).[5] O povo de Bëor em algumas gerações abandonou a própria fala (exceto na retenção de muitos nomes pessoais de origem nativa) e adotou a língua-élfica de Beleriand, o sindarin. Essa distinção ainda era observável em Númenor. Quase todos os Númenóreanos eram bilíngues. Mas, nos lugares em que a maioria dos colonizadores vinha do povo de Bëor, como era o caso especialmente no Noroeste, o sindarin era a língua diária de todas as classes e o númenóreano (ou adûnayân), um segundo idioma. Na maioria das partes do país, o adûnayân era o idioma nativo do povo, apesar de o sindarin ser conhecido até certo grau por todos, com exceção daqueles caseiros e pouco viajados da gente lavradora. Contudo, na Casa Real, e na maioria das casas dos nobres ou eruditos, o sindarin era usualmente a língua nativa, até após os dias de Tar-Atanamir [o décimo terceiro Rei de Númenor].

O sindarin usado por um longo período por Homens mortais naturalmente tendia a tornar-se divergente e dialetal; mas esse processo foi em grande parte contido, pelo menos no tocante aos nobres e eruditos, pelo contato constante que era mantido com os Eldar em Eressëa, e posteriormente com aqueles que permaneceram em Lindon na Terra-média. Os Eldar iam principalmente às regiões do Oeste do país. O quenya não era uma língua falada. Era conhecido apenas dos eruditos e das famílias de alta linhagem (a quem se ensinava no início da adolescência). Era usado em documentos oficiais destinados a serem preservados, como as Leis, e no Pergaminho e nos Anais dos Reis, e frequentemente em obras de saber mais recônditas. Também se usava largamente na nomenclatura. Os nomes oficiais de todos os lugares, regiões e acidentes geográficos da terra tinham forma quenya (se bem que tinham também nomes locais, geralmente com o mesmo significado, em sindarin ou adûnayân). Os nomes pessoais e especialmente os nomes oficiais e públicos de todos os membros da Casa Real, e da Linhagem de Elros em geral, eram dados em forma quenya. O mesmo valia para algumas outras famílias, como a Casa dos Senhores de Andúnië [que viviam na importante cidade portuária da região ocidental das Andustar].[6]

Da Aparência e Saúde

O povo, alto e forte, era ágil, e extremamente "ciente": isto é, tinham o controle de suas ações corporais, e de qualquer ferramenta ou material que manejassem, e raramente faziam movimentos distraídos ou desajeitados; e era muito difícil serem pegos "desprevenidos". Dessa forma, era improvável que lhes ocorressem acidentes. Caso acontecesse algum, eles possuíam um poder de recuperação e de cura própria que, embora inferior ao dos Eldar, era muito maior do que o dos Homens da Terra-média. Além disso, entre os assuntos de saber que eles particularmente estudavam estava o *hröangolmë*, ou o saber do corpo e das artes de cura.

Doenças ou outras enfermidades físicas eram muito raras em Númenor até os anos posteriores. Isso devia-se à graça especial de saúde e força concedida à raça como um todo, mas especialmente à bênção da própria terra; e também, em alguma medida, sem dúvida à sua situação no meio do Grande Mar: os animais, em sua maioria, também eram livres de doenças. Mas os poucos casos de doença proporcionavam uma função prática, na medida em que se necessitava alguma, para o estudo contínuo do *hröangolmë* (ou fisiologia e medicina), no qual os praticantes de tratamentos simples entre os Edain haviam recebido muita instrução dos Eldar, e acerca do qual ainda eram capazes de aprender com os Eresseëanos,[7] caso desejassem. Nos primeiros dias da chegada dos navios númenóreanos às praias da Terra-média [tendo início no ano 600 da Segunda Era], foi de fato a sua habilidade de cura, e sua disposição a darem instrução a todos que quisessem recebê-la, que fez com que os Númenóreanos fossem bem recepcionados e estimados.

A morte prematura, por doença ou infortúnio, raramente ocorria nos primeiros séculos. Isso os Númenóreanos reconheciam que se devia à "graça dos Valar" (que podia ser negada em geral ou em casos particulares, caso deixasse de ser merecida): a terra era abençoada, e todas as coisas, incluindo o Mar, eram-lhes amigáveis.

Do Envelhecimento e da Longevidade

Vida longa e Paz foram as duas coisas que os Edain pediram quando os Valar lhes ofereceram recompensa com a queda das Thangorodrim.

A vida longa dos Númenóreanos deu-se em resposta às preces reais dos Edain (e Elros). Manwë advertiu-os de seus perigos. Eles pediram para ter mais ou menos a "duração de vida de outrora", porque queriam aprender mais.

Sobre essa recompensa de uma duração mais longa de vida concedida aos Númenóreanos está escrito:

O aumento na duração de vida númenóreana foi ocasionado pela assimilação de seu modo de vida ao dos Eldar, até certo ponto. Contudo, eles foram expressamente alertados de que não se haviam tornado Eldar, mas continuavam "Homens mortais", e que lhes tinha sido concedida apenas uma extensão do período de vigor da mente e do corpo. Assim (como os Eldar), eles "cresciam" aproximadamente à mesma velocidade que os Homens comuns: gestação, primeira infância, segunda infância e adolescência (incluindo a puberdade) até o "crescimento pleno" prosseguiam mais ou menos como antes; mas, quando atingiam o crescimento pleno, envelheciam ou "desgastavam-se" muito mais devagar [...]

A primeira chegada do "tédio do mundo" [ou uma "busca alhures"] era para eles, de fato, um sinal de que chegava ao fim seu período de vigor. Quando ele terminava, caso persistissem vivendo, então a decadência, assim como prosseguira o crescimento, logo prosseguia mais ou menos no mesmo ritmo que para outros Homens. Assim, se um Númenóreano chegasse ao final do vigor [...] ele então passava rapidamente, em cerca de dez anos, da saúde e do vigor mental à decrepitude e senilidade.[8]

O desenvolvimento mental númenóreano também se assemelhava em certo grau ao modo eldarin. Sua capacidade mental era maior e desenvolvida mais rapidamente do que a de Homens comuns, e era dominante. Após cerca de sete anos, eles cresciam mentalmente com rapidez, e aos 20 anos sabiam e compreendiam muito mais do que um humano normal dessa idade. Uma consequência disso, reforçada por sua expectativa de vigor duradouro que os deixava com pouco senso de urgência na primeira metade de suas vidas, era que eles muito frequentemente ficavam absortos em saberes, e ofícios, e várias atividades intelectuais ou artísticas, em um grau muito maior do que o normal. Esse era particularmente o caso com os homens.

Do Casamento e da Criação de Filhos

O desejo pelo casamento, a concepção, o nascimento e a criação de filhos ocupava, assim, um lugar menor nas vidas dos Númenóreanos, mesmo as mulheres, do que entre os Homens comuns. O casamento era considerado natural por todos e, uma vez contraído, era permanente [...]

Uma mulher númenóreana poderia se casar aos 20 anos (o casamento antes do crescimento pleno não era permitido); mas o mais comum era ela se casar por volta dos 40 ou 45 anos ("idade" de 24 a 25). O casamento era considerado indevidamente adiado no caso dela se fosse postergado para muito além de seu 95º ano ("idade" de cerca de 35).

Os homens raramente se casavam antes de seu 45º ano (idade de 25). Do ano 15 ao 45 seu tempo geralmente era passado absorto no saber, no aprendizado de um ou mais ofícios, e (cada vez mais, conforme o tempo passava) na navegação. O adiamento do casamento até por volta do 95º ano (idade de 35) era muito comum; e, especialmente no caso de homens de posição, altos deveres ou grandes talentos, não era raro que o contraíssem mesmo no 120º ano (idade de 40). Na Linhagem de Elros (especialmente entre os filhos de reis propriamente ditos), que era um tanto mais longeva do que a média e que também proporcionava muitos deveres e oportunidades (tanto para homens como para mulheres), o casamento muitas vezes ocorria mais tarde do que o normal: para as mulheres, 95 (idade de 35) era frequente; e, para os homens, podia ser até mesmo no 150º ano (idade de 46) ou até mais tarde. Isso possuía uma vantagem: de que o "Herdeiro do Cetro", mesmo que fosse o filho mais velho do rei, seria capaz de ascender ao trono enquanto ainda estivesse em pleno vigor, embora fosse provável que já tivesse passado pelos "Dias das Crianças" e estivesse mais livre para dedicar-se a assuntos públicos.

Os Númenóreanos, assim como os Eldar, evitavam gerar filhos caso previssem alguma provável separação do marido e da mulher, entre a concepção da criança e seus primeiros anos de vida.

Os Númenóreanos eram estritamente monogâmicos: por lei, e por sua "tradição": isto é, pela tradição dos Edain originais acerca da conduta, posteriormente reforçada pelo exemplo e ensinamentos eldarin [...]

Ninguém, independentemente de posição, podia se divorciar de um esposo ou esposa, nem desposar outro durante a vida do primeiro cônjuge.

Um segundo casamento era permitido, pela lei tradicional, se um dos cônjuges morresse jovem, deixando o outro no vigor e ainda com uma necessidade ou desejo de filhos; mas os casos eram naturalmente muito raros.

O casamento não era contraído por todos. Havia (afigura-se por ocasionais afirmações nos poucos contos ou anais que foram preservados) um número ligeiramente menor de mulheres do que de homens, ao menos nos primeiros séculos. Porém, afora essa limitação numérica, havia sempre uma pequena minoria que recusava o casamento, fosse porque estava absorta em saberes ou outras atividades, fosse porque não conseguira conquistar o cônjuge que desejava, e não se dispunha a procurar outro.

Como os Eldar, [os Númenóreanos] tendiam a tornar o período de paternidade e maternidade (ou, como os Eldar o chamavam, os "Dias das Crianças") um período único interligado e limitado de suas vidas. Essa limitação era considerada natural. A ligação, o tratamento do período de gravidez como uma série ordenada e ininterrupta, era considerada apropriada e desejável, se pudesse ser realizada. Que o casal devia morar junto, com tão poucos e curtos períodos de separação quanto possíveis, entre, digamos, da concepção de seu primeiro filho até pelo menos o sétimo aniversário do último, era considerado como sendo o arranjo ideal. Isso era desejado particularmente pelas mulheres, que eram naturalmente (em regra) menos absortas em saberes ou ofícios; e que tinham muito menos desejo de ficar em constante movimento.[9]

Assim, os Númenóreanos, que raramente tinham mais de quatro filhos em cada casamento, com frequência os tinham dentro de um período de cerca de 50 a 75 anos (entre a primeira concepção e o último nascimento). Os intervalos entre os filhos eram longos em regra, em termos comuns: com frequência dez anos, por vezes 15 ou mesmo até 20 anos; nunca menos do que cerca de cinco anos. Mas se faz mister lembrar que, em proporção à sua duração de vida total, esse período era equivalente apenas a um de cerca de 10 a 15 anos de uma vida humana normal. Os intervalos, se considerados também de acordo com o seu grau de proximidade do término do vigor e da fertilidade, eram assim equivalentes a um (raro) mínimo de um ano, com uma margem mais frequente de dois, três ou por vezes quatro anos.

O "vigor", isto é, primariamente saúde e atividade corporais, e o período de fertilidade e gravidez nas mulheres naturalmente não eram de igual duração. O período em que as mulheres podiam engravidar era similar ao das mulheres comuns, embora calculado em termos númenóreanos. Isto é, ia da puberdade (à qual as mulheres númenóreanas chegavam não muito antes do crescimento pleno) a uma "idade" equivalente a 45 anos humanos normais (com uma extensão ocasional até os 50). Em anos, isso significava de por volta dos 18 até cerca dos 125 ou um pouco mais. Porém, os primeiros filhos raramente eram (se é que alguma vez foram) concebidos ao final desse período.

Uma vez que no tocante ao crescimento, que incluía a concepção e a gestação de filhos, o desenvolvimento númenóreano diferia pouco daquele dos Homens comuns, esses intervalos parecem longos. Porém, como foi dito, os seus interesses mentais eram dominantes; e eles davam uma grande e concentrada atenção a qualquer assunto pelo qual se interessavam. A questão dos filhos, portanto, sendo da maior importância, era uma que ocupava a maior parte da atenção da mãe durante a gravidez e a primeira infância, e, exceto em grandes casas, impunha uma grande quantidade de labores diários ao pai. Ambos ficavam felizes durante um tempo por retornar a outras atividades negligenciadas. Mas também (diziam os próprios Númenóreanos) eram neste aspecto mais similares aos Eldar do que a outras estirpes de Homens: na concepção e ainda mais no nascimento de um filho, muito mais de seu vigor, tanto de corpo como de mente, era despendido (pois a longevidade das gerações posteriores, ainda que uma graça ou dádiva, era transmitida por meio dos pais). Portanto, era necessário um descanso tanto de corpo como de vontade, especialmente para as mulheres. De fato, após a concepção de um filho, o desejo de união torna-se dormente por um tempo, tanto em homens como em mulheres, embora o período fosse mais longo entre as mães.

Ainda que os Númenóreanos não fossem luxuriosos, eles não consideravam o amor de homens e mulheres menos importante ou um deleite menor do que outros Homens. Pelo contrário, eram amantes resolutos; e quaisquer rompimentos dos laços e da afeição entre pais, ou entre eles e seus filhos, eram vistos como grandes males e pesares.

De Apetites e Comportamentos

Nos primeiros séculos, houve poucos casos de violação da lei, ou mesmo de desejo de violá-la. Os Númenóreanos, ou Dúnedain, ainda eram, em nossos termos, "Homens caídos"; mas eram descendentes de ancestrais que em geral arrependeram-se por completo e que detestavam todas as corrupções da "Sombra"; e foram especialmente agraciados. Em geral, tinham pouca inclinação e uma abominação consciente à luxúria, cobiça, ódio e crueldade, e tirania. Nem todos eram tão nobres, naturalmente.

Até a chegada da Sombra havia em Númenor poucos glutões ou beberrões. Ninguém comia ou bebia em excesso, ou mesmo muito em qualquer momento. Estimavam a boa comida, que era abundante, e empregavam cuidado e arte no seu preparo e no modo como a serviam. Mas a distinção entre um "Banquete" e uma refeição comum consistia, antes, nisto: nos enfeites da mesa, na música e na alegria de muitos comendo juntos, mais do que na comida; embora, naturalmente, em tais banquetes comidas e vinhos de tipos mais raros e selecionados por vezes aparecessem.

Havia coisas como perversidade entre eles, a princípio algo muito raro de ser visto. Pois eles não foram escolhidos por nenhum teste a não ser o de pertencerem às Três Casas dos Edain. Entre eles sem dúvida havia alguns dos homens selvagens e renegados de outrora, e possivelmente (embora isso não possa ser asseverado) serviçais conscientes do Inimigo.

Essa suspeita viria a se mostrar justificada pelos eventos nos anos a partir de c. 2221, ver abaixo.

Das Habilidades e Ofícios

Os Edain trouxeram consigo muito saber e o conhecimento de muitos ofícios, bem como numerosos artesãos que haviam aprendido com os Eldar, diretamente ou através de seus pais, além de preservarem seu próprio saber e tradições.

Mas puderam trazer poucos materiais, à exceção das ferramentas de seus ofícios; e por muito tempo todos os metais de Númenor foram metais preciosos. Trouxeram consigo muitos tesouros de ouro e prata, e pedras preciosas também, mas não encontraram em Númenor esses materiais. Eram amados por sua beleza, e foi esse amor que primeiro despertou neles a cobiça, nos dias em épocas posteriores quando foram dominados pela Sombra e se tornaram altivos e injustos em seus contatos com a gente menor da Terra-média. Dos Elfos de Eressëa, nos dias de sua amizade, algumas vezes obtiveram presentes de ouro, prata e pedras preciosas; mas tais objetos eram raros e apreciados em todos os primeiros séculos, até que o poderio dos Reis se tivesse espalhado às costas do Leste.

Encontraram em Númenor alguns metais; e, com o veloz aperfeiçoamento de sua habilidade na mineração, na fundição e na forja, os objetos de ferro e cobre tornaram-se comuns. Chumbo eles também possuíam. Ferro e aço eram o que mais precisavam para as ferramentas dos artesãos e para os machados dos lenhadores.

Entre os artesãos dos Edain havia armeiros e, com os ensinamentos dos Noldor, eles haviam adquirido grande perícia no forjar de espadas, lâminas de machados, pontas de lança e facas [...] [e, como é observado em outro lugar,] se tivessem isso em mente, poderiam facilmente ter sobrepujado os reis malignos da Terra-média no fazer da guerra e no forjar de armas; mas tinham se tornado homens de paz.[10]

As espadas ainda eram feitas pela Guilda dos Armeiros, para preservar o ofício, embora a maior parte de seu trabalho fosse dedicada à feitura de ferramentas para usos pacíficos. O Rei e a maior parte dos grandes líderes possuíam espadas como heranças de seus pais;[11] e às vezes ainda davam espadas de presente a seus herdeiros. Fazia-se uma espada nova para o Herdeiro do Rei, que lhe era dada no dia em que se conferia esse título. Mas homem algum portava espada em Númenor, nem mesmo nos dias das guerras na Terra-média, a não ser que estivesse armado para batalha. Assim, por muito tempo praticamente não foram feitas armas de intenção belicosa em Númenor. Muitas coisas feitas podiam, naturalmente, ser usadas dessa maneira: machados, e lanças, e arcos. Os fabricantes de arcos eram grandes artesãos. Faziam arcos de muitos tipos: arcos longos, e arcos mais curtos, especialmente aqueles usados para disparos a cavalo; e também inventaram bestas, usadas a princípio sobretudo contra aves predatórias. Atirar com arcos era um dos grandes esportes e passatempos dos homens; e uma atividade na qual as jovens mulheres também tomavam parte. Os homens númenóreanos, por serem altos e vigorosos, conseguiam disparar com velocidade e precisão a pé com grandes arcos longos, cujas flechas percorriam grandes distâncias (cerca de 600 jardas [548 m] ou mais), e, quando mais próximo, eram de grande penetração.

Dos Esportes e Passatempos

Númenor era uma terra de paz; dentro dela não havia guerra ou conflitos, até os últimos anos. Mas o povo descendia de ancestrais de uma estirpe audaciosa e belicosa. A energia dos homens era transferida principalmente para a prática de ofícios; mas eles também se ocupavam muito com jogos e esportes físicos. Meninos e rapazes adoravam em especial viver, quando podiam, livremente em espaços abertos e viajar a pé até as partes mais agrestes da terra. Muitos se exercitavam em escaladas. Não havia grandes montanhas em Númenor. A Montanha sacra do Meneltarma ficava quase no centro da terra; mas tinha apenas cerca de 3.000 pés [914 m] de altura, e subia-se nela por uma estrada espiral que ia de seu sopé meridional (próximo de onde ficava o Vale dos Túmulos, no qual os reis eram enterrados) até o pico. Mas havia regiões rochosas e montanhosas nos promontórios do Norte e do Noroeste e do Sudoeste, onde algumas alturas chegavam a cerca de 2.000 pés [609 m]. Contudo, os penhascos eram os principais locais de escalada para os ousados. Os penhascos de Númenor ficavam em lugares de grande altura, especialmente ao longo das costas voltadas para o Oeste, locais de inumeráveis aves.

No Mar os homens fortes tinham o seu maior deleite: nadando ou mergulhando; ou em pequenas embarcações para competições de velocidade a remo e a vela. Os mais intrépidos entre o povo ocupavam-se com a pesca: havia peixes em abundância e, em todas as épocas, o pescado foi uma das principais fontes de alimento para Númenor. As cidades ou povoados que congregavam muita gente ficavam todos situados no litoral. Era dos pescadores que provinha em sua maioria a classe especial dos marinheiros, que constantemente cresciam em importância e estima. A princípio, as embarcações númenóreanas, em grande parte ainda dependentes dos modelos eldarin, ocupavam-se apenas com a pesca, ou com viagens ao longo das costas de porto a porto. Porém, não demorou muito tempo para que os Númenóreanos, por seu próprio estudo e expedientes, aprimorassem a arte da construção de navios, até poderem se aventurar para longe no Grande Mar.

As mulheres pouco participavam dessas atividades, embora estivessem em geral mais próximas dos homens do que é o caso com a maioria das raças em estatura e força, e eram ágeis e ligeiras de pés na juventude. Seu grande deleite estava na dança (na qual muitos homens também tomavam parte) em banquetes ou nas horas de lazer. Muitas mulheres conquistaram grande fama como dançarinas e pessoas faziam longas viagens para assistir a apresentações de sua arte. Contudo, elas não tinham um grande amor pelo Mar. Viajavam quando necessário nas embarcações costeiras de porto a porto; mas não gostavam de ficar muito tempo a bordo ou de passar sequer uma noite em um navio. Mesmo entre os pescadores, as mulheres raramente tomavam parte nas navegações. Porém, quase todas as mulheres sabiam cavalgar, e tratavam os cavalos com honra, abrigando-os de maneira mais nobre do que qualquer outro de seus animais domésticos. Os estábulos de um grande homem costumavam ser tão grandes e tão belos de serem admirados quanto a sua própria casa. Tanto homens como mulheres cavalgavam por prazer. A cavalgada também era o principal meio de viagem rápida de um lugar a outro; e em cerimônias de estado, homens e mulheres de posição, e mesmo rainhas, andavam a cavalo em meio às suas escoltas ou séquitos.

As estradas do interior de Númenor eram em sua maior parte "estradas de cavalos", sem pavimentação, e feitas e mantidas com a finalidade de serem usadas para cavalgadas.

Coches e carruagens para viagem eram pouco usados nos primeiros séculos; pois os transportes mais pesados eram feitos principalmente pelo mar. A estrada principal e mais antiga, adequada às rodas, ia desde o maior porto, Rómenna, no Leste, para o noroeste até a cidade real de Armenelos (cerca de 40 milhas [64 km]), e de lá até o Vale dos Túmulos e o Meneltarma. Mas essa estrada foi cedo estendida até Ondosto, dentro dos limites das Forostar (ou Terras-do-Norte), e de lá diretamente a oeste até Andúnië nas Andustar (ou Terras-do-Oeste); no entanto, ela era pouco usada por veículos de roda para viagem, sendo principalmente feita e usada para o transporte por carroças carregadas de madeira, na qual as Terras-do-Oeste eram ricas, ou de pedras das Terras-do-Norte, que eram mais apreciadas para a construção.

Embora os Númenóreanos usassem cavalos para viagens e para o deleite de cavalgarem, tinham pouco interesse em correr com eles como um teste de velocidade. Em esportes no interior, viam-se demonstrações de agilidade, tanto de cavalo como de cavaleiro; mas mais estimadas eram as exibições de compreensão entre mestre e animal. Os Númenóreanos treinavam os seus cavalos para ouvirem e compreenderem chamados (de voz ou assobiados) de grandes distâncias; e, nos casos em que havia grande amor entre homens ou mulheres e suas montarias favoritas, eles podiam (ou assim se contava em histórias antigas) chamá-las pelo simples pensamento, caso necessário.

Assim também se dava com os seus cães. Pois Númenóreanos tinham cães, especialmente no interior, em parte por uma tradição ancestral, visto que não mais serviam a muitos propósitos úteis. Os Númenóreanos não caçavam por esporte ou alimentação; e apenas em alguns lugares nas fronteiras de terras agrestes eles tinham alguma necessidade de cães de guarda. Nas regiões de criação de ovelhas, como a de Emerië, eles possuíam cães especialmente treinados para ajudar os pastores. Nos primeiros séculos, os homens do interior também tinham cães treinados para afugentar ou rastrear animais predatórios e aves (que para os Númenóreanos era somente um labor necessário ocasional, e não um divertimento). Cães raramente eram vistos nas vilas. Nas fazendas, eles nunca ficavam acorrentados ou amarrados; mas tampouco podiam habitar nas casas dos homens; embora fossem com frequência bem-vindos no *solma* ou salão central, onde o fogo principal ardia; em especial os velhos cães fiéis de longo serviço, ou por vezes os filhotes. Eram os homens, e não as mulheres, que gostavam de ter cães como "amigos". As mulheres amavam mais as aves e animais selvagens (ou "sem dono"), e gostavam em particular de esquilos, que existiam em grandes números nas regiões de mata.

Enquanto obedientes [à interdição dos Valar de navegar para o Oeste], pessoas do Reino Abençoado os visitavam com frequência, e, desse modo, seu conhecimento e suas artes alcançaram um nível quase élfico.[12]

De Avallónë, o porto dos Eldar em Eressëa [...] por vezes os Primogênitos ainda vinham velejando a Númenor em barcos sem remos, como aves brancas voando vindas do pôr do sol.[13] Pela amizade que havia entre os povos [...] traziam a Númenor muitos presentes: aves canoras, flores fragrantes e ervas de grande virtude. E uma semente trouxeram de Celeborn, a Árvore Branca que crescia em meio a Eressëa; e essa era, por sua vez, uma muda de Galathilion, a Árvore de Túna, imagem de Telperion que Yavanna dera aos Eldar no Reino Abençoado.[14] E a árvore cresceu e floresceu nos pátios do Rei em Armenelos; Nimloth era seu nome, e ela florava ao anoitecer, e as sombras da noite se enchiam com sua fragrância.

Nimloth era a ancestral daquela que ficaria conhecida como a Árvore Branca de Gondor e comemorada como um símbolo da linhagem de Reis e Regentes de Gondor. A genealogia da Árvore Branca em suas diversas manifestações é longa, datando do início da Primeira Era até o final da Terceira e o início da Quarta Era.[15] Está registrado que, por muitos anos, após a fundação de

Númenor, a vida vivida pelos Númenóreanos foi chamada de os "dias de ventura";

Assim os anos passaram e, enquanto a Terra-média seguia para trás, e luz e sabedoria fraquejavam, os Dúnedain habitavam sob a proteção dos Valar e na amizade dos Eldar e cresciam em estatura de mente e corpo. Pois, embora esse povo usasse ainda sua própria fala, seus reis e senhores conheciam e falavam também a língua élfica, que tinham aprendido nos dias de sua aliança, e assim tinham colóquio ainda com os Eldar, seja os de Eressëa ou os das terras do oeste da Terra-média. E os mestres-do-saber no meio deles aprendiam também a língua alto-eldarin do Reino Abençoado, na qual muita história e canção foram preservadas desde o princípio do mundo; e criaram letras e pergaminhos, e livros e escreveram neles muitas coisas de sabedoria e assombro na maré alta de seu reino, das quais tudo agora está esquecido.[16]

Esses relatos dos primeiros anos de vida em Númenor terminam com um lembrete de que a vida dos Númenóreanos, apesar de toda a sua excelência, estava fadada a não perdurar.

Tais coisas se diz em geral dos dias de ventura de Númenor, que duraram quase dois mil anos; embora os primeiros indícios das sombras posteriores tivessem aparecido antes disso. De fato, foi o seu próprio armamento para tomar parte na defesa dos Eldar e Homens do Oeste da Terra-média contra o controlador da Sombra (enfim revelado como Sauron, o Grande) que ocasionou o fim de sua paz e contentamento. A vitória foi o arauto de sua Queda.[17]

NOTAS

1. Os relatos sobre a vida e a cultura dos Edain, os Homens de Númenor, foram mais uma vez retirados de *CI* (Segunda Parte: A Segunda Era, I "Uma Descrição da Ilha de Númenor", pp. 229 ss.), "Akallabêth", pp. 343–4, e *Natureza* (Parte Três: O Mundo, suas Terras e seus Habitantes, 11 "Vidas dos Númenóreanos", pp. 363 ss.; 12 "O Envelhecimento dos Númenóreanos", pp. 377 ss.), mas foram organizados de forma a descrever melhor a narrativa; e, como mencionado acima, notas só foram acrescentadas onde o material foi incluído de fontes adicionais.

2. Do sindarin, com o significado de "homens do oeste" ou "ocidentais", um nome usado para os Númenóreanos que tinham amizade com os Elfos.
3. Para Tolkien, a importância espiritual da fé e práticas religiosas dos Númenóreanos não era apenas ideologicamente central em *O Senhor dos Anéis* (e, de modo geral, em seu legendário inteiro) como também possuía uma aplicabilidade ao próprio mundo do escritor. Em uma carta pretendida como um comentário pessoal sobre a resenha de W.H Auden de *O Retorno do Rei* no *The New York Times Book Review* de 22 de janeiro de 1956 (*Cartas*, carta nº 183), Tolkien escreveu:

   > Em *O Senhor dos Anéis* o conflito não é basicamente sobre "liberdade", embora ela esteja naturalmente envolvida. É sobre Deus e Seu direito único à honra divina. Os Eldar e os Númenóreanos acreditavam no Uno, o Deus verdadeiro, e consideravam a devoção a qualquer outra pessoa uma abominação. Sauron desejava ser um Rei-Deus, e assim era considerado por seus servidores; se tivesse sido vitorioso, ele teria exigido honras divinas de todas as criaturas racionais e poder temporal absoluto sobre o mundo inteiro. Assim, mesmo se em desespero "o Oeste" tivesse gerado ou contratado hordas de orques e tivesse cruelmente assolado as terras de outros Homens enquanto aliados de Sauron, ou meramente para impedi-los de auxiliá-lo, a Causa deles teria permanecido irrevogavelmente certa. Como permanece a Causa daqueles que se opõem agora ao Deus-Estado e ao Oficial Disso ou Daquilo como seu Sumo-Sacerdote, mesmo que seja verdade (como infelizmente é) que muitos de seus atos sejam errados, mesmo que fosse verdade (como não é) que os habitantes do "Oeste", com exceção de uma minoria de líderes abastados, vivem com medo e na miséria, enquanto os adoradores do Deus-Estado vivem em paz e abundância e em estima e confiança mútuas.

4. *Cartas*, carta nº 156.
5. Tolkien elaborou o adûnaico como parte de sua obra incompleta "Os Documentos do Clube Notion" (1945), na qual um dos protagonistas, Alwin Lowdham, compila um relato (inacabado) sobre o idioma númenóreano. Uma obra impressionante, que se estende por muitas páginas, e pode ser encontrada em *Sauron Defeated*, pp. 413 ss.

   Para o uso tardio do idioma de Númenor, após o final da Segunda Era, e sua relação com os outros idiomas da Terra-média, ver *Retorno*, Apêndice F, Os Idiomas e Povos da Terceira Era, "Dos Homens", pp. 1607 ss.
6. A linhagem dos Senhores de Andúnië foi fundada por Valandil, cuja mãe, Silmariën, havia sido esposa de Elatan de Andúnië e a descendente mais velha de Tar-Elendil, o quarto Rei de Númenor. Uma vez que, pelas leis de Númenor naquela época, não era permitido a Silmariën herdar o Cetro e governar como rainha, Valandil e subsequentes Senhores de Andúnië não faziam parte da linha de sucessão real. Ainda assim, ao final da Segunda Era, os descendentes de Valandil viriam a se tornar reis na Terra-média, a começar por Elendil, o último Senhor de Andúnië e primeiro Alto Rei de Arnor e Gondor.

Ver também Apêndice A, I (iii), p. 1482, para uma nota que discute o bastão de prata dos Senhores de Andúnië (o cetro de Annúminas) que sobreviveu à Queda de Númenor e veio a se tornar o marco dos reis de Arnor e "tinha mais de cinco mil anos quando Elrond o entregou a Aragorn", como é descrito em *Retorno*, p. 1389.

7. Eressëanos = Elfos de Tol Eressëa.
8. Tolkien escreveu mais sobre o tópico da longevidade númenóreana em "Idades Élficas e Númenóreanas" (*Natureza*, Parte Um, 18, p. 174) e, em maiores detalhes e com referências adicionais ao tema do casamento, em "O Envelhecimento dos Númenóreanos" (*Natureza*, Parte Três, 12, pp. 377–79); ele também forneceu (*Natureza*, p. 365) a seguinte fórmula para calcular "que 'idade' um Númenóreano tinha em termos humanos normais de vigor e aptidão":

   (1) Subtraia 20: uma vez que aos 20 anos um Númenóreano estaria mais ou menos do mesmo estágio de desenvolvimento de uma pessoa comum. (2) Some a esses 20 o restante dividido por 5. Assim, uma mulher ou um homem númenóreano com estes anos:

   25 50 75 100 125 150 175 200 225 250 275 300 325 350 375 400 425
   teria aproximadamente a "idade" de:
   21 26 31 36 41 46 51 56 61 66 71 76 81 86 91 96 101

9. Em uma nota do autor, Tolkien explicou que os Númenóreanos "não eram de ascendência racial uniforme"; uma explicação dessas diferenças pode ser encontrada em *Natureza*, p. 371.
10. Akallabêth, p. 345.
11. "A espada do Rei era na verdade Aranrúth, espada de Elu Thingol de Doriath em Beleriand, que chegara a Elros através de sua mãe, Elwing." *CI*, pp. 237–8, nota 2, que também contém detalhes de "outras heranças", incluindo o Anel de Barahir, o grande Machado de Tuor e o Arco de Bregor da Casa de Bëor.
12. *Cartas*, carta nº 156.
13. Akallabêth, p. 346.
14. Com referência às Duas Árvores de Valinor, ver p. 70, nota 2. Para a história e os nomes das Árvores Brancas, ver as notas de Christopher Tolkien em "The History of the Akallabêth" ["A História do Akallabêth"], *Peoples*, pp. 147–9.
15. Akallabêth, p. 346, e *Peoples*, p. 147. Fala-se da história da Árvore Branca em *O Senhor dos Anéis*, como na descrição feita por Elrond da Cidade de Arnor (posteriormente Minas Tirith): "[...] A oeste, no sopé das Montanhas Brancas, construíram Minas Anor, a Torre do Sol Poente. Ali, na corte do Rei, crescia uma árvore branca, da semente daquela que Isildur trouxe por sobre as águas profundas, e a semente dessa árvore veio antes de Eressëa, e antes disso do Extremo Oeste, no Dia antes dos dias, quando o mundo era jovem" (*Sociedade*, p. 352).

   À época da Guerra do Anel, a terceira Árvore Branca que havia sido plantada no Pátio da Fonte em Minas Tirith estava morta, tendo morrido no ano 2872 da Terceira Era, e, como nenhum rebento pôde ser encontrado, foi mantida de pé "até o Rei retornar" ("The Heirs of Elendil", *Peoples*, p. 206). Essa profecia se cumpriu, no final da Terceira Era, com a coroação de Aragorn, o Rei Elessar Telcontar, vigésimo sexto Rei de Arnor, trigésimo quinto Rei de Gondor e primeiro Alto Rei de Gondor e Arnor desde o breve reinado de Isildur. Na véspera de sua coroação, como é contado em *O Senhor dos Anéis* (*Retorno*, Livro VI, 5 "O Regente e o Rei", pp. 1386–88), Gandalf subiu com Aragorn o Monte Mindolluin, o pico mais oriental das Ered Nimrais (as Montanhas Brancas), até um alto fano acima da cidade onde os Reis de Gondor costumavam ir. Lá, ao amanhecer, Aragorn avistou "uma encosta rochosa que descia das beiradas da neve; e ao olhar deu-se conta de que ali no ermo havia algo que crescia solitário. E escalou até lá e viu que na própria borda da neve brotava um rebento de árvore com não mais que três pés de altura. Já lançara folhas jovens, compridas e formosas, escuras em cima e prateadas embaixo, e na copa delgada trazia um pequeno cacho de flores cujas pétalas brancas brilhavam como neve iluminada pelo sol [...]

"Então Aragorn pôs a mão suavemente no rebento, e eis! ele parecia segurar-se só de leve à terra, e foi removido sem se machucar; e Aragorn o levou de volta à Cidadela. Ali a árvore seca foi desenraizada, mas com reverência; e não a queimaram, mas a depositaram para jazer no silêncio de Rath Dínen.* E Aragorn plantou a nova árvore no pátio junto à fonte, e ela começou a crescer depressa e alegremente; e quando entrou o mês de junho ela estava carregada de flores".

* Rath Dínen, o caminho através dos Fanos de Minas Tirith — ao qual se tem acesso pela porta de Fen Hollen no sexto nível da cidade —, onde, após morrerem, os Reis e Regentes de Gondor eram sepultados.

16. Akallabêth, pp. 344–5.
17. *Natureza*, p. 391.

c. 40

Muitos anãos, deixando suas antigas cidades nas Ered Luin, vão a Moria e aumentam sua população.

Durin é o nome que os Anãos usavam para o mais velho dos Sete Pais de sua raça, o ancestral de todos os reis dos Barbas-longas. Ele dormiu a sós, até que nas profundezas do tempo e no despertar daquele povo ele chegou a Azanulbizar, e nas cavernas acima de Kheled-zâram no leste das Montanhas Nevoentas ele fez sua morada, onde estiveram mais tarde as Minas de Moria, renomadas nas canções.

Ali viveu por tanto tempo que em toda a parte era conhecido como Durin, o Imortal. Porém morreu, afinal, antes que terminassem os Dias Antigos, e seu túmulo foi em Khazad-dûm; mas sua linhagem jamais se interrompeu, e cinco vezes nasceu em sua Casa um herdeiro tão parecido com o Ancestral que recebeu o nome de Durin. Deveras os Anãos o consideravam como o Imortal que retornara; pois eles têm muitas estranhas histórias e crenças a respeito de si próprios e de sua sina no mundo.

Após o fim da Primeira Era, o poder e a fortuna de Khazad-dûm aumentaram em muito; pois foi enriquecida por muita gente e muito saber e ofício quando as antigas cidades de Nogrod e Belegost, nas Montanhas Azuis, foram arruinadas no rompimento de Thangorodrim.[1]

> Em *A Sociedade do Anel*, é contado como, durante o Conselho de Elrond na Terceira Era, Glóin, o Anão, falou sobre aquela época quando, "em meio ao esplendor das obras de suas mãos, os corações dos Anãos da Montanha Solitária estavam perturbados". Disse ele: "Já faz muitos anos [...] que uma sombra de inquietação recaiu sobre nosso povo. De onde vinha, não percebemos no início. Palavras começavam a ser sussurradas em segredo: diziam que estávamos restritos em um lugar estreito, e que riqueza e esplendor maiores seriam encontrados em um mundo mais amplo. Alguns falavam de Moria: a imensa obra de nossos pais que em nossa própria língua se chama Khazad-dûm; e declaravam que agora tínhamos enfim o poder e o número de pessoas para retornarmos."[2]

NOTAS

1. Apêndice A, "Anais dos Reis e Governantes, III O Povo de Durin", p. 1523.
2. *Sociedade*, Livro II, 2 "O Conselho de Elrond", p. 347.

442

Morte de Elros Tar-Minyatur.

Elros Tar-Minyatur regeu os Númenóreanos por quatrocentos anos e dez. Pois aos Númenóreanos fora concedida uma longa vida, e permaneciam infatigáveis pelo triplo da duração dos Homens mortais na Terra-média; ao filho de Eärendil, porém, foi dada a vida mais longa de qualquer Homem, e a seus descendentes uma duração menor, e no entanto maior que a de outros mesmo dentre os Númenóreanos. Assim foi até a chegada da Sombra, quando os anos dos Númenóreanos começaram a minguar.[1]

Elros Tar-Minyatur teve três filhos: Vardamir Nólimon, Manwendil e Atanalcar, e uma filha (dentre os quatro, a segunda mais velha), Tindómiel.

442

REIS E RAINHAS DE NÚMENOR II:

Tar-Vardamir

Nascimento: S.E. 61; Morte: S.E. 471 (410 anos)
Reinado: S.E. 442

O mais velho dos filhos de Elros Tar-Minyatur, Tar-Vardamir era chamado Nólimon ["Erudito"] pelo fato de sua principal predileção ser o antigo saber, que recolhia entre os Elfos e os Homens. Quando Elros partiu, tendo ele então 381 anos de idade, não ascendeu ao trono, mas deu o cetro ao filho. Não obstante, é contado como o segundo dos Reis, e considera-se que reinou por um ano. Depois disso tornou-se costumeiro, até os dias de Tar-Atanamir, que o Rei entregasse o cetro ao sucessor antes de morrer; e os Reis morriam de própria vontade enquanto ainda estavam no vigor da mente.

Tar-Vardamir teve quatro filhos: Amandil, Vardilmë (filha), Aulendil e Nolondil.

442

REIS E RAINHAS DE NÚMENOR III:

Tar-Amandil

Nascimento: S.E. 192; Morte: S.E. 603 (411 anos)
Reinado: S.E. 442–590 (148 anos)[2]

Apesar de registrado como terceiro Rei de Númenor, Tar-Amandil, na verdade, foi o segundo Monarca do reino, uma vez que seu pai, Vardamir Nólimon, escolhera não assumir o trono. Ele nasceu no ano 192, e o nome Amandil vem das palavras *Aman* e *-ndil*, que significam, na língua élfica quenya, alguém que é "amante" ou "amigo" de Aman, o "Reino Abençoado".

Tar-Amandil teve dois filhos, Elendil e Eärendur, e uma filha, Mairen.

NOTAS

1. *CI*, p. 297.
2. *CI*, p. 306, nota 3. Christopher Tolkien comenta sobre o reinado de Tar-Amandil da seguinte maneira: "O número 148 (em vez de 147) deve representar os anos do reinado efetivo de Tar-Amandil, sem considerar o ano fictício do reinado de Vardamir".

c. 500

Sauron começa a se agitar novamente na Terra-média.

Na longa carta a Milton Waldman em que resumia a cronologia dos eventos nas primeiras Três Eras da Terra-média, muito provavelmente escrita em 1951, Tolkien esboçou uma imagem do mundo nos dias "sombrios" no início da Segunda Era:[1] "Nas grandes batalhas contra o Primeiro Inimigo [Morgoth], as terras foram partidas e arruinadas, e o Oeste da Terra-média tornou-se desolado [...] Além disso, os Orques (gobelins) e outros monstros gerados pelo Primeiro Inimigo não estão completamente destruídos [...]" Como foi contado na conclusão do "Quenta Silmarillion",[2] ainda que pela intervenção dos Valar, Morgoth fora lançado "através da Porta da Noite além das Muralhas do Mundo, para dentro do Vazio Atemporal [...] Contudo, as mentiras que Melkor, poderoso e maldito, Morgoth Bauglir, o Poder do Terror e do Ódio, semeou nos corações de Elfos e Homens são uma semente que não morre e não pode ser destruída; e de quando em vez brota de novo, e dará fruto sombrio até os últimos dias". Essas mentiras e ódios que brotavam de novo eram cuidadas e nutridas por Sauron:

Em tempos antigos havia Sauron, o Maia, a quem os Sindar em Beleriand davam o nome de Gorthaur. No princípio de Arda,

Melkor o seduziu à aliança consigo, e ele se tornou o maior e mais fiel dos serviçais do Inimigo e o mais perigoso, pois podia assumir muitas formas e, por muito tempo, se desejasse, ainda podia parecer nobre e belo, de modo a enganar a todos, exceto os mais prevenidos.

Quando as Thangorodrim foram destroçadas e Morgoth sobrepujado, Sauron pôs sua feição bela de novo e fez reverência a Eönwë, o arauto de Manwë, e abjurou todos os seus malfeitos. E alguns sustentam que isso não foi, no começo, feito com falsidade, mas que Sauron em verdade se arrependeu, ainda que apenas por medo, estando assustado com a queda de Morgoth e a grande ira dos Senhores do Oeste. Mas não fazia parte do poder de Eönwë perdoar aqueles de sua própria ordem, e ele ordenou que Sauron retornasse a Aman e lá recebesse o julgamento de Manwë. Então Sauron se envergonhou, e não estava disposto a retornar humilhado e receber dos Valar uma sentença, quiçá, de longa servidão em prova de sua boa-fé; pois sob Morgoth o seu poder tinha sido grande. Portanto, quando Eönwë partiu, escondeu-se na Terra-média; e recaiu no mal, pois os laços que Morgoth lançara sobre ele eram muito fortes.[3]

> Em sua carta a Milton Waldman, Tolkien escreveu sobre Sauron: "Ele continua na Terra-média. Muito lentamente, começando com motivos razoáveis, a reorganização e reabilitação da ruína da Terra-média, 'negligenciada pelos deuses', ele torna-se uma reencarnação do Mal e um ser que anseia pelo Poder Completo — e, desse modo, é consumido ainda mais ferozmente pelo ódio (especialmente dos deuses e dos Elfos)".[4]
>
> Entre os escritos tardios de Tolkien, publicados postumamente por Christopher Tolkien em sua *História da Terra-média*,[5] Tolkien ponderou a respeito dos motivos de Sauron, o que indica uma notável sutileza de reflexão acerca das características de seu protagonista.

Sauron tinha se tornado efetivamente "maior" na Segunda Era do que Morgoth no fim da Primeira. Por quê? Porque, embora fosse muito menor em sua estatura natural, ainda não tinha decaído tanto. No fim das contas, também desperdiçou o poderio (de seu ser) na empresa de ganhar controle sobre outrem. Mas não foi obrigado a despender tanto de si mesmo. Para ganhar domínio sobre Arda, Morgoth tinha feito com que a maior parte de seu ser adentrasse os constituintes físicos da Terra — daí o fato de que todas as coisas que nasciam na Terra e viviam nela e por ela, animais ou plantas ou espíritos encarnados, eram suscetíveis a ser "conspurcadas" [...]

Sauron, entretanto, herdou a "corrupção" de Arda, e só despendeu seu poderio (muito mais limitado) nos Anéis; pois eram as *criaturas* da Terra, em suas *mentes* e *vontades*, que ele desejava dominar. Dessa maneira, Sauron também era mais sábio do que Melkor-Morgoth. Sauron não foi um iniciador do desacordo; e provavelmente sabia mais sobre a "Música" [a Música dos Ainur, a grande canção de criação antes do início do Tempo] do que Melkor, cuja mente sempre estivera repleta de seus próprios planos e artifícios, e que dava pouca atenção a outras coisas [...]

Sauron nunca atingira esse estágio de loucura niilista. Não tinha objeções quanto à existência do mundo, desde que pudesse fazer com ele o que quisesse. Ainda carregava resquícios dos propósitos positivos que provinham do bem da natureza com a qual principiara: sua virtude (e, portanto, também a causa de sua queda e de sua recaída) tinha sido o fato de que ele amava a ordem e a coordenação, e não gostava de nenhuma confusão ou fricção perdulária [...] Mas, como todas as mentes de seu feitio, o amor (originalmente) ou (mais tarde) a mera compreensão de Sauron quanto a outras inteligências individuais era proporcionalmente mais fraco; e, embora o único verdadeiro bem ou motivação racional por trás de toda essa ordenação, planejamento e organização fosse o bem de todos os habitantes de Arda (mesmo que se admitisse o direito de Sauron de ser o senhor supremo deles), seus "planos", a ideia proveniente de sua própria mente isolada, tornou-se o único objeto de sua vontade, e um fim, o Fim, em si mesmo.*

---

*Mas sua capacidade de corromper outras mentes, e mesmo a de submetê-las a seu serviço, era um resíduo do fato de que seu desejo original de "ordem" realmente tinha pressuposto o bom estado (especialmente o bem-estar físico) de seus "súditos".

Em outros lugares da Terra-média houve paz por muitos anos; as terras, porém, eram, na maior parte, selvagens e desoladas, salvo apenas aonde ia o povo de Beleriand. Muitos Elfos lá habitavam, de fato, como tinham habitado através dos anos incontáveis, vagando livres nas vastas terras longe do Mar; mas eram Avari, para quem as façanhas em Beleriand eram não mais que um rumor, e Valinor, apenas um nome distante. E no sul e mais a leste os Homens se multiplicavam, e a maioria deles se voltou para o mal, pois Sauron estava agindo.[6]

Vendo a desolação do mundo, Sauron disse em seu coração que os Valar, tendo sobrepujado a Morgoth, haviam esquecido de novo a Terra-média; e seu orgulho cresceu a passos largos.[7]

NOTAS

1. *Cartas*, carta nº 131.
2. *O Silmarillion*, cap. 24, "Da Viagem de Eärendil e da Guerra da Ira", p. 338. Os crimes de Sauron durante a Primeira Era são recontados em *O Silmarillion*, e, em particular, nos capítulos 18, "Da Ruína de Beleriand e da Queda de Fingolfin", e 19, "De Beren e Lúthien".
3. Anéis, p. 373. Em um rascunho de uma carta escrito por Tolkien em setembro de 1954 (*Cartas*, carta nº 153), ele disse: "Sauron, é claro, não era 'mau' em origem. Foi um 'espírito' corrompido pelo Primeiro Senhor Sombrio (o Primeiro Rebelde subcriativo), Morgoth. Foi-lhe dada uma oportunidade de arrependimento, quando Morgoth foi derrotado, mas não pôde encarar a humilhação da retratação e da súplica pelo perdão; e, assim, sua inclinação temporária para o bem e para a 'benevolência' culminou em uma recaída maior, até que se tornasse o principal representante do Mal de eras posteriores. Mas no início da Segunda Era ele [...] de fato não

era totalmente mau, não a menos que todos os 'reformistas' que desejam apressar-se com 'reconstruções' e 'reorganizações' sejam totalmente maus, mesmo antes do orgulho e do desejo de exercer suas vontades devorá-los".

4. *Cartas*, carta nº 131.
5. *Morgoth's Ring*, Part Five, "Myths Transformed" [*O Anel de Morgoth*, Parte Cinco, "Mitos Transformados"], pp. 394–7.
6. Anéis, p. 375; com referência aos Avari no "Quenta Silmarillion", Tolkien escreveu sobre aqueles Elfos que recusaram o chamado dos Valar para navegar até o Oeste: "Mas muitos recusaram a convocação, preferindo a luz das estrelas e os amplos espaços da Terra-média às rumorosas Árvores; e esses são os Avari, os Indesejosos, que foram separados, naquele tempo, dos Eldar e só os encontraram de novo depois que muitas eras se passaram". *O Silmarillion*, 3, "Da Vinda dos Elfos e do Cativeiro de Melkor", p. 85.
7. Anéis, p. 375.

521

Nascimento de Silmariën em Númenor.

590

REIS E RAINHAS DE NÚMENOR IV:

Tar-Elendil

Nascimento: S.E. 350; Morte: S.E. 751 (401 anos)
Reinado: S.E. 590–740 (150 anos)

O nome *Elendil* em quenya significava "Amante-das-Estrelas" (alguém que ama ou estuda as estrelas), formado pelas palavras *elen* ("estrela") e *-(n)dil* ("amigo, amante ou devoto"), com a interpretação adicional de "Amigo-dos-Elfos", uma denominação comum entre aqueles dos Edain que possuíam uma estreita amizade com os Eldar, a partir de *Eled* ("povo-das-estrelas") com referência aos Elfos.[1]

[Elendil] também era chamado Parmaitë,[2] pois com sua própria mão fez muitos livros e lendas do saber recolhido por seu avô [Tar-Vardamir]. Casou-se tarde na vida, e sua descendente mais velha foi uma filha, Silmarien, nascida no ano de 521, cujo filho foi Valandil. De Valandil vieram os Senhores de Andúnië, o último dos quais foi Amandil, pai de Elendil, o Alto, que chegou à Terra-média após a Queda.

> Uma segunda filha, Isilmë, nasceu em 532, e um filho, Meneldur, no ano 543, o qual, por causa da lei da época que impedia uma mulher da linhagem de assumir o trono, viria a se tornar o sexto Rei de Númenor como Tar-Meneldur.

No reinado de Tar-Elendil, as primeiras naus dos Númenóreanos retornaram à Terra-média.

NOTAS

1. *Road*, "The Etymologies", p. 356.
2. Do quenya *parma* ("livro") e *-maitë* ("com mãos..."), com o significado de "hábil" ou "engenhoso", *CI*, Índice Remissivo, p. 602.

600

As primeiras naus dos Númenóreanos aparecem ao Largo das Costas.

Acima de todas as artes, eles cultivavam a construção de navios e a navegação e se tornaram marinheiros cuja semelhança nunca mais há de existir desde que o mundo diminuiu; e viajar pelos vastos mares era o principal feito e a grande aventura de seus homens vigorosos nos dias valentes de sua juventude.

Mas os Senhores de Valinor os proibiram de velejar no rumo oeste a uma distância em que as costas de Númenor não mais pudessem ser vistas; e, por muito tempo, os Dúnedain continuaram contentes, embora não entendessem completamente o propósito dessa interdição. Mas o desígnio de Manwë era que os Númenóreanos não fossem tentados a buscar o Reino Abençoado, nem a desejar ir além dos limites postos à sua ventura, ficando enamorados da imortalidade dos Valar e dos Eldar e das terras onde todas as coisas duram.

Pois, naqueles dias, Valinor ainda permanecia no visível mundo, e ali Ilúvatar permitia aos Valar manterem sobre a Terra um lugar de morada, um memorial do que poderia ter sido se Morgoth não tivesse lançado sua sombra sobre o mundo. Isso os Númenóreanos mui bem sabiam; e, por vezes, quando o ar estava claro, e o sol estava no leste, olhavam para longe e descortinavam muito além, no oeste, uma cidade que brilhava alva em uma costa distante, e um grande porto, e uma torre. Pois naqueles dias os Númenóreanos enxergavam longe; contudo, eram apenas os olhos mais aguçados entre eles que podiam ter essa visão, do Meneltarma, talvez, ou de algum alto navio que bordejava a costa oeste deles, tão longe quanto lhes era legítimo ir. Pois não ousavam quebrar a Interdição dos Senhores do Oeste. Mas os sábios entre eles tinham conhecimento de que essa terra distante não era de fato o Reino Abençoado de Valinor, mas era Avallónë, o porto dos Eldar em Eressëa, a mais oriental das Terras Imortais [...]

Assim foi que, por causa da Interdição dos Valar, as viagens dos Dúnedain naqueles dias eram sempre no rumo leste e não no oeste, da escuridão do Norte aos calores do Sul, e, além do Sul, para a Escuridão Ínfera; e chegaram até mesmo aos mares internos, e velejaram à volta da Terra-média, e vislumbraram de suas altas proas os Portões da Manhã no Leste.[1]

Quando haviam passado seiscentos anos desde o início da Segunda Era, Vëantur, Capitão dos Navios do Rei no reinado de Tar-Elendil, realizou a primeira viagem à Terra-média. Levou seu navio *Entulessë* (que significa "Retorno") a Mithlond com os ventos de primavera que sopravam do oeste; e voltou no outono do ano seguinte. Depois disso a navegação tornou-se o principal empreendimento de audácia e intrepidez entre os homens de Númenor [...][2]

E os Dúnedain vinham, por vezes, às costas das Grandes Terras e tinham piedade do mundo abandonado da Terra-média; e os Senhores de Númenor puseram pé de novo sobre as costas do oeste nos Dias Escuros dos Homens, e ninguém ainda ousava se opor a eles. Pois a maioria dos Homens daquela era, que se sentavam sob a Sombra, tinham então se tornado fracos e temerosos.[3]

Mas durante muito tempo as tripulações dos grandes navios númenóreanos desembarcaram desarmadas entre os homens da

Terra-média. E embora tivessem a bordo machados e arcos para cortar madeira e caçar seu alimento em praias selvagens que a ninguém pertenciam, não os portavam quando procuravam os homens das terras.[4]

Em uma longa nota em *Contos Inacabados*, Christopher Tolkien cita "um ensaio filológico tardio" de seu pai que fornece "uma descrição do primeiro encontro dos Númenóreanos com os Homens de Eriador naquela época":

Foi seiscentos anos após a partida dos sobreviventes dos Atani [o nome em quenya dos Edain ou Homens], que cruzaram o mar até Númenor, que pela primeira vez um navio tornou a vir do Oeste à Terra-média, e subiu pelo Golfo de Lhûn. Seu capitão e seus marinheiros foram bem recebidos por Gil-galad; e assim começou a amizade e aliança de Númenor com os Eldar de Lindon. A notícia espalhou-se rapidamente, e os Homens de Eriador encheram-se de espanto. Apesar de terem habitado no Leste na Primeira Era, tinham chegado até eles rumores da terrível guerra "do outro lado das Montanhas Ocidentais" [isto é, Ered Luin]; mas suas tradições não preservavam nenhum relato claro a respeito, e criam que todos os Homens que viviam nas terras mais além tinham sido destruídos ou afogados em grandes tumultos de fogo e invasão de mares. Mas, visto que ainda se dizia entre eles que aqueles Homens em anos imemoriais haviam sido parentes da sua própria gente, enviaram mensagens a Gil-galad pedindo permissão para se encontrarem com os Homens dos navios "que haviam voltado da morte nas profundezas do Mar". Assim se passou que houve um encontro entre eles nas Colinas das Torres; e a esse encontro com os Númenóreanos chegaram apenas doze Homens vindos de Eriador, Homens de coração intrépido e coragem, pois a maioria do seu povo temia que os recém-chegados fossem perigosos espíritos de seus Mortos. No entanto, quando contemplaram os Homens dos navios, o temor os abandonou, embora por algum tempo se quedassem mudos de admiração; pois, por muito que eles próprios fossem considerados poderosos entre sua gente, os Homens dos navios se pareciam mais com senhores élficos do que com Homens mortais, no porte e nas vestes. Ainda assim, não duvidaram de seu antigo parentesco. E, da mesma forma, os Homens dos navios contemplaram os Homens da Terra-média com feliz surpresa, pois acreditava-se em Númenor que os Homens deixados para trás descendessem daqueles maus que nos últimos dias da guerra contra Morgoth tinham sido convocados por ele, vindos do Leste. Mas agora viam rostos livres da Sombra, e Homens que poderiam caminhar em Númenor sem ser considerados estrangeiros, a não ser pelas roupas e pelas armas. Então, de repente, depois do silêncio, tanto os Númenóreanos quanto os Homens de Eriador pronunciaram palavras de boas-vindas e saudação em seus próprios idiomas, como se se dirigissem a amigos e parentes depois de longa separação. Inicialmente desapontaram-se, pois nenhum dos lados conseguia compreender o outro; mas quando se misturaram em amizade descobriram que compartilhavam muitíssimas palavras ainda claramente reconhecíveis, e outras que, com atenção, podiam ser entendidas; e conseguiram manter uma conversa hesitante sobre assuntos simples.[5]

E, chegando no meio [dos Homens da Terra-média], os Númenóreanos lhes ensinaram muitas coisas.[6]

Linguagem lhes ensinaram, pois as línguas dos Homens da Terra-média, salvo nas antigas terras dos Edain, tinham se tornado brutas, e eles gritavam como aves bravias ou rosnavam como as feras selvagens.[7]

Trigo e vinho trouxeram, e instruíram os Homens no plantar de sementes e no moer de grãos, no cortar de madeira e no moldar a pedra, e no ordenar de suas vidas, tal como o pode ser nas terras de morte rápida e pequena ventura.

Então os Homens da Terra-média foram confortados, e aqui e ali, sobre as costas do oeste, as matas sem casas recuaram, e os Homens sacudiram de si o jugo dos rebentos de Morgoth e desaprenderam seu terror do escuro. E reverenciavam a memória dos altos Reis-dos-mares e, quando partiam, chamavam-nos de deuses, esperando seu retorno; pois, naquele tempo, os Númenóreanos nunca habitavam longamente na Terra-média, nem faziam ali, por ora, qualquer habitação das suas. Para leste deviam velejar, mas sempre para o oeste seus corações retornavam.[8]

Durante todo esse tempo, Sauron continuou a aguardar o seu momento.

Olhava com ódio para os Eldar, e temia os Homens de Númenor que voltavam por vezes, em seus navios, às costas da Terra-média; mas por muito tempo dissimulou o que tinha em mente e ocultou os desígnios sombrios aos quais dava forma em seu coração.[9]

NOTAS

1. Akallabêth, p. 345–6.
2. *CI*, p. 237. Uma nota posterior (p. 292) afirma: "Como está contado [...] foi Vëantur quem primeiro realizou a viagem à Terra-média no ano de 600 da Segunda Era (ele nasceu em 451)".
3. Akallabêth, p. 346.
4. *CI*, p. 236. Foi acrescentado aqui: "Foi de fato motivo para ressentimento [dos Númenóreanos], quando a Sombra se esgueirou ao longo das costas e os homens de quem se haviam tornado amigos ficaram temerosos ou hostis, que o ferro fosse usado contra eles por aqueles a quem o tinham revelado". E em uma passagem anterior nessa referência foi observado: "Em dias posteriores, nas guerras contra a Terra-média, eram os arcos dos Númenóreanos que mais eram temidos. 'Os Homens do Mar', dizia-se, 'enviam diante de si uma grande nuvem, como chuva tornada em serpentes, ou granizo negro com pontas de aço'; e nesses dias as grandes coortes dos Arqueiros do Rei usavam arcos feitos de aço oco, com flechas de penas negras com uma vara de comprimento desde a ponta até a fenda".
5. Nota 3 de "Aldarion e Erendis", *CI*, pp. 292–3. Christopher Tolkien acrescentou (p. 293): "Em outro lugar desse ensaio está explicado que esses Homens moravam em torno do Lago Vesperturvo, nas Colinas do Norte e nas Colinas do Vento, e nas terras entre eles até o Brandevin, a oeste do qual frequentemente vagavam, apesar de não habitarem ali. Eram amigos dos Elfos, apesar de os reverenciarem; e temiam o Mar e não queriam olhá-lo. Parece que na origem eram Homens da mesma estirpe dos Povos de Bëor e Hador que não haviam atravessado as Montanhas Azuis para Beleriand, durante a Primeira Era".

   Uma notável representação diferente da chegada dos Númenóreanos à Terra-média foi dada em "Tal-Elmar", conto incompleto de Tolkien que fala de um jovem que vive na "cidade cercada [...] nas colinas verdes de Agar" e que é a primeira pessoa a avistar os navios númenóreanos aproximando-se pelo Grande Mar. Não há indicação do período em que se passa esse conto, além do fato de que Tolkien supunha que datasse de "*antes da Queda*". Ou o conto retrata os Númenóreanos de uma perspectiva temerosa dos Homens, ou, como é mais provável, sugere uma época posterior, quando Númenor estava a serviço de Sauron (c. 3262–3310). A história é muito diferente em estilo da maioria dos escritos de Tolkien a respeito da Terra-média e encontra-se em *Peoples*, Part Four: Unfinished Tales, XVII "Tal-Elmar". [Parte Quatro: Contos Inacabados, XVII "Tal-Elmar"].

Embora o conto não esteja incluído neste volume, o excerto curto a seguir deixa claro o tom dessa representação: "Estes [Altos Homens do Mar] de fato podemos temer como à Morte. Pois a Morte eles cultuam e assassinam homens cruelmente em honra à Morte. Desde o Mar eles vieram e, se é que tinham quaisquer terras próprias antes de darem com os costados nas praias ocidentais, não sabemos onde elas poderiam estar. Contos sombrios nos chegam das terras costeiras, de norte a sul, onde eles agora têm há muito tempo suas fortalezas sombrias e suas tumbas. Mas para cá não vêm desde os dias de meu pai, e mesmo então vinham apenas para assaltar, apanhar homens e partir. Ora, esta era a maneira com que chegavam. Vinham em barcos [...] levados pelos ventos; pois os Homens-do-mar estendem grandes panos como asas para apanhar os ares e os prendem em altas hastes como árvores da floresta. Assim vêm à praia, onde há abrigo, ou tão perto quanto podem; e depois enviam barcos menores repletos de provisões, e objetos estranhos, belos e úteis, que nosso povo cobiça. Estes eles nos vendem por bagatelas, ou nos dão de presente, fingindo amizade e pena por nossa carência; e fazem morada por um tempo, e espionam a terra e os números do povo, e depois partem. E os homens devem ser gratos se eles não retornarem. Porque se vêm de novo, é doutra forma. Aí vêm em maior número: dois navios juntos ou mais, repletos de homens, mas não de provisões, e sempre um dos malditos navios tem asas negras. Pois esta é a Nau do Escuro e nela eles levam embora butim maligno, cativos amontoados como animais, as mais belas mulheres e crianças, ou jovens homens inocentes, e esse é seu fim. Alguns dizem que são devorados como carne; outros, que são mortos em tormento nas aras negras do culto ao Escuro. Ambos talvez sejam verdade".

6. Akallabêth, p. 346.
7. *Peoples*, p. 149.
8. Akallabêth, p. 346–7.
9. Anéis, p. 375. Em *CI*, p. 344, nota 7, Christopher Tolkien escreveu: "Em nota isolada e impossível de datar, diz-se que, apesar de o nome *Sauron* ter sido usado anteriormente em 'O Conto dos Anos', seu nome, deixando implícita a identificação com o grande lugar-tenente de Morgoth em *O Silmarillion*, somente veio a ser conhecido por volta do ano de 1600

da Segunda Era, a época em que foi forjado o Um Anel. O misterioso poder de hostilidade, contra os Elfos e os Edain, foi percebido logo após o ano de 500, e entre os Númenóreanos primeiramente por Aldarion, ao redor do final do século VIII [...] Mas ele não tinha centro conhecido".

As viagens de Aldarion[1]

[Meneldur, filho de Tar-Elendil, tinha como esposa] uma mulher de grande beleza, chamada Almarian. Era filha de Vëantur, Capitão dos Navios do Rei no reinado de Tar-Elendil; e, apesar de ela não apreciar os navios ou o mar mais do que a maioria das mulheres do país, seu filho seguiu os passos de Vëantur, pai dela, e não os de Meneldur.

O filho de Meneldur e Almarian era Anardil [Amante do Sol],[2] mais tarde renomado entre os Reis de Númenor como Tar-Aldarion. Tinha duas irmãs mais novas: Ailinel e Almiel, a mais velha das quais casou-se com Orchaldor, descendente da Casa de Hador, filho de Hatholdir, que era amigo próximo de Meneldur; e o filho de Orchaldor e Ailinel era Soronto, que aparece mais tarde no conto.[3]

Aldarion [Filho das Árvores],[4] pois é assim que todos os contos o chamam, cresceu depressa até tornar-se um homem de grande estatura, forte e vigoroso de mente e corpo, de cabelos dourados como a mãe, generoso e de disposição alegre, porém mais orgulhoso que o pai e ainda mais insistente em sua própria vontade. Desde o início amava o Mar, e sua mente voltou-se ao ofício da construção de navios. Pouco apreciava a região do norte, e passava à beira-mar todo o tempo que o pai lhe concedia, em especial perto de Rómenna, onde estavam o principal porto de Númenor, os maiores estaleiros e os armadores mais habilidosos. Seu pai durante muitos anos pouco fez para impedi-lo, pois lhe agradava que Aldarion tivesse um exercício para sua intrepidez e trabalho para o pensamento e as mãos.

Aldarion era muito amado por Vëantur, pai de sua mãe, e passava muito tempo na casa de Vëantur, na margem sul do estuário de Rómenna. Essa casa tinha seu próprio cais, ao qual estavam sempre atracados muitos pequenos barcos, pois Vëantur jamais viajava por terra se pudesse viajar pela água; e ali, na infância, Aldarion aprendeu a remar e mais tarde a manejar as velas. Antes de estar totalmente crescido, já conseguia comandar um navio com muitos homens, velejando de um porto a outro.

Aconteceu certa feita que Vëantur disse ao neto: "Anardilya,[5] a primavera se aproxima, e também o dia da tua maioridade" (pois naquele mês de abril Aldarion faria 25 anos). "Estou imaginando uma forma de comemorá-la condignamente. Meus próprios anos são muito mais numerosos, e não creio que muitas outras vezes terei coragem de deixar minha bela casa e as costas abençoadas de Númenor; mas pelo menos mais uma vez gostaria de navegar pelo Grande Mar e encarar o vento norte e o leste. Este ano tu hás de vir comigo, e iremos a Mithlond para ver as altas montanhas azuis da Terra-média e a verde região dos Eldar aos pés delas. Tu receberás as boas-vindas de Círdan, o Armador, e do Rei Gil-galad. Fala sobre isso com teu pai."

Quando Aldarion falou dessa aventura e pediu permissão para partir assim que os ventos da primavera fossem favoráveis, Meneldur relutou em concedê-la. Um frio abateu-se sobre ele, como se seu coração adivinhasse que aquilo continha mais do que a sua mente podia prever. Mas, quando contemplou o rosto ávido do filho, não deixou entrever nenhum sinal disso. "Faz conforme o chamado do teu coração, *onya* [meu filho]", autorizou. "Sentirei muito tua falta; mas com Vëantur como capitão, sob a graça dos Valar, viverei com boas esperanças do teu retorno. Mas não te enamores das Grandes Terras, tu que um dia terás de ser Rei e Pai desta Ilha!"

Assim aconteceu que, numa manhã de sol claro e vento branco, na reluzente primavera do septingentésimo vigésimo quinto ano da Segunda Era, o filho do Herdeiro do Rei de Númenor zarpou da terra. Antes que o dia terminasse viu-a submergir rebrilhante no mar, e por último o pico do Meneltarma como um dedo escuro diante do pôr do sol.

Diz-se que o próprio Aldarion escreveu relatos de todas as suas viagens à Terra-média, e que foram conservados em Rómenna por muito tempo, apesar de todos terem se perdido depois. De sua primeira viagem pouco se sabe, exceto que fez amizade com Círdan e Gil-galad, e percorreu grandes distâncias em Lindon e no oeste de Eriador, maravilhando-se com tudo o que viu. Somente retornou depois de mais de dois anos, e Meneldur ficou muito inquieto. Diz-se que seu atraso foi devido à sua avidez em aprender de Círdan tudo o que pudesse, tanto na feitura e no manejo dos navios como na construção de muralhas que resistissem à ânsia do mar.

Houve alegria em Rómenna e Armenelos quando foi visto o grande navio *Númerrámar* (que significa "Asas-do-Oeste") chegando do mar, com as velas douradas tingidas de vermelho pelo pôr do sol. O verão estava quase terminado e o *Eruhantalë*[6] estava próximo. Pareceu a Meneldur, quando deu as boas-vindas ao filho em casa de Vëantur, que aquele crescera em estatura e que seus olhos estavam mais brilhantes, mas fitavam muito ao longe.

"O que viste, *onya*, em tuas longínquas viagens, que agora vive principalmente na lembrança?"

Mas Aldarion, olhando para o leste em direção à noite, permaneceu em silêncio. Por fim respondeu, mas baixinho, como alguém que fala consigo mesmo: "O belo povo dos Elfos? As verdes margens? As montanhas envoltas em nuvens? As regiões de névoa e sombra além da imaginação? Não sei." Calou-se. E Meneldur soube que ele não dissera tudo o que pensava. Pois Aldarion se apaixonara pelo Grande Mar, e por um navio que lá navegasse longe da vista da terra, levado pelos ventos, com espuma ao pescoço, a costas e portos inimagináveis; e aquele amor e desejo jamais o abandonaram até o fim da vida.

Vëantur não saiu mais de Númenor em viagem; mas presenteou Aldarion com o *Númerrámar*. Passados três anos, Aldarion pediu permissão para partir outra vez, e velejou até Lindon. Ficou fora três anos; e pouco tempo depois fez outra viagem, que durou quatro anos, pois diz-se que não se contentava mais em navegar a Mithlond, mas começou a explorar as costas ao sul, passando das fozes do Baranduin, do Gwathló e do Angren, e circundou o escuro cabo de Ras Morthil e contemplou a grande Baía de Belfalas e as montanhas do país de Amroth onde ainda habitam os Elfos Nandor.[7]

No trigésimo nono ano de sua vida, Aldarion retornou a Númenor, trazendo presentes de Gil-galad para seu pai; pois no ano seguinte, como por muito tempo proclamara, Tar-Elendil abriu mão do Cetro em favor do filho, e Tar-Meneldur tornou-se Rei. Então Aldarion refreou seu desejo e permaneceu em casa por algum tempo para consolo do pai. Nessa época fez uso dos conhecimentos que adquirira de Círdan acerca da fabricação de navios, inventando muitas coisas novas por conta própria, e também começou a empregar homens para a melhoria dos portos e dos cais, pois estava sempre ávido por construir embarcações maiores.

740

REIS E RAINHAS DE NÚMENOR V:

Tar-Meneldur

Nascimento: S.E. 543; Morte: S.E. 942 (399 anos)
Reinado: S.E. 740–883 (143 anos)

[Meneldur era o terceiro filho de Tar-Elendil,] pois tinha duas irmãs, chamadas Silmarien e Isilmë. A mais velha era casada com Elatan de Andúnië, e o filho deles era Valandil, Senhor de Andúnië, de quem muito mais tarde descenderam as linhagens dos Reis de Gondor e Arnor na Terra-média.[8]

Seu "nome próprio" era Írimon, e ele adotou o nome Meneldur por "seu amor pelo estudo das estrelas", do quenya *menel* ("os céus") e *-(n)dur* ("serviçal").[9]

Meneldur era um homem de disposição pacífica, sem orgulho,[10] que mais se exercitava em pensamentos que em feitos corporais. Amava apaixonadamente a terra de Númenor e todas as coisas que ela continha, mas não dava atenção ao Mar que a circundava por todos os lados, pois sua mente olhava para além da Terra-média: era encantado pelas estrelas e pelo firmamento. Estudava tudo o que conseguia reunir sobre as tradições dos Eldar e dos Edain acerca de Eä[11] e sobre as profundezas que ficavam em volta do Reino de Arda,[12] e seu maior deleite era a observação das estrelas. Construiu uma torre nas Forostar (a região mais setentrional da ilha), onde os ares eram mais límpidos, da qual à noite esquadrinhava os céus e observava todos os movimentos das luzes do firmamento.[13]

Quando Meneldur recebeu o Cetro, mudou-se das Forostar como devia, e habitou na grande casa dos Reis em Armenelos. Demonstrou ser um rei bondoso e sábio, embora jamais deixasse de ansiar por dias nos quais pudesse enriquecer seu conhecimento dos céus.

NOTAS

1. Salvo indicação em contrário, a maior parte da narrativa neste e nos capítulos "Aldarion e Erendis", "O Casamento de Aldarion e Erendis" e "A Elevação de Tar-Aldarion" que se segue encontra-se (na íntegra) em *CI*, Segunda Parte: A Segunda Era, II "Aldarion e Erendis: A Esposa do Marinheiro" [Aldarion], pp. 239–96.
2. Do quenya *anar* (sol) e *-(n)dil* (amante, amigo).
3. Christopher Tolkien comentou (*CI*, p. 292, nota 3): "O papel de Soronto na história agora pode ser apenas vislumbrado; ver p. 169 e também p. 160, notas 1–3.
4. Das palavras em quenya *aldar* (árvores) e *ion* (filho), ver *O Silmarillion*, "Apêndice: Elementos de nomes em quenya e em sindarin". O nome reflete a reputação de Aldarion como protetor das árvores e mateiro, uma tarefa que ele levava a sério, uma vez que, como marinheiro, era importante assegurar que as árvores permanecessem abundantes a fim de atender às demandas de seu programa de construção de navios. Embora Anardil só tenha adotado o nome ao assumir o trono (em S.E. 883), esse é o nome pelo qual é chamado deste ponto em diante na narrativa de "Aldarion e Erendis".
5. Um termo de estima baseado no nome *Anardil* (ver nota 2 acima).
6. Uma prece de agradecimento feita no final do outono; a terceira das três cerimônias de preces anuais dos Númenóreanos realizadas pelo Rei em nome do povo no topo do Meneltarma.
7. Christopher Tolkien comentou: "(Sîr) Angren era o nome élfico do rio Isen. Ras Morthil, um nome não encontrado em outro lugar, deve ser o

grande cabo na extremidade do ramo norte da Baía de Belfalas, que também se chamava Andrast (Cabo Longo).

A referência ao 'país de Amroth onde ainda habitam os Elfos Nandor' pode ser vista com o significado implícito de que o conto de Aldarion e Erendis foi escrito em Gondor antes da partida do último navio do porto dos Elfos Silvestres próximo a Dol Amroth, no ano 1981 da Terceira Era; ver *CI*, pp. 327 ss".

8. Como terceiro descendente, mas único filho homem de Tar-Elendil, Tar-Meneldur ascendeu ao trono porque, naquela época na história númenóreana, filhas não eram legalmente qualificadas para herdar o título.
9. *CI*, p. 298. Embora o nome Írimon seja quenya, nem J.R.R. Tolkien, nem Christopher Tolkien propuseram uma anglicização específica. Meneldur também possui o nome "Elentirmo", que o Índice Remissivo de *Contos Inacabados* traduz do quenya como "Observador-das-estrelas".
10. Em outro lugar (*CI*, p. 298) é dito sobre ele: "Era sábio, porém gentil e paciente".
11. Em quenya, *Eä* significa [o verbo] "ser"; assim, "o Mundo que É", ou o universo material que adquiriu existência por meio de Eru Ilúvatar com a palavra única "Eä" e formado pela Música dos Ainur.
12. A história da criação de Arda (quenya = Terra), em sua origem como uma cosmologia de Terra plana, é recontada na primeira parte de *O Silmarillion* ("Ainulindalë", "Valaquenta" e "Quenta Silmarillion" 1: "Do Princípio dos Dias").
13. Em "Uma Descrição da Ilha de Númenor" (*CI*, p. 231), é recontado como Tar-Meneldur "construiu uma alta torre, de onde podia observar os movimentos das estrelas" na região da montanha Sorontil, próximo ao Cabo Norte das Forostar, cuja flanco oriental "erguia-se escarpado do mar em tremendos penhascos".

750

Eregion é fundada pelos Noldor.

Galadriel deu-se conta de que Sauron fora outra vez deixado para trás, tal como nos antigos dias do cativeiro de Melkor [Morgoth].[1] Ou melhor, visto que Sauron ainda não tinha um nome único, e não se percebera que suas operações procediam de um único espírito malévolo, serviçal principal de Melkor, ela notou que havia um maligno propósito controlador à solta no mundo, e que parecia provir de uma fonte mais a Leste, além de Eriador e das Montanhas Nevoentas.

Portanto Celeborn e Galadriel foram para o leste, por volta do ano de 700 da Segunda Era, e estabeleceram o reino de Eregion de natureza primordialmente, mas não exclusivamente noldorin.[2] Pode ser que Galadriel o tenha escolhido por ter conhecimento dos Anãos de Khazad-dûm (Moria). Havia, e sempre ali permaneceram, alguns Anãos do lado oriental das Ered Lindon, onde outrora se encontravam as antiquíssimas mansões de Nogrod e Belegost — não longe de Nenuial; mas eles haviam transferido a maior parte de suas forças para Khazad-dûm. Celeborn não tinha simpatia pelos Anãos de qualquer raça (como mostrou a Gimli em Lothlórien), e nunca lhes perdoou seu papel na destruição de Doriath; mas foi apenas a hoste de Nogrod que tomou parte naquele ataque, e ela foi destruída na batalha de Sarn Athrad. Os Anãos de Belegost encheram-se de consternação com a calamidade e temor por seu desfecho, e isso apressou sua partida para o leste, para Khazad-dûm. Assim pode-se presumir que os Anãos de Moria fossem inocentes da ruína de Doriath e não hostis aos Elfos. De qualquer maneira, Galadriel tinha nesse ponto mais perspicácia que Celeborn; e ela percebeu desde logo que a Terra-média não podia ser salva do "resíduo do mal" que Morgoth deixara para trás, a não ser por uma união de todos os povos que à sua maneira e em sua medida se opunham a ele. Também enxergava os Anãos com olhos de comandante, vendo neles os melhores guerreiros para serem enviados contra os Orques. Ademais, Galadriel era uma Noldo, e tinha uma natural afinidade com suas mentes e seu amor apaixonado pelos trabalhos das mãos, afinidade muito maior que a encontrada entre muitos Eldar: os Anãos eram "os Filhos de Aulë", e Galadriel, como outros dentre os Noldor, fora pupila de Aulë e Yavanna em Valinor.[3]

Galadriel e Celeborn tinham em sua companhia um artesão noldorin chamado Celebrimbor [... e é dito] que era um dos sobreviventes de Gondolin, que estivera entre os maiores artífices de Turgon [...]. Celebrimbor tinha "uma obsessão quase 'anânica' pelos ofícios", e logo tornou-se artífice-mor de Eregion, passando a relacionar-se de perto com os Anãos de Khazad-dûm, entre os quais seu maior amigo era Narvi. Tanto os Elfos como os Anãos ganharam muito com essa associação: dessa forma Eregion tornou-se muito mais forte, e Khazad-dûm, muito mais bela do que qualquer das duas teria sido sozinha.[4]

A construção da principal cidade de Eregion, Ost-in-Edhil ["Fortaleza dos Eldar"], foi iniciada por volta do ano de 750 da Segunda Era [a data indicada em "O Conto dos Anos" para a fundação de Eregion pelos Noldor].[5]

No ano 750, Celebrimbor estabeleceu em Eregion uma irmandade de artífices mestres élficos chamada Gwaith-i-Mírdain, o Povo dos Joalheiros.[6]

Está escrito em O Silmarillion que eles "ultrapassaram em engenho todos os que algum dia dominaram esse ofício, salvo apenas o próprio Fëanor; e, de fato, o maior em arte em meio a eles era Celebrimbor".[7]

Narvi era um artífice anânico cuja obra em colaboração com Celebrimbor viria a ser descoberta pela Sociedade do Anel quando procuraram um meio de atravessar Moria. Eles se depararam com portas fechadas e ocultas, cuja presença no fim é revelada pela luz da lua nascente junto com os emblemas gravados das casas de Durin e Fëanor, "lavrados em *ithildin*, que só reflete a luz das estrelas e o luar", assim como a inscrição "na língua-élfica do Oeste da Terra-média nos Dias Antigos": "*As Portas de Durin, Senhor de Moria. Fala, amigo, e entra.* [...] *Eu, Narvi, as fiz. Celebrimbor de Azevim desenhou estes sinais.*"[8]

Os símbolos e a inscrição eram evidências da imensa riqueza possuída outrora pelos Anãos de Khazad-dûm, como Gandalf explicou: "A fortuna de Moria não estava em ouro e joias, os brinquedos dos Anãos; nem em ferro, seu serviçal. É verdade que encontraram essas coisas aqui, especialmente ferro; mas não precisavam escavar para obtê-las: tudo o que desejavam podiam obter pelo comércio. Pois só aqui em todo o mundo encontrava-se a prata-de-Moria, ou prata-vera, como alguns a chamaram: *mithril* é o nome élfico. Os Anãos têm um nome que não contam. Seu valor era dez vezes o do ouro, e agora não tem preço; pois resta pouco na superfície do solo, e os próprios Orques não ousam escavá-lo aqui. [...]

"*Mithril!* Todos o desejavam. Podia ser batido como o cobre e polido como o vidro; e os Anãos sabiam fazer dele um metal, leve, porém mais duro que aço temperado. Sua beleza era semelhante à da prata comum, mas a beleza do mithril não se embaçava nem se toldava. Os Elfos gostavam muito dele e entre muitos usos faziam dele *ithildin*, lua-estrela, que vistes nas portas".[9]

NOTAS

1. Ver *O Silmarillion*, p. 84.
2. Com referência ao ano 700 estar em desacordo com a data de 750 apresentada em Apêndice B, "O Conto dos Anos", para a fundação de Eregion, como observado na p. 47, nota 13, é necessário cautela com as complexidades das histórias de Galadriel e Celeborn.

Eregion, "chamada de Azevim pelos Homens", ficava situada a leste do rio Bruinen ("Ruidoságua") e à sombra das Montanhas Nevoentas, e, em particular, do pico magno de Caradhras, uma das três grandes montanhas sob as quais o clã anânico do Povo de Durin construíra a sua grande cidade de Khazad-dûm.

3. Os trágicos eventos a respeito de Doriath na história da Primeira Era encontram-se escritos em *O Silmarillion*, Quenta Silmarillion, 22 "Da Ruína de Doriath", pp. 305 ss.
4. A respeito da identidade de Celebrimbor, Christopher Tolkien observou também que o texto mencionado em *Contos Inacabados* "foi emendado para adequar-se à história posterior que fazia dele um descendente de Fëanor, como está mencionado no Apêndice B de *O Senhor dos Anéis* (somente na edição revisada), e detalhado mais plenamente em *O Silmarillion* (pp. 241, 377), onde se diz que ele era o filho de Curufin, quinto filho de Fëanor, que se apartou do pai e permaneceu em Nargothrond quando Celegorm e Curufin foram expulsos".
5. *CI*, p. 320.
6. Sindarin, de *gwaith* (povo, hoste) e *mírdain* (joalheiros).
7. Nascido em Valinor, Fëanor era o primogênito de Finwë, Alto Rei dos Noldor. Artífice e joalheiro, ele foi o criador das Silmarils e inventor da escrita tengwar, com a qual as línguas élficas quenya e telerin foram escritas pela primeira vez. Também é provável que ele tenha criado as *palantíri*, as Pedras-Videntes que figuram na história da Guerra do Anel. A história de Fëanor é contada principalmente em "Quenta Silmarillion", capítulos 6–9 e 13.
8. *Sociedade*, Livro II, 4 "Uma Jornada no Escuro", pp. 429–33, onde as *portas*, seus símbolos e inscrições são traduzidos e explicados por Gandalf.
9. *Sociedade*, Livro II, 4 "Uma Jornada no Escuro", pp. 447–8. Gandalf prossegue (p. 448) e revela que "Bilbo tinha um colete de anéis-de-mithril que Thorin lhe deu" (ver *O Hobbit*, Capítulo 13, "Fora de Casa"); presente este que mais tarde Bilbo passou a Frodo, *Sociedade*, Livro II, 3 "O Anel vai para o Sul", pp. 395–6.

Aldarion e Erendis[1]

[A "saudade do mar" assaltara de novo Aldarion, filho de Tar--Meneldur, quinto rei de Númenor,] e ele partiu de Númenor repetidas vezes. E sua mente voltou-se então para aventuras que não podiam ser realizadas com a tripulação de um só navio. Portanto fundou a Guilda dos Aventureiros, que mais tarde adquiriu grande renome. A essa irmandade juntavam--se todos os marinheiros mais valentes e mais dedicados; e os jovens buscavam ser admitidos mesmo que viessem das regiões do interior de Númenor, e chamavam Aldarion de Grande Capitão. Naquela época ele, que não pretendia viver em terra em Armenelos, fez construir um navio que lhe servisse de habitação; chamou-o, portanto, de *Eämbar* ["Morada-marinha"],[2] e às vezes navegava nele de porto em porto de Númenor, mas a maior parte do tempo estava ancorado ao largo de Tol Uinen: e essa era uma ilhota na baía de Rómenna que lá fora colocada por Uinen, a Senhora dos Mares.[3] A bordo de Eämbar ficava a sede dos Aventureiros, e lá se mantinham os registros de suas grandes viagens;[4] pois Tar-Meneldur olhava com frieza os empreendimentos do filho, e não se preocupava em ouvir o relato de suas viagens, crendo que ele semeava as sementes da inquietação e o desejo de dominar outras terras.

Naquela época Aldarion apartou-se do pai, e deixou de falar abertamente sobre seus desígnios e desejos; mas Almarian, a Rainha, apoiava o filho em tudo o que fazia, e Meneldur forçosamente deixava as coisas correrem como corriam. Pois os

Aventureiros tornavam-se mais numerosos e mais estimados pelos homens, e chamavam-se de *Uinendili*, amantes de Uinen; e seu Capitão tornava-se menos fácil de repreender ou refrear. Os navios dos Númenóreanos tinham volume e calado cada vez maiores naqueles dias, até que se tornaram capazes de fazer viagens longínquas, levando muitos homens e grandes cargas; e Aldarion costumava passar muito tempo longe de Númenor. Tar-Meneldur opunha-se sempre ao filho e limitou a derrubada de árvores em Númenor para a construção de embarcações. Ocorreu, assim, a Aldarion a ideia de que encontraria madeira na Terra-média e lá buscaria um porto para reparar seus navios. Em suas viagens pelo litoral ele observava com assombro as grandes florestas; e na foz do rio que os Númenóreanos chamavam Gwathir, Rio da Sombra, estabeleceu Vinyalondë, o Porto Novo.[5]

No entanto, quando se haviam passado cerca de oitocentos anos desde o início da Segunda Era, Tar-Meneldur ordenou que o filho permanecesse em Númenor e durante algum tempo interrompesse suas viagens ao leste; pois desejava proclamar Aldarion Herdeiro do Rei, como naquela idade do Herdeiro haviam feito os Reis antes dele. Então Meneldur e seu filho se reconciliaram por algum tempo, e houve paz entre eles. E, em meio a alegria e festas, Aldarion foi proclamado Herdeiro, em seu centésimo ano de vida, e recebeu do pai o título e o poder de Senhor dos Navios e Portos de Númenor. Às festas em Armenelos veio um certo Beregar, de onde habitava no oeste da Ilha, e com ele veio sua filha Erendis. Ali Almarian, a Rainha, observou sua beleza, de uma espécie raramente vista em Númenor; pois Beregar provinha da Casa de Bëor por antiga descendência, apesar de não pertencer à linhagem real de Elros, e Erendis possuía cabelos escuros e uma graça esbelta, com os límpidos olhos cinzentos de sua família.[6] Mas Erendis avistou Aldarion que passava a cavalo, e por sua beleza, e pelo esplendor de seu porte, ela quase não tinha olhos para mais nada. Daí em diante Erendis tornou-se dama da casa da Rainha, e caiu também nas graças do Rei; mas pouco via de Aldarion, que se ocupava do cultivo das florestas, tratando de que nos dias vindouros não faltasse madeira em Númenor. Não demorou para que os marinheiros da Guilda dos Aventureiros ficassem inquietos, pois não se satisfaziam com viagens mais curtas e mais raras, sob comandantes menores; e, quando haviam passado seis anos desde a proclamação do Herdeiro do Rei, Aldarion resolveu navegar outra vez à Terra-média. Do Rei obteve apenas uma permissão relutante, pois recusou a recomendação do pai para ficar em Númenor e procurar uma esposa; e zarpou na primavera daquele ano. Mas, quando foi despedir-se de sua mãe, viu Erendis em meio à companhia da Rainha. Contemplando sua beleza, percebeu a força que ela trazia escondida dentro de si.

Então Almarian lhe disse: "Precisas partir de novo, Aldarion, meu filho? Não há nada que te retenha na mais bela de todas as terras mortais?"

"Ainda não", respondeu, "mas há em Armenelos mais beleza do que um homem poderia encontrar em outra parte, até mesmo nas terras dos Eldar. Mas os marinheiros são pessoas de mente dividida, em combate consigo mesmos, e o desejo do Mar ainda me prende."

Erendis acreditou que essas palavras também haviam sido proferidas para seus ouvidos; e a partir daquele instante seu coração voltou-se totalmente para Aldarion, porém não com esperança. Naquela época não havia necessidade, por lei ou costume, de que os da casa real, nem mesmo o Herdeiro do Rei, se casassem somente com descendentes de Elros Tar-Minyatur; mas Erendis julgava que a posição de Aldarion era elevada demais. No entanto, depois disso, não olhou com estima para nenhum homem, e dispensou todos os pretendentes.

Passaram-se sete anos até Aldarion voltar, trazendo consigo minérios de prata e ouro; e falou com seu pai sobre a viagem e os feitos. Mas Meneldur disse: "Preferia ter-te ao meu lado a receber quaisquer notícias ou presentes das Terras Escuras. Esse é o papel de mercadores e exploradores, não do Herdeiro do Rei. De que nos adiantam mais prata e ouro, senão para os usarmos com altivez onde outras coisas serviriam do mesmo modo? O que é necessário na casa do Rei é um homem que conheça e ame esta terra e este povo que ele irá governar."

"Não estudo os homens todos os meus dias?", perguntou Aldarion. "Sou capaz de liderá-los e governá-los como quiser."

"Diz melhor: alguns homens, de espírito semelhante ao teu", respondeu o Rei. "Há também mulheres em Númenor, pouco menos que homens; e a não ser por tua mãe, a quem tu consegues de fato dominar como quiseres, o que sabes delas? No entanto, algum dia deverás tomar uma esposa."

"Algum dia!", repetiu Aldarion. "Mas não antes de precisar, e mais tarde, se alguém tentar impelir-me ao casamento. Tenho outras coisas para fazer que me são mais urgentes, pois minha mente está ocupada com elas. 'Fria é a vida da esposa do marinheiro'; e o marinheiro de propósito único, sem ligações com a terra firme, vai mais longe e melhor aprende a lidar com o mar."

"Mais longe, porém não com mais proveito", replicou Meneldur. "E não se 'lidas com o mar', Aldarion, meu filho. Estás esquecido de que os Edain vivem aqui por graça dos Senhores do Oeste, que Uinen nos é favorável e Ossë está refreado? Nossos navios são protegidos, e mãos outras que as nossas os guiam. Portanto, não exageres na altivez, ou a graça poderá minguar. E não suponhas que ela se estenderá àqueles que se arriscam sem necessidade nos rochedos de praias estranhas ou nas terras dos homens das trevas."

"Qual é então o propósito da graça sobre nossos navios", perguntou Aldarion, "se não podem navegar a nenhuma costa, e nada podem buscar que não tenha sido visto antes?"

Não falou mais com o pai sobre tais assuntos, mas passava os dias a bordo do navio Eämbar em companhia dos Aventureiros, e na construção de uma embarcação maior que qualquer outra feita antes: esse navio ele chamou *Palarran*, o Errante ao Longe. No entanto, agora era frequente que se encontrasse com Erendis (e isso ocorria por trama da Rainha); e o Rei, tomando conhecimento de seus encontros, sentia-se inquieto, porém não contrariado. "Seria mais bondoso curar Aldarion da sua inquietação", recomentou, "antes que ele conquiste o coração de qualquer mulher." "De que outra forma pretendes curá-lo, senão pelo amor?", perguntou a Rainha. "Erendis ainda é jovem", observou Meneldur. Mas Almarian respondeu: "A família de Erendis não tem a longa vida que é concedida aos descendentes de Elros; e o coração dela já está conquistado."

Quando, pois, estava construído o grande navio Palarran, Aldarion quis partir novamente. Diante disso, Meneldur enfureceu-se; porém, graças à persuasão da Rainha, não usou o poder do Rei para retê-lo. Aqui deve-se contar o costume de que, quando um navio partia de Númenor por sobre o Grande Mar em direção à Terra-média, uma mulher, na maioria das vezes parente do capitão, colocava sobre a proa da embarcação o Ramo Verde do Retorno; ele era cortado da árvore *oiolairë*,[7] que quer dizer "Sempre-Verão", que os Eldar deram aos Númenóreanos, dizendo que a colocavam em seus próprios navios como sinal da amizade por Ossë e Uinen. As folhas dessa árvore eram perenes, lustrosas e fragrantes; e ela se desenvolvia ao ar marinho. Mas Meneldur proibiu à Rainha e às irmãs de Aldarion que levassem o ramo de *oiolairë* a Rómenna, onde estava o Palarran, dizendo que recusava sua bênção ao filho, que saía em aventura contra a sua vontade; e Aldarion, ouvindo isso, falou: "Se tenho de partir sem bênção ou ramo, assim partirei."

Então a Rainha entristeceu-se; mas Erendis lhe sugeriu: "*Tarinya* [minha Rainha], se cortardes o ramo da árvore-élfica, eu o levarei ao porto com vossa permissão; pois a mim o Rei não proibiu isso."

Os marinheiros consideraram nefasto que o Capitão tivesse de partir assim; mas, quando tudo estava pronto, e os homens preparados para levantar âncora, Erendis lá chegou, por pouco que apreciasse o ruído e a agitação do grande porto e os gritos das gaivotas. Aldarion saudou-a com espanto e alegria; e ela disse: "Trouxe-vos o Ramo do Retorno, senhor, da Rainha." "Da Rainha?", repetiu Aldarion em outro tom. "Sim, senhor, mas pedi a permissão dela para assim fazer. Outros além da vossa própria família hão de alegrar-se com vosso retorno, assim que seja possível."

Nesse momento, Aldarion pela primeira vez olhou com amor para Erendis; e por muito tempo ficou de pé na popa, olhando para trás, enquanto o Palarran se fazia ao mar. Diz-se que ele apressou sua volta, e ficou em viagem menos tempo do que pretendera; e ao retornar trouxe presentes para a Rainha e as senhoras de sua casa, mas trouxe para Erendis o presente mais rico, que era um diamante. Frios foram então os cumprimentos entre o Rei e seu filho; e Meneldur repreendeu-o, dizendo que um presente semelhante era inadequado para o Herdeiro do Rei, a não ser que fosse um presente de noivado, e exigiu que Aldarion declarasse o que tinha em mente.

"Trouxe-o por gratidão", explicou, "por um coração caloroso em meio ao gelo de outros."

"Corações frios não podem inflamar outros para que lhes deem calor em suas idas e vindas", criticou-o Meneldur; e mais uma vez instou com Aldarion para que pensasse em se casar, apesar de não falar em Erendis. Mas Aldarion não queria saber disso, pois sempre e em todos os assuntos tanto mais se opunha quanto mais insistissem os que o cercavam; e então, tratando Erendis com mais frieza, determinou-se a deixar Númenor e avançar seus planos em Vinyalondë. A vida em terra era-lhe desagradável, pois a bordo do seu navio não se sujeitava a nenhuma outra vontade, e os Aventureiros que o acompanhavam conheciam somente amor e admiração pelo Grande Capitão. Mas então Meneldur o proibiu de partir; e Aldarion, antes que o inverno acabasse completamente, içou velas com uma frota de sete navios e a maior parte dos Aventureiros em desafio ao Rei. A Rainha não ousava incorrer na ira de Meneldur; mas à noite uma mulher encapuzada veio ao porto trazendo um ramo, e o entregou às mãos de Aldarion, dizendo: "Isto vem da Senhora das Terras-do-Oeste", (pois assim chamavam a Erendis), e partiu na escuridão.

Diante da rebelião aberta de Aldarion, o Rei rescindiu sua autoridade como Senhor dos Navios e Portos de Númenor; fez fechar a Sede dos Aventureiros a bordo de Eämbar bem como os estaleiros de Rómenna e proibiu a derrubada de qualquer árvore para a construção de navios. Passaram-se cinco anos; e Aldarion voltou com nove navios, pois dois haviam sido construídos em Vinyalondë, e estavam carregados de excelentes madeiras das florestas costeiras da Terra-média. Foi grande a ira de Aldarion quando descobriu o que fora feito, e anunciou ao pai: "Se não posso ter boas-vindas em Númenor, nem trabalho para fazer com minhas mãos, e se meus navios não podem ser reparados nos seus portos, então partirei de novo e logo; pois os ventos foram violentos,[8] e preciso de reaparelhamento. O filho

de um Rei não tem nada mais a fazer senão estudar os rostos das mulheres para encontrar uma esposa? Assumi o trabalho de trato às matas, e nele tenho sido prudente. Haverá mais madeira em Númenor antes que terminem meus dias do que há sob o teu cetro." E, fiel à sua palavra, Aldarion partiu outra vez no mesmo ano, com três navios e os mais audazes dentre os Aventureiros, saindo sem bênção nem ramo; pois Meneldur impôs um interdito sobre todas as mulheres de sua casa e dos Aventureiros, e colocou uma guarda em torno de Rómenna.

Nessa viagem Aldarion ficou tanto tempo fora que as pessoas temeram por ele; e o próprio Meneldur inquietou-se, a despeito da graça dos Valar que sempre protegera os navios de Númenor.[9] Quando se haviam passado dez anos desde que Aldarion partira, Erendis acabou perdendo a esperança; e, crendo que Aldarion tivesse encontrado alguma fatalidade, ou então que tivesse decidido habitar na Terra-média, e também para escapar aos pretendentes importunos, pediu permissão à Rainha e, partindo de Armenelos, voltou à sua própria família nas Terras-do-Oeste. Porém, após mais quatro anos, Aldarion finalmente retornou, e seus navios estavam danificados e quebrados pelo mar. Velejara primeiro ao porto de Vinyalondë, e de lá fizera uma grande viagem costeira para o sul, muito além de qualquer lugar jamais alcançado pelos navios dos Númenóreanos; mas, ao voltar para o norte, encontrara ventos contrários e grandes tempestades. Mal tendo escapado ao naufrágio no Harad, encontrou Vinyalondë destroçado por enormes ondas e saqueado por homens hostis. Três vezes foi impedido de atravessar o Grande Mar por ventos fortíssimos vindos do Oeste, e seu próprio navio foi atingido por um raio, perdendo os mastros. Somente a duras penas nas águas profundas conseguiu finalmente chegar ao porto em Númenor. Muito consolou-se Meneldur à volta de Aldarion; mas repreendeu-o por sua rebelião contra o rei e pai, pela qual abriu mão da guarda dos Valar e arriscou atrair a ira de Ossë, não somente para si, mas também para os homens a que se ligara pela devoção. Então Aldarion abrandou sua disposição e recebeu o perdão de Meneldur, que lhe restituiu o título de Senhor dos Navios e Portos, e acrescentou o de Mestre das Florestas.

Aldarion entristeceu-se ao ver que Erendis deixara Armenelos, mas era demasiado orgulhoso para procurá-la; e de fato não poderia fazer isso, se não fosse para pedi-la em casamento, e ainda resistia a comprometer-se. Empenhou-se em reparar o que negligenciara em sua longa ausência, pois estivera fora por cerca de vinte anos; e naquela época grandes obras portuárias foram realizadas, especialmente em Rómenna. Descobriu que muitas árvores haviam sido derrubadas para construções e para a fabricação de muitas coisas, mas tudo fora feito de modo imprevidente, e pouco fora plantado para repor o que havia sido tirado; viajou então por Númenor inteira para inspecionar as florestas existentes.

Certo dia, cavalgando nas florestas das Terras-do-Oeste, viu uma mulher cujos cabelos escuros ondulavam ao vento, e ela estava envolta num manto verde preso ao pescoço por uma joia brilhante. Supôs que ela pertencesse aos Eldar, que às vezes vinham àquela parte da Ilha. Mas ela se aproximou; ele reconheceu que era Erendis; e viu que a joia era a que ele lhe dera. Então subitamente conheceu em si o amor que tinha a ela e sentiu o vazio de seus dias. Erendis empalideceu ao vê-lo e quis fugir cavalgando, mas ele foi muito ligeiro, e disse: "Certamente mereço que fujas de mim, que tantas vezes e para tão longe fugi! Mas perdoa-me, e fica agora." Então cavalgaram juntos à casa de Beregar, o pai dela, e lá Aldarion expôs seu desejo de contrair noivado com Erendis; mas agora Erendis relutava, embora estivesse na idade certa para casar-se, conforme o costume e a vida de sua gente. O amor que sentia por ele não diminuíra, nem ela recuou por astúcia; mas agora temia em seu coração que, na guerra entre ela e o Mar pela posse de Aldarion, ela não venceria. Erendis nunca aceitaria menos para não perder tudo; e, temendo o Mar, e culpando todos os navios pela derrubada das árvores que apreciava, decidiu que teria de derrotar totalmente o Mar e os navios, ou então ser ela totalmente derrotada.

Aldarion, entretanto, cortejou Erendis com sinceridade, e ia aonde quer que ela fosse. Deixou de lado os portos e os estaleiros, bem como todos os interesses da Guilda dos Aventureiros, sem derrubar árvores, e sim dedicando-se apenas ao seu plantio, e com isso encontrou mais contentamento naquela época do que em qualquer outra de sua vida, apesar de não o saber até se recordar dela, muito depois, quando já estava idoso. Após algum tempo tentou persuadir Erendis a navegar com ele numa viagem em torno da Ilha, no navio Eämbar; pois já se haviam passado cem anos desde que Aldarion fundara a Guilda dos Aventureiros, e haveria festas em todos os portos de Númenor. Com isso Erendis consentiu, disfarçando a repulsa e o temor; e partiram de Rómenna para chegar a Andúnië do lado oeste da Ilha. Lá Valandil, Senhor de Andúnië e parente próximo de Aldarion,[10] realizou uma grande festa; e nessa festa bebeu à saúde de Erendis, chamando-a *Uinéniel*, Filha de Uinen, a nova Senhora do Mar. Mas Erendis, que estava sentada ao lado da esposa de Valandil, [Núneth,] disse em voz alta: "Não me chames por tal nome! Não sou filha de Uinen: ela é, sim, minha inimiga."

Depois disso, por algum tempo, as dúvidas voltaram a assaltar Erendis, pois Aldarion mais uma vez voltou seus pensamentos às obras em Rómenna, ocupando-se em construir grandes quebra-mares, e em erguer uma alta torre em Tol Uinen: *Calmindon*, a Torre-da-Luz, era seu nome. Mas quando essas obras estavam prontas Aldarion voltou a Erendis e instou para que noivassem. No entanto ela ainda contemporizou, dizendo: "Viajei de navio contigo, senhor. Antes de te dar minha resposta, não queres viajar comigo em terra firme, aos lugares que amo? Conheces muito pouco sobre esta terra, para alguém que há de ser Rei dela." Portanto partiram juntos, e chegaram a Emerië, onde havia ondulantes colinas relvadas, e esse era o principal local de pastoreio de ovelhas em Númenor; e viram as casas brancas dos fazendeiros e dos pastores, e ouviram o balido dos rebanhos.

"Aqui eu poderia ficar em paz!", falou Erendis a Aldarion naquele lugar.

"Hás de morar onde quiseres, como esposa do Herdeiro do Rei", garantiu Aldarion. "E como Rainha em muitas belas casas, conforme desejares."

"Quando tu fores Rei, serei velha", contestou Erendis. "Onde habitará o Herdeiro do Rei enquanto isso?"

"Com sua esposa", respondeu Aldarion, "quando seus trabalhos o permitirem, caso ela não possa compartilhá-los."

"Não compartilharei meu marido com a Senhora Uinen", opôs-se Erendis.

"Essa é uma expressão enganosa", repreendeu-a Aldarion. "Da mesma forma eu poderia dizer que não compartilharei minha esposa com o Senhor Oromë das Florestas, porque ela aprecia as árvores que crescem selvagens."

"De fato tu não farias isso", rebateu Erendis, "pois derrubarias qualquer madeira como dádiva a Uinen, se assim te aprouvesse."

"Diz o nome de qualquer árvore que aprecias, e ela há de ficar em pé até morrer", prometeu Aldarion.

"Aprecio todas as que crescem nesta Ilha", respondeu Erendis.

Então cavalgaram em silêncio por muito tempo. Depois daquele dia separaram-se, e Erendis voltou à casa de seu pai. A ele nada disse, mas a sua mãe, Núneth, contou as palavras que haviam sido pronunciadas entre ela e Aldarion.

"Tudo ou nada, Erendis", disse Núneth. "Assim eras quando criança. Mas tu amas esse homem, e é um grande homem, sem falar da sua posição; e tu não expulsarás teu amor do coração com tanta facilidade, não sem grande mágoa. Uma mulher tem de compartilhar o amor do marido por seu trabalho e o fogo do seu espírito, ou então transformá-lo em algo que não pode ser amado. Mas duvido que tu alguma vez compreendas esse conselho. No entanto, estou aflita, pois é mais do que tempo de casar-te; e, já que dei à luz uma bela criança, eu esperava ver belos netos; e não me desagradaria que tivessem seus berços na casa do Rei."

Esse conselho de fato não comoveu a mente de Erendis. Ainda assim, ela descobriu que seu coração não estava sujeito à sua vontade, e que seus dias eram vazios: mais vazios que nos anos em que Aldarion estivera viajando. Pois ele ainda vivia em Númenor; e no entanto os dias passavam, sem que ele voltasse ao oeste.

Então a Rainha Almarian, tendo sido informada por Núneth do que ocorrera e temendo que Aldarion voltasse a buscar consolo nas viagens (pois estivera em terra por muito tempo), mandou pedir a Erendis que voltasse a Armenelos; e Erendis, por insistência de Núneth e do seu próprio coração, fez o que lhe foi pedido. Lá ela se reconciliou com Aldarion; e na primavera do ano, quando chegou a época da *Erukyermë*,[11] eles subiram no séquito do Rei até o topo do Meneltarma, que era a Montanha Sagrada dos Númenóreanos. Quando todos haviam descido outra vez, Aldarion e Erendis ficaram para trás; e olharam longe, vendo a seus pés toda a Ilha de Ociente, verdejante na primavera. E viram o rebrilhar da luz no Oeste, onde ficava a longínqua Avallónë, e as sombras no Leste sobre o Grande Mar; e o Menel estava azul sobre eles. Não falaram, pois ninguém, a não ser o Rei, falava nas alturas do Meneltarma; mas, ao descerem, Erendis deteve-se por um momento, olhando em direção a Emeriё, e além, para as florestas do seu lar.

"Tu não amas a Yôzâyan?",[12] perguntou ela.

"Amo-a de fato", respondeu ele, "porém creio que tu duvidas disso. Pois também penso no que poderá se tornar em tempos vindouros, e na esperança e no esplendor de seu povo; e acredito que uma dádiva não deveria jazer ociosa no tesouro."

Mas Erendis discordou das palavras dele, dizendo: "As dádivas que vêm dos Valar, e do Uno através deles, devem ser amadas por elas mesmas agora, e em todos os agoras. Não foram dadas para serem permutadas por mais ou por melhor. Os Edain continuam Homens mortais, Aldarion, por grandiosos que sejam: e não podemos residir no tempo que está por vir, pois assim perderíamos nosso agora em troca de um fantasma que nós mesmos inventamos." Então, tirando subitamente a joia do pescoço, perguntou-lhe: "Gostarias que te desse esta em troca, para comprar outros bens que desejo?"

"Não!", respondeu ele. "Mas tu não a manténs trancada num tesouro. No entanto creio que lhe dás demasiado valor; pois é ofuscada pela luz dos teus olhos." Então beijou-a nos olhos, e naquele momento ela pôs o temor de lado e o aceitou; e seu casamento foi contratado na íngreme trilha do Meneltarma.

Então retornaram a Armenelos, e Aldarion apresentou Erendis a Tar-Meneldur como noiva do Herdeiro do Rei; e o Rei alegrou-se, e houve festejos na cidade e em toda a Ilha. Como presente de noivado, Meneldur deu a Erendis uma generosa porção de terra em Emeriё, e lá fez construir para ela uma casa branca. Mas Aldarion disse a ela: "Tenho outras joias acumuladas, presentes de reis em terras longínquas a quem os navios de Númenor levaram auxílio. Tenho gemas verdes como a luz do sol nas folhas das árvores que aprecias."

"Não!", falou Erendis. "Já tenho meu presente de noivado, apesar de tê-lo recebido antecipadamente. É a única joia que tenho ou desejo ter; e dar-lhe-ei ainda mais valor." Então ele viu que ela mandara engastar a pedra branca como uma estrela em um filete de prata; e a pedido de Erendis ele lhe atou o filete na testa. Assim Erendis a usou por muitos anos, até que sobreviesse o pesar; e assim a conheciam por toda parte como Tar-Elestirnë, a Senhora da Fronte Estrelada.[13] Por algum tempo houve paz e alegria em Armenelos, na casa do Rei, e em toda a Ilha, e está registrado em antigos livros que houve grande fertilidade no verão dourado daquele ano, que foi o octingentésimo quinquagésimo oitavo da Segunda Era.

Dentre o povo, porém, somente os marinheiros da Guilda dos Aventureiros estavam descontentes. Durante quinze anos Aldarion permanecera em Númenor sem liderar nenhuma expedição ao estrangeiro; e, apesar de haver valorosos capitães treinados por ele, sem a riqueza e a autoridade do filho do Rei suas viagens tornaram-se mais raras e mais breves, e muito raramente iam além da terra de Gil-galad. Ademais, a madeira tornara-se escassa nos estaleiros, pois Aldarion negligenciara as florestas; e os Aventureiros instaram com ele para que retornasse a esse trabalho. Diante desse pedido, Aldarion assim fez, e inicialmente Erendis o acompanhava nos bosques; mas ela se entristecia com a visão das árvores derrubadas em seu apogeu, e depois cortadas e serradas. Portanto, logo Aldarion estava indo sozinho, e eles faziam menos companhia um ao outro.

Enfim chegou o ano em que todos esperavam pelo casamento do Herdeiro do Rei; pois não era costume que o noivado durasse muito mais que três anos. Certa manhã daquela primavera, Aldarion subiu a cavalo desde o porto de Andúnië, tomando a estrada para a casa de Beregar; pois ia hospedar-se lá, e para lá Erendis o precedera, vinda de Armenelos pelas estradas da região. Ao chegar ao topo do grande penhasco que se destacava da terra e protegia o porto ao norte, virou-se e olhou para trás, por sobre o mar. Soprava um vento oeste, como era comum naquela estação, preferida pelos que pretendessem velejar à Terra-média, e ondas de cristas brancas marchavam para a praia. Então, de repente, a saudade do mar o acometeu, como se uma grande mão se deitasse sobre sua garganta, seu coração bateu forte, e sua respiração se deteve. Lutou para controlar-se, deu a volta por fim e seguiu viagem. E propositadamente passou pela floresta onde vira Erendis cavalgando como se fosse uma dos Eldar, quinze anos antes. Quase ansiava por vê-la de novo daquele modo; mas ela não estava lá, e o desejo de rever seu rosto o apressou, de modo que chegou à casa de Beregar antes do cair da tarde.

Lá ela lhe deu as boas-vindas, contente, e ele se alegrou; mas nada disse acerca do casamento, embora todos imaginassem que isso fazia parte de sua missão às Terras-do-Oeste. À medida que os dias passavam, Erendis observou que agora ele costumava ficar em silêncio quando na companhia de outros mais animados; e, quando olhava de repente na sua direção, via que ele a estava contemplando. Então o coração de Erendis abalou-se; pois os olhos azuis de Aldarion agora lhe pareciam cinzentos e frios, e no entanto ela percebia como que uma fome no seu olhar. Essa expressão ela vira antes com demasiada frequência, e temia o que preconizava, mas nada disse. Diante disso Núneth, que percebia tudo o que estava acontecendo, alegrou-se, pois "as palavras conseguem abrir feridas", como dizia. Logo depois Aldarion e Erendis partiram a cavalo, de volta a Armenelos; e, à medida que se afastavam do mar, ele voltou a alegrar-se. Ainda assim nada disse a ela sobre sua perturbação, pois na verdade estava em guerra consigo mesmo, e irresoluto.

Assim avançou o ano, e Aldarion não falava nem do mar nem do casamento; mas muitas vezes esteve em Rómenna e na companhia dos Aventureiros. Por fim, quando chegou o ano seguinte, o Rei chamou-o aos seus aposentos. Estavam os dois juntos à vontade, e o amor que tinham um pelo outro não estava mais nublado.

"Meu filho", questionou Tar-Meneldur, "quando me darás a filha que desejei por tanto tempo? Agora passaram-se mais de três anos, e isso já basta. Espanto-me de que tu consigas suportar tamanha demora."

Então Aldarion permaneceu em silêncio, mas finalmente revelou: "Fui atacado outra vez, *Atarinya* [meu Pai]. Dezoito anos são um longo jejum. Mal consigo deitar-me quieto na cama, ou manter-me a cavalo, e o chão duro de pedra fere-me os pés."

Então Meneldur afligiu-se, e sentiu pena do filho; mas não compreendia sua perturbação, pois ele mesmo jamais amara os navios. "Ai de ti! Mas estás noivo. E pelas leis de Númenor e os bons costumes dos Eldar e Edain, um homem não há de ter duas esposas. Não podes casar-te com o Mar, pois estás prometido a Erendis."

Endureceu-se então o coração de Aldarion, pois essas palavras lhe recordavam a conversa com Erendis quando passavam por Emerië; e pensou (porém falsamente) que ela consultara seu pai. Quando achava que os outros estavam em conluio para forçá-lo a seguir por algum caminho que escolheram, sempre era sua tendência afastar-se dele. "Os ferreiros podem forjar, os cavaleiros cavalgar, e os mineiros escavar, quando estão noivos", disse. "Então por que os marinheiros não podem navegar?"

"Se os ferreiros passassem cinco anos na bigorna, seriam poucas as esposas de ferreiros", respondeu o Rei. "E as esposas de marinheiros são poucas, e suportam o que têm de suportar, pois tal é sua subsistência e sua necessidade. O Herdeiro do Rei não é marinheiro de ofício, nem está sob necessidade."

"Além da subsistência há outras necessidades que impelem um homem", contrapôs Aldarion. "E ainda temos muitos anos pela frente."

"Não, não", explicou Meneldur, "tu não dás o devido valor à tua graça. Erendis tem esperança mais breve que tu, e seus anos fenecem mais depressa. Ela não é da Linhagem de Elros, e já te ama há muitos anos."

"Refreou-se por quase doze anos, quando eu estava desejoso", falou Aldarion. "Não peço nem um terço desse tempo."

"Naquela época ela não era noiva", ponderou Meneldur. "Mas nenhum de vós está livre agora. E, se ela se refreou, não duvido que fosse por medo do que agora parece provável, caso tu não consigas te dominar. De algum modo tu deves ter acalmado esse medo; e, embora tu possas não ter dito nada às claras, mesmo assim estás obrigado, creio eu."

Então Aldarion, furioso, disse: "Seria melhor eu mesmo falar com minha noiva, e não parlamentar por procuração." E saiu da presença do pai. Pouco depois falou com Erendis do seu desejo de voltar a viajar sobre as grandes águas, dizendo que não encontrava nem sono nem repouso. Mas ela permaneceu sentada, pálida e calada. Por fim, ela disse: "Pensei que tivesses vindo falar de nosso casamento", revelou ela por fim.

"Falarei", garantiu Aldarion. "Há de ser logo após meu retorno, se tu puderes esperar." Mas, vendo o pesar no rosto da noiva, comoveu-se, e veio-lhe uma ideia. "Há de ser agora", decidiu. "Há de ser antes que este ano termine. E então equiparei um navio tal como os Aventureiros jamais fizeram, a casa de uma Rainha sobre as águas. E tu hás de navegar comigo, Erendis, sob a graça dos Valar, de Yavanna e de Oromë, a quem amas. Hás de navegar a terras onde te mostrarei bosques como nunca viste, onde ainda agora cantam os Eldar; ou florestas maiores que Númenor, livres e selvagens desde o início dos dias, onde ainda se pode ouvir a grande trompa de Oromë, o Senhor."

Mas Erendis chorou. "Não, Aldarion", negou-se. "Alegro-me de que o mundo ainda contenha essas coisas de que falas; mas não hei de vê-las jamais. Pois não desejo isso: meu coração está entregue às florestas de Númenor. E ai de mim! Se eu embarcasse por amor a ti, não haveria de voltar. É algo que está além de minhas forças suportar; e longe das vistas da terra eu haveria de morrer. O Mar me odeia; e agora ele está vingado porque te mantive longe dele e ainda assim fugi de ti. Vai, meu senhor! Mas tem piedade, e não leves tantos anos quantos antes perdi."

Envergonhou-se então Aldarion; pois, assim como ele falara ao pai em ira incontida, ela agora falava com amor. Não navegou naquele ano, mas encontrou pouca paz e alegria. "Longe das vistas da terra ela morrerá!", dizia. "Logo morrerei, se vir a terra por mais tempo. Então, se quisermos passar juntos alguns anos, tenho de ir sozinho, e ir logo." Portanto, aprestou-se afinal para zarpar na primavera; e os Aventureiros estavam contentes, mesmo sendo os únicos na Ilha entre os que sabiam o que estava ocorrendo. Tripularam-se três navios, e no mês de víressë[14] partiram. A própria Erendis pôs o ramo verde de *oiolairë* na proa do Palarran, e ocultou as lágrimas até que o navio saísse das grandes muralhas novas do porto.

Seis anos e mais passaram-se antes que Aldarion retornasse a Númenor. Encontrou até mesmo Almarian, a Rainha, mais fria nas boas-vindas, e os Aventureiros haviam caído em desfavor; pois achava-se que ele maltratara Erendis. Mas na verdade estivera fora por mais tempo do que pretendera, pois descobrira que o porto de Vinyalondë estava agora totalmente arruinado, e grandes marés haviam aniquilado toda a sua labuta em restaurá-lo. Os homens próximos à costa começavam a temer os Númenóreanos, ou tornavam-se abertamente hostis; e Aldarion ouviu rumores sobre um senhor na Terra-média que odiava os homens dos navios. Então, quando estava prestes a voltar para casa, um grande vento veio do sul, e ele foi carregado longe para o norte. Deteve-se algum tempo em Mithlond, mas, quando seus navios outra vez se fizeram ao mar, de novo foram varridos para o norte, impelidos para perigosos ermos congelados, e sofreram com o frio. Finalmente o mar e o vento se abrandaram, mas no mesmo instante em que Aldarion fitava saudoso desde a proa do Palarran e enxergou o Meneltarma ao longe, seu olhar recaiu no ramo verde, e viu que ele estava murcho. Então Aldarion ficou consternado, pois jamais ocorrera nada semelhante com o ramo de *oiolairë* enquanto era lavado pela espuma do mar. "Está congelado, Capitão", comentou um marinheiro que estava ao seu lado. "O frio foi demasiado. Estou contente em ver o Pilar."

Quando Aldarion foi ter com Erendis, ela o olhou de modo penetrante, mas não se adiantou para encontrá-lo; e por um tempo ele ficou de pé, sem saber o que dizer, ao contrário do que costumava. "Senta-te, meu senhor", pediu Erendis, "e conta-me primeiro todos os teus feitos. Muito deves ter visto e realizado nesses longos anos!"

Então Aldarion começou, hesitante, e ela permaneceu em silêncio, escutando, enquanto ele contava toda a história de suas provações e tardanças; e quando ele terminou, ela falou: "Agradeço aos Valar, por cuja graça tu finalmente retornaste. Mas também lhes agradeço não ter ido contigo; pois haveria de murchar mais depressa que qualquer ramo verde."

"Teu ramo verde não viajou até o frio intenso por vontade própria", respondeu ele. "Mas dispensa-me agora se quiseres, e não creio que ninguém te culpe. No entanto, não devo ousar ter esperança de que teu amor seja capaz de suportar mais do que o belo *oiolairë*?"

"Assim é de fato", concordou Erendis. "Ele ainda não está morto de frio, Aldarion. Ai de mim! Como posso te dispensar, quando outra vez te vejo, retornando belo como o sol após o inverno?"

"Então que comecem agora a primavera e o verão!", anunciou ele.

"E que não volte o inverno", completou Erendis.

NOTAS

1. Ver p. 113, nota 1.
2. *CI*, Índice Remissivo, p. 567.
3. Uinen era uma Maia do Vala Ulmo, também conhecido como Rei do Mar, Senhor das Águas e Habitante das Profundezas. Ela era esposa de Ossë, Maia dos Mares de Dentro. É dito (*O Silmarillion*, p. 57) que "os Númenóreanos viveram longamente sob sua proteção e a tinham em reverência igual à dada aos Valar".
4. É dito que a Casa-Sede da Guilda dos Aventureiros "foi confiscada pelos reis e transferida para o porto de Andúnië no oeste; todos os seus registros foram perdidos" (isto é, na Queda), inclusive todos os mapas precisos de Númenor. Mas não é dito quando esse confisco de Eämbar ocorreu.
5. O rio chamou-se depois Gwathló, ou Griságua, e o porto, Lond Daer. (*CI*, p. 294, nota 10); para maiores detalhes, ver *CI*, Segunda Parte, IV "A História de Galadriel e Celeborn", Apêndice D "O Porto de Lond Daer", pp. 353 ss.
6. Cf. *O Silmarillion*, p. 207: "Os Homens daquela Casa [isto é, de Bëor] eram de cabelo escuro ou castanho e de olhos cinzentos". De acordo com uma tabela genealógica da Casa de Bëor, Erendis descendia de Beleth, que era a irmã de Baragund e Belegund e, assim, a tia de Morwen, mãe de Túrin Turambar, e de Rían, mãe de Tuor.
7. Ver pp. 167–168.
8. Isso deve ser compreendido como um presságio.
9. Cf. Akallabêth, p. 363, onde se conta que nos dias de Ar-Pharazôn "de quando em vez, um grande navio dos Númenóreanos afundava e não retornava ao porto, embora tal desgraça ainda não tivesse ocorrido a eles desde o nascer da Estrela [de Eärendil]".
10. Valandil era primo de Aldarion, pois era filho de Silmarien, filha de Tar-Elendil e irmã de Tar-Meneldur. Valandil, primeiro dos Senhores de Andúnië, era o ancestral de Elendil, o Alto, pai de Isildur e Anárion.

11. "Prece a Eru", a comemoração da primavera; a primeira das três cerimônias de preces anuais dos Númenóreanos realizadas pelo Rei em nome do povo no topo do Meneltarma.
12. Em adûnaico, o idioma númenóreano, o nome dado a Elenna, a "Terra da Dádiva".
13. Em uma "Nota do Autor" (*CI*, p. 294), foi comentado: "Assim nasceu, dizem, o costume dos Reis e Rainhas posteriores, de usar como estrela uma pedra preciosa branca sobre a fronte, e não tinham coroa".
14. O quarto mês do ano na contagem da Segunda Era.

O casamento de Aldarion e Erendis

Então, para alegria de Meneldur e Almarian, o casamento do Herdeiro do Rei foi proclamado para a primavera seguinte; e assim aconteceu. No octingentésimo septuagésimo ano da Segunda Era, Aldarion e Erendis casaram-se em Armenelos, e em todas as casas havia música, e em todas as ruas os homens e as mulheres cantavam. E depois o Herdeiro do Rei e sua noiva cavalgaram a seu bel-prazer por toda a Ilha, até que no solstício de verão chegaram a Andúnië, onde o último banquete foi preparado por seu senhor, Valandil; e todo o povo das Terras-do--Oeste lá estava reunido, por amor a Erendis e orgulho de que haveria de provir deles uma Rainha de Númenor.

Na manhã anterior à comemoração, Aldarion olhou pela janela do quarto de dormir, que dava para o oeste, sobre o mar. "Vê, Erendis!", exclamou. "Lá está um navio correndo para o porto; e não é um navio de Númenor, mas um navio no qual nem tu nem eu jamais haveremos de pôr os pés, mesmo que queiramos." Então Erendis observou, e viu um alto navio branco, com aves brancas girando ao sol em toda a volta; e suas velas rebrilhavam prateadas, enquanto ele navegava para o porto com espuma à proa. Assim os Eldar homenageavam o casamento de Erendis, por amor ao povo das Terras-do-Oeste, que eram os mais próximos na sua amizade.[1] Seu navio estava carregado de flores para adornar a comemoração, de forma que todos os que lá se sentaram, quando chegou a tardinha, estavam coroados de *elanor*[2] e da doce *lissuin*, cuja fragrância traz conforto ao coração. Também trouxeram menestréis, cantores que recordavam canções dos Elfos e dos Homens dos dias de Nargothrond e Gondolin, muito tempo atrás; e muitos dos Eldar, altos e belos, sentavam-se às mesas entre os Homens. Mas o povo de Andúnië, observando a feliz companhia, dizia que nenhum deles era mais belo que Erendis; e diziam que seus olhos eram tão luminosos quanto os olhos de Morwen Eledhwen de outrora,[3] ou mesmo quanto os de Avallónë.

Os Eldar também trouxeram muitos presentes. A Aldarion deram uma árvore nova cuja casca era branca como neve, e cujo tronco era reto, forte e flexível como se fosse de aço; mas ainda não tinha folhas. "Agradeço-vos", disse Aldarion aos Elfos. "A madeira de tal árvore deve ser preciosa de fato."

"Talvez; não o sabemos", assumiram. "Nenhuma delas jamais foi derrubada. Dá folhas frescas no verão, e flores no inverno. É por isso que a apreciamos."

A Erendis deram um casal de aves, cinzentas com bicos e pés dourados. Cantavam docemente uma para a outra, com muitas cadências que nunca se repetiam por todo um longo gorjeio melódico; mas, se fossem apartadas, imediatamente voavam uma para junto da outra, e não cantavam separadas.

"Como hei de guardá-las?", perguntou Erendis.

"Deixa-as voar e ser livres", responderam os Eldar. "Pois falamos com elas e mencionamos teu nome; e ficarão onde quer que tu mores. Formam um par por toda a vida, e têm vida longa. Talvez haja muitas dessas aves a cantar nos jardins dos teus filhos."

Naquela noite Erendis despertou, e uma doce fragrância vinha através da treliça; mas a noite estava luminosa, pois a lua cheia estava se pondo. Então, deixando seu leito, Erendis olhou para fora e viu toda a terra a dormir em prata; mas as duas aves estavam sentadas lado a lado no seu peitoril.

Quando terminou a comemoração, Aldarion e Erendis foram passar algum tempo na casa dela; e outra vez as aves empoleiraram-se no peitoril de sua janela. Mais tarde, despediram-se de Beregar e Núneth, e por fim cavalgaram de volta a Armenelos; pois lá, pelo desejo do Rei, iria morar seu Herdeiro, e uma casa foi-lhes preparada em meio a um jardim de árvores. Lá plantaram a árvore-élfica, e as aves-élficas cantavam em seus ramos.

Dois anos mais tarde, Erendis concebeu e, na primavera do ano seguinte, deu uma filha a Aldarion. Mesmo desde o nascimento era uma bela criança, e crescia sempre em beleza: a mulher mais linda, como relatam os antigos contos, que um dia nasceu na Linhagem de Elros, exceto Ar-Zimraphel, a última. Quando chegou o tempo de lhe dar o primeiro nome, chamaram-na Ancalimë. Erendis tinha o coração alegre, pois pensava: "Agora certamente Aldarion desejará um filho para ser seu herdeiro, e por muito tempo ainda habitará comigo." Pois secretamente ela ainda temia o Mar e seu poder sobre o coração do marido; e, apesar de procurar esconder isso e falar com ele sobre suas antigas aventuras, suas esperanças e planos, observava com ciúme se ele ia ao seu navio-casa ou passava muito tempo com os Aventureiros. Uma vez Aldarion pediu-lhe que fosse a Eämbar, mas, vendo depressa nos olhos dela que a esposa não o faria de boa vontade, nunca mais insistiu com ela. O temor de Erendis não era sem causa. Quando Aldarion estivera em terra por cinco anos, começou a se dedicar novamente à sua ocupação de Mestre das Florestas e frequentemente passava muitos dias longe de casa. Agora havia de fato madeira bastante em Númenor (e isso se devia principalmente à sua prudência); no entanto, como a população tinha se tornado mais numerosa, havia sempre necessidade de madeira para construções e para a feitura de muitas outras coisas. Pois naqueles dias antigos, apesar de muitos serem extremamente habilidosos com pedras e com metais (já que os Edain de outrora muito haviam aprendido com os Noldor), os Númenóreanos gostavam de objetos feitos de madeira, fosse para o uso diário, fosse pela beleza do entalhe. Naquela época, Aldarion voltou a dar mais atenção ao futuro, sempre plantando onde se derrubava, e fez plantar novas florestas onde houvesse espaço, terra livre que fosse adequada a árvores de diferentes espécies. Foi então que se tornou mais conhecido como Aldarion, nome pelo qual é lembrado entre os que detiveram o cetro em Númenor. No entanto, a muitos além de Erendis parecia que ele tinha pouco amor pelas árvores em si, e cuidava delas mais como madeira que serviria a seus planos.

Não era muito diversa a sua relação com o Mar. Pois, como Núneth dissera a Erendis muito tempo antes: "Ele pode amar os navios, minha filha, pois eles são feitos pela mente e pelas mãos dos homens; mas creio que não são os ventos nem as grandes águas que fazem seu coração arder dessa maneira, nem a visão de terras estranhas, mas, sim, uma chama na sua mente, ou um sonho que o persegue." E pode ser que ela tenha se aproximado da verdade; pois Aldarion era homem de grande visão, e previa dias em que o povo precisaria de mais espaço e maior riqueza; e quer ele próprio o soubesse com clareza, quer não, sonhava com a glória de Númenor e o poder de seus reis, e buscava pontos de apoio a partir dos quais pudessem passar a maiores conquistas. Assim ocorreu que antes de passar muito tempo ele de novo se voltou do trato às matas para a construção de navios, e lhe veio uma visão de uma enorme embarcação, como um castelo com altos mastros e grandes velas como nuvens, levando homens e estoques suficientes para uma cidade. Então nos estaleiros de Rómenna as serras e os martelos se atarefaram, enquanto tomava forma entre muitas embarcações menores um enorme casco com nervuras; e os homens se admiravam com ele. *Turuphanto*, a Baleia de Madeira, eles a chamavam, mas não era esse seu nome.

Erendis soube dessas coisas, apesar de Aldarion não lhe ter falado delas, e inquietou-se. Portanto, certo dia perguntou-lhe: "O que é toda essa ocupação com navios, Senhor dos Portos? Não temos o bastante? Quantas belas árvores tiveram suas vidas encurtadas este ano?" Falava com leveza, e sorria ao falar.

"Um homem precisa de trabalho para fazer em terra", respondeu ele, "mesmo que tenha uma bela esposa. As árvores brotam e as árvores tombam. Planto mais do que derrubam." Também ele falou em tom leve, mas não a olhou no rosto; e não voltaram a tocar nesse assunto.

Mas, quando Ancalimë tinha quase quatro anos, Aldarion por fim declarou abertamente a Erendis seu desejo de voltar a navegar a partir de Númenor. Ela permaneceu calada, pois ele nada disse que ela já não soubesse; e as palavras eram em vão. Ele esperou até o aniversário de Ancalimë, e muito se ocupou dela nesse dia. Ela ria e estava contente, embora outros naquela casa não estivessem; e ao deitar-se disse ao pai: "Aonde vais levar-me neste verão, *tatanya* [meu papai]? Eu gostaria de ver a casa branca na terra dos carneiros de que *mamil* [mamãe] fala." Aldarion não respondeu; e no dia seguinte saiu de casa e passou alguns dias fora. Quando tudo estava pronto, voltou e despediu-se de Erendis. Então, contra sua vontade, vieram lágrimas aos olhos de Erendis. Elas o entristeceram, e no entanto o irritaram, pois já estava resolvido, e seu coração se endureceu. "Ora, Erendis!", falou. "Por oito anos fiquei aqui. Não se podes atar para sempre com amarras delicadas o filho do Rei, do sangue de Tuor e Eärendil! E não caminho para minha morte. Breve hei de voltar."

"Breve?", perguntou ela. "Mas os anos são implacáveis, e tu não os trarás de volta em tua companhia. E os meus são mais curtos que os teus. Minha juventude se escoa; e onde estão meus filhos, e onde está teu herdeiro? Por muito tempo meu leito esteve frio, e ultimamente com maior frequência."[4]

"Ultimamente com frequência pensei que tu o preferisses assim", retrucou Aldarion. "Mas não nos encolerizemos, mesmo discordando. Olha em teu espelho, Erendis. És bela, e aí não há ainda nenhuma sombra da idade. Tens tempo de sobra para o que pretendo. Dois anos! Dois anos é tudo o que peço!"

Mas Erendis respondeu: "Diz antes: 'Dois anos tomarei, queiras tu ou não'. Toma dois anos então! Porém não mais. O filho de um Rei do sangue de Eärendil deveria ser também um homem de palavra."

Na manhã seguinte, Aldarion saiu às pressas. Ergueu Ancalimë e a beijou; mas, apesar de ela se agarrar a ele, Aldarion a colocou depressa no chão e partiu a cavalo. Logo depois o grande navio zarpou de Rómenna. *Hirilondë* ele o chamou, Descobridor de portos; mas partiu de Númenor sem a bênção de Tar-Meneldur; e Erendis não estava no porto para colocar o verde Ramo do Retorno, nem mandou ninguém. O rosto de Aldarion estava sombrio e perturbado enquanto ele estava postado à proa de Hirilondë, onde a esposa de seu capitão colocara um grande ramo de *oiolairë*; mas não olhou para trás até que o Meneltarma estivesse muito longe no crepúsculo.

Naquele dia inteiro Erendis ficou sentada em seu quarto, só e aflita; porém mais fundo no coração sentiu uma nova dor de ira fria, e seu amor por Aldarion foi ferido no âmago. Odiava o Mar; e agora até mesmo as árvores, que amara outrora, ela não desejava mais ver, pois lhe lembravam os mastros dos grandes navios. Portanto, dentro em pouco deixou Armenelos, e foi para Emeriё no meio da Ilha, onde sempre, longe e perto, o balido dos carneiros era trazido pelo vento. "É mais doce aos meus ouvidos que o piado das gaivotas", declarou ela, parada às portas de sua casa branca, presente do Rei; esta ficava em um declive dando para o oeste, com amplos gramados em toda a volta que se fundiam sem muro nem sebe com as pastagens. Para lá levou Ancalimë, e eram sempre a única companhia uma da outra. Pois Erendis só tinha serviçais em sua casa, e todas eram mulheres; e procurava sempre moldar a filha conforme sua própria mente, e alimentá-la com seu próprio rancor contra os homens. Na verdade Ancalimë raramente via algum homem, pois Erendis não usava pompa, e seus poucos serviçais da fazenda e pastores tinham uma habitação ao longe. Outros homens lá não chegavam, exceto raramente algum mensageiro do Rei, que logo ia embora e logo partia a cavalo, pois aos homens parecia haver na casa um ar gélido que os punha em fuga, e enquanto estavam lá sentiam-se constrangidos a falar a meia voz.

Certa manhã, logo depois que Erendis chegou a Emeriё, despertou com o canto de pássaros, e lá, no peitoril de sua janela, estavam as aves-élficas que por muito tempo haviam morado em seu jardim em Armenelos, mas que deixara para trás, esquecidas. "Tolinhas, ide embora!", dispensou-as. "Aqui não é lugar para alegria tal como a vossa."

Então cessou seu canto, e elas alçaram voo acima das árvores; três vezes rodaram sobre o telhado e então foram-se para o oeste. Naquela tardinha, pousaram no peitoril do quarto na casa de seu pai, onde se deitara com Aldarion na volta da comemoração em Andúniё; e lá Núneth e Beregar as encontraram na manhã do dia seguinte. Mas, quando Núneth lhes estendeu as mãos, elas voaram direto para o alto e fugiram, e ela as observou até se tornarem pontinhos à luz do sol, voando velozes para o mar, de volta à terra de onde haviam vindo.

"Então ele se foi de novo e a deixou", disse Núneth.

"Mas por que ela não deu notícias?", perguntou Beregar. "Ou por que não veio para casa?"

"Mandou notícias bastantes", disse Núneth. "Pois dispensou as aves-élficas, e esse foi um erro. Não é bom presságio. Por quê, por quê, minha filha? Certamente sabia o que tinha de enfrentar? Mas deixa-a a sós, Beregar, onde quer que esteja. Este não é mais o seu lar, e não se curará aqui. Ele há de voltar. E então que os Valar enviem sabedoria a Erendis — ou astúcia, ao menos!"

Quando chegou o segundo ano após a partida de Aldarion, por desejo do Rei Erendis mandou que a casa em Armenelos fosse arrumada e aprestada; mas ela própria não se preparou para voltar. Ao Rei mandou uma resposta, dizendo: "Irei se me ordenardes, *atar aranya* [meu pai rei]. Mas tenho o dever de apressar-me agora? Não haverá tempo bastante quando sua vela for avistada no Leste?" E consigo mesma pensava: "O Rei pretende que eu espere no cais como a namorada de um marinheiro? Antes o fosse, mas não o sou mais. Desempenhei esse papel até o fim."

Mas aquele ano passou, e não se avistou nenhuma vela; e o ano seguinte chegou e se desfez em outono. Então Erendis tornou-se dura e calada. Ordenou que fechassem a casa em Armenelos, e nunca se afastava mais que algumas horas de jornada da sua casa em Emerië. O amor que tinha era todo dado à filha, e agarrava-se a ela, e não permitia que Ancalimë saísse do seu lado, nem mesmo para visitar Núneth e seus parentes nas Terras-do-Oeste. Todos os ensinamentos de Ancalimë vinham da mãe; e bem aprendeu a escrever e a ler, bem como a falar a língua-élfica com Erendis, à maneira como o usavam os homens nobres de Númenor. Pois nas Terras-do-Oeste era a língua cotidiana em casas como a de Beregar, e Erendis raramente usava a língua númenóreana, que Aldarion apreciava mais. Ancalimë também aprendeu muito sobre Númenor e os dias antigos nos livros e rolos que havia na casa, os que conseguia compreender; e saberes de outros tipos, do povo e da terra, ela escutava às vezes das mulheres da casa, apesar de Erendis nada saber sobre isso. Mas as mulheres eram cautelosas ao falar com a menina, pois temiam sua senhora; e para Ancalimë havia bem pouco riso na casa branca em Emeriё. Esta era calada e sem música, como se há bem pouco tempo alguém tivesse morrido ali; pois em Númenor naquela época era tarefa dos homens tocar instrumentos, e a música que Ancalimë ouvia na infância era o canto das mulheres no trabalho, ao ar livre, e longe dos ouvidos da Senhora Branca de Emeriё. Mas agora Ancalimë estava com sete anos de idade e, sempre que obtinha permissão, saía da casa para as amplas colinas onde podia correr livre; e às vezes ia ter com uma pastora, cuidando dos carneiros e comendo a céu aberto.

Certo dia no verão daquele ano um menino jovem, porém mais velho que ela, veio à casa em missão de uma das fazendas distantes; e Ancalimë deu com ele mastigando pão e tomando leite no pátio da fazenda atrás da casa. Ele a olhou sem deferência e continuou bebendo. Então baixou o caneco.

"Podes olhar o quanto quiseres, olhuda!", provocou ele. "Tu és bonita, mas magra demais. Queres comer?" Tirou um pedaço de pão da bolsa.

"Vai embora, Îbal!", gritou uma velha, vinda da porta da queijaria. "E usa tuas pernas compridas, senão, antes de chegares em casa, vais esquecer a mensagem que te dei para tua mãe!"

"Não precisam de cão de guarda onde tu estás, mãe Zamîn!", exclamou o menino, e com um latido e um grito pulou o portão e saiu correndo colina abaixo. Zamîn era uma velha mulher do campo, de língua solta, que não se intimidava com facilidade nem mesmo pela Senhora Branca.

"Que coisa barulhenta era essa?", perguntou Ancalimë.

"Um menino", respondeu Zamîn, "se é que tu sabes o que é isso. Mas como haveria de saber? Eles quebram e devoram, em geral. Esse está sempre comendo, mas não sem motivo. Quando o pai dele voltar, vai encontrar um belo rapaz; mas se não for logo, mal vai reconhecê-lo. Posso dizer o mesmo de outros."

"Então o menino tem um pai também?", perguntou Ancalimë.

"É claro", disse Zamîn. "Ulbar, um dos pastores do grande senhor lá para o sul: nós o chamamos Senhor dos Carneiros, um parente do Rei."

"Então por que o pai do menino não está em casa?"

"Ora, *hérinkë* [senhorinha]", respondeu Zamîn, "porque ouviu falar desses Aventureiros, juntou-se a eles, e foi embora com teu pai, o Senhor Aldarion; mas só os Valar sabem aonde, ou por quê."

Naquela tarde Ancalimë de repente disse à mãe: "Meu pai também é chamado de Senhor Aldarion?"

"Era", falou Erendis. "Mas por que perguntas?" Sua voz era calma e fria, mas ela se perguntava e estava perturbada, pois nenhuma palavra acerca de Aldarion havia sido dita entre elas antes.

Ancalimë não respondeu à pergunta. "Quando ele vai voltar?", perguntou.

"Não me perguntes!", exaltou-se Erendis. "Não sei. Nunca, talvez. Mas não te preocupes, pois tu tens mãe, e ela não fugirá enquanto tu a amares."

Ancalimë não voltou a falar do pai.

Os dias passaram, trazendo outro ano, e mais outro; naquela primavera Ancalimë fez nove anos. Os cordeiros nasciam e cresciam; a tosa veio e passou; um verão quente queimou a relva. O outono dissolveu-se em chuva. Então, vindo do Leste em um vento nebuloso, Hirilondë retornou por sobre os mares cinzentos, trazendo Aldarion a Rómenna; e mandaram aviso a Emerië, mas Erendis não falou a respeito. Não havia ninguém para saudar Aldarion no cais. Ele cavalgou através da chuva até Armenelos; e encontrou sua casa fechada. Ficou consternado, mas não quis pedir notícias a ninguém. Resolveu primeiro procurar o Rei, pois acreditava que tinha muito a lhe dizer.

Teve uma recepção não mais calorosa do que esperava; e Meneldur lhe falou como um Rei a um capitão cuja conduta está em questão. "Passaste muito tempo fora", repreendeu-lhe com frieza. "Agora mais de três anos se passaram desde a data que marcaste para a volta."

"Ai de mim!", lamentou Aldarion. "Até mesmo eu me cansei do mar, e há muito tempo meu coração anseia pelo oeste. Mas fui retido contra minha vontade: há muito o que fazer. E tudo anda para trás na minha ausência."

"Não duvido disso", respondeu Meneldur. "Descobrirás que isso é verdade também aqui, na tua própria terra, receio dizer."

"Isso eu espero reparar", disse Aldarion. "Mas o mundo está mudando outra vez. Lá fora passaram-se cerca de mil anos desde que os Senhores do Oeste enviaram seu poderio contra Angband; e esses dias estão esquecidos, ou envoltos em obscuras lendas entre os Homens da Terra-média. Eles estão perturbados de novo, e o medo os assombra. Desejo imensamente consultar-me contigo, prestar conta de meus atos e expor meu pensamento acerca do que deve ser feito."

"Hás de fazê-lo", falou Meneldur. "Na verdade é o mínimo que espero. Mas há outros assuntos que julgo mais urgentes. 'Que um Rei primeiro governe bem sua própria casa antes de corrigir os demais', é o que se diz. Isso vale para todos os homens. Agora vou te aconselhar, filho de Meneldur. Tu também tens tua própria vida. Metade de ti sempre negligenciaste. A ti digo agora: Vai para casa!"

Aldarion de repente ficou imóvel, e seu rosto era severo. "Se sabes, diz-me", retrucou ele. "Onde é minha casa?"

"Onde tua esposa está", orientou Meneldur. "Faltaste com tua palavra para com ela, por necessidade ou não. Ela agora habita em Emeriё, em sua própria casa, longe do mar. Para lá tu tens de ir imediatamente."

"Se tivessem me deixado algum aviso para onde ir, eu teria ido diretamente do porto", justificou-se Aldarion. "Mas agora pelo menos não preciso pedir informações a estranhos." Então voltou-se para partir, mas se deteve. "O capitão Aldarion esqueceu algo que pertence à sua outra metade, que em sua obstinação ele também considera urgente. Ele tem uma carta que foi encarregado de entregar ao Rei em Armenelos." Apresentando-a a Meneldur, inclinou-se e saiu do aposento; e em uma hora já tinha montado e partido a cavalo, apesar de estar caindo a noite. Tinha consigo apenas dois companheiros, homens do seu navio: Henderch das Terras-do-Oeste e Ulbar, proveniente de Emeriё.

Cavalgando depressa, chegaram a Emeriё ao cair da noite seguinte, e os homens e cavalos estavam exaustos. Fria e branca parecia a casa na colina, num último brilho do pôr do sol sob as nuvens. Deu um toque de trompa assim que a viu de longe.

Ao saltar do cavalo no pátio dianteiro, viu Erendis: trajando branco, estava de pé na escada que subia até as colunas diante da porta. Mantinha-se ereta; mas, ao aproximar-se, ele viu que estava pálida e tinha os olhos demasiado brilhantes.

"Chegas tarde, meu senhor", disse ela. "Há muito deixei de te esperar. Temo que não haja uma recepção preparada para ti tal como fiz quando era tua hora de chegar."

"Os marinheiros não são difíceis de agradar", respondeu ele.

"Ainda bem", devolveu ela; e voltou para dentro da casa, deixando-o. Então adiantaram-se duas mulheres, e uma velha enrugada que desceu a escada. Quando Aldarion entrou, ela se dirigiu aos homens em alta voz, de modo que ele pudesse ouvi-la. "Não há alojamento para vós aqui. Descei para a propriedade ao pé da colina!"

"Não, Zamîn", respondeu Ulbar. "Não vou ficar. Vou para casa, com a permissão do Senhor Aldarion. Está tudo bem lá?"

"Bastante", garantiu ela. "Teu filho comeu tanto que o pai lhe saiu da lembrança. Mas vai, e encontra tuas próprias respostas! Lá tua acolhida será mais calorosa que a de teu Capitão."

Erendis não veio à mesa no seu jantar tardio, e Aldarion foi servido por mulheres em uma sala à parte. Mas, antes que ele terminasse, ela entrou, e disse diante das mulheres: "Deves estar exausto, meu senhor, depois de tanta pressa. Um quarto de hóspedes está preparado para quando desejares. Minhas mulheres vão servir-te. Se sentires frio, manda fazer fogo."

Aldarion nada respondeu. Recolheu-se cedo ao quarto de dormir e, como agora estava exausto de fato, jogou-se na cama e logo esqueceu as sombras da Terra-média e de Númenor em um sono pesado. Mas ao cantar do galo despertou em grande inquietação e raiva. Levantou-se imediatamente, e pensou em sair da casa sem ruído. Pretendia encontrar seu companheiro Henderch e os cavalos, para cavalgar até seu parente Hallatan, o senhor dos carneiros de Hyarastorni. Mais tarde intimaria Erendis a trazer sua filha a Armenelos, e não trataria com ela em seu próprio terreno. Mas, quando se dirigia para a porta, Erendis adiantou-se. Não se deitara na cama naquela noite e postou-se diante dele na soleira.

"Partes mais rápido do que chegou, meu senhor", observou ela. "Espero que (sendo um marinheiro) já não tenhas achado enfadonha esta casa de mulheres, para partires assim antes de resolver teus negócios. Por sinal, que negócios te trouxeram aqui? Posso sabê-lo antes que partas?"

"Disseram-me em Armenelos que minha esposa estava aqui e que para cá havia trazido minha filha", respondeu ele. "Enganei-me quanto à esposa, ao que parece, mas não tenho uma filha?"

"Tu tinhas uma alguns anos atrás", assentiu ela. "Mas minha filha ainda não se levantou."

"Então ela que se levante, enquanto vou buscar meu cavalo", ordenou Aldarion.

Erendis teria evitado que Ancalimë se encontrasse com ele naquela ocasião; mas temia chegar a ponto de perder a estima do Rei, e o Conselho[5] havia muito tempo demonstrara seu descontentamento pela educação da criança no interior. Portanto, quando Aldarion voltou a cavalo, com Henderch a seu lado, Ancalimë estava de pé ao lado da mãe, na soleira. Mantinha-se ereta e firme como a mãe, e não lhe fez reverência quando ele apeou e subiu a escada em sua direção. "Quem és tu?", perguntou ela. "E por que me fazes levantar tão cedo, antes que haja movimento na casa?"

Aldarion olhou-a incisivo e, embora seu rosto estivesse severo, ele sorria por dentro: pois via ali uma filha à sua maneira, e não de Erendis, a despeito de todos os seus ensinamentos.

"Tu me conheceste outrora, Senhora Ancalimë", respondeu ele, "mas não importa. Hoje sou apenas um mensageiro de Armenelos, para lembrar-te de que és a filha do Herdeiro do Rei; e (até onde me seja dado ver agora) hás de ser Herdeira dele por tua vez. Não morarás sempre aqui. Mas agora volta à tua cama, minha senhora, se assim desejares, até que tua aia desperte. Apresso-me a ir ao encontro do Rei. Adeus!" Beijou a mão de Ancalimë e desceu a escadaria. Montou então e partiu, com um aceno de mão.

Erendis, sozinha à janela, observou-o descendo a colina, e notou que cavalgava para Hyarastorni, e não para Armenelos. Então chorou de pesar, porém ainda mais de raiva. Esperara alguma penitência, para que após a censura ela pudesse conceder um perdão, caso fosse pedido; mas ele a tratara como se fosse ela a ofensora, e a ignorara diante de sua filha. Tarde demais recordou as palavras de Núneth de muito tempo atrás, e agora via Aldarion como algo grande, que não podia ser domado, impelido por uma vontade feroz, mais perigoso quando frio. Ergueu-se e deu as costas à janela, pensando nas injustiças sofridas. "Perigoso!" disse. "Mas eu sou de aço duro de quebrar. Isso ele descobriria mesmo que fosse o Rei de Númenor."

Aldarion seguiu a cavalo até Hyarastorni, o lar de seu primo Hallatan; pois ali pretendia descansar um pouco e pensar. Quando se aproximou, ouviu o som de música e encontrou os pastores festejando o retorno de Ulbar, com muitos relatos maravilhosos e muitos presentes. A esposa de Ulbar, coroada com uma grinalda, dançava com ele ao som de flautas. Inicialmente ninguém o notou, e ficou sentado em seu cavalo, observando com um sorriso; mas aí de repente Ulbar exclamou "O Grande Capitão!", e seu filho Îbal adiantou-se correndo até o estribo de Aldarion. "Senhor Capitão!", disse, ansioso.

"Que é? Estou com pressa", impacientou-se Aldarion; pois agora seu humor mudara, e ele se sentia irado e amargurado.

"Queria só perguntar", falou o menino, "que idade um homem precisa ter para poder atravessar o mar num navio, como meu pai?"

"Precisa ter a idade das colinas, e mais nenhuma outra esperança na vida", respondeu Aldarion. "Ou quando bem entender! Mas tua mãe, filho de Ulbar, não quer me saudar?"

Quando a esposa de Ulbar se adiantou, Aldarion tomou-lhe a mão. "Aceitarás isto de mim?", perguntou. "É apenas uma pequena retribuição pelos seis anos de auxílio de um bom homem que tu me deste." Então tirou de uma bolsa debaixo da túnica uma joia vermelha como fogo, em uma tira de ouro, e insistiu para que ela a pegasse. "Veio do Rei dos Elfos", explicou. "Mas ele saberá que foi bem concedida quando eu lhe contar." Então Aldarion despediu-se das pessoas que lá estavam e partiu, já sem intenção de ficar naquela casa. Quando Hallatan ouviu falar dessa estranha ida e vinda, assombrou-se, até que outras notícias percorressem a região.

Aldarion pouco se afastara de Hyarastorni quando fez o cavalo parar e falou com seu companheiro Henderch. "Seja qual for a recepção que te aguardes lá no Oeste, amigo, não vou privar-te dela. Agora segue para casa com meus agradecimentos. Pretendo seguir sozinho."

"Não é apropriado, Senhor Capitão", observou Henderch.

"Não é", concordou Aldarion. "Mas é assim que será. Adeus!"

Cavalgou então sozinho até Armenelos, e nunca mais pôs os pés em Emerië.

Quando Aldarion saiu do aposento, Meneldur olhou, intrigado, para a carta que o filho lhe dera; pois viu que vinha do Rei Gil-galad em Lindon. Estava lacrada e trazia seu emblema de estrelas brancas sobre um círculo azul. Na dobra externa estava escrito:

> Dada em Mithlond em mão ao Senhor Aldarion, Herdeiro do Rei de Númenórë, para ser entregue em pessoa ao Alto Rei em Armenelos.

Então Meneldur rompeu o lacre e leu:

> Ereinion Gil-galad, filho de Fingon, a Tar-Meneldur da linhagem de Eärendil, saudação: que os Valar te protejam e nenhuma sombra caia sobre a Ilha dos Reis.
>
> Há muito tempo devo-te gratidão, por tantas vezes teres me enviado teu filho Anardil Aldarion: o maior Amigo-dos-Elfos que existe agora entre os Homens, segundo creio. Neste momento, peço-te perdão se o retive demasiado a meu serviço, pois eu tinha grande necessidade do conhecimento dos Homens e de seus idiomas que somente ele possui. Muitos perigos ele enfrentou para trazer-me conselhos. Da minha necessidade ele falar-te-á; no entanto, por ser jovem e cheio de esperança, ele não suspeita de sua real extensão. Portanto escrevo estas linhas para os olhos do Rei de Númenórë apenas.
>
> Uma nova sombra ergue-se no Leste. Não é tirania de Homens maus, como crê teu filho; mas um servo de Morgoth se agita, e coisas perversas voltam a despertar. A cada ano ganha forças, pois a maioria dos Homens está madura para seu propósito. Não está longe o dia, segundo julgo, em que se tornará forte demais

para que os Eldar lhe resistam sem auxílio. Portanto, toda vez que avisto um alto navio dos Reis de Homens, meu coração se alivia. E agora atrevo-me a solicitar tua ajuda. Se tiveres disponível alguma tropa de Homens, peço-te que a ceda a mim.

Teu filho te fará um relato, se assim desejar, de todas as nossas razões. Mas em suma ele julga (e julga sempre com sabedoria) que, quando vier o ataque, como certamente virá, deveríamos tentar manter a salvo as Terras-do-Oeste, onde ainda habitam os Eldar, e Homens de tua raça, cujos corações ainda não se obscureceram. Ao menos devemos defender Eriador em volta dos longos rios a oeste das montanhas que chamamos de Hithaeglir, nossa principal defesa. Mas nessa muralha de montanhas há uma grande falha ao sul, na terra de Calenardhon;[6] e por essa via deverá vir a incursão do Leste. A hostilidade já se esgueira ao longo da costa naquela direção. Poderia ser defendida e o ataque ser impedido, se dominássemos alguma posição de poder na praia próxima.

Assim viu há muito tempo o Senhor Aldarion. Em Vinyalondë na foz do Gwathló muito empenhou-se ele para estabelecer um tal porto, seguro contra o mar e a terra; mas suas enormes obras foram em vão. Ele tem grandes conhecimentos em tais assuntos, pois muito aprendeu com Círdan, e conhece melhor que ninguém as necessidades de teus grandes navios. Mas nunca tem homens suficientes, enquanto Círdan não tem artesãos ou pedreiros que possa ceder.

O Rei conhecerá suas próprias necessidades; mas, se escutar favoravelmente o Senhor Aldarion, e o apoiar como puder, então a esperança crescerá no mundo. As lembranças da Primeira Era são indistintas, e todas as coisas na Terra-média tornam-se mais frias. Que não decline também a antiga amizade entre os Eldar e os Dúnedain.

Eis que a escuridão vindoura está plena de ódio por nós, mas vos odeia igualmente. O Grande Mar não será amplo demais para suas asas, se permitirmos que ela se desenvolva plenamente.

Que Manwë te mantenha sob o Uno, e que envie bons ventos às vossas velas.

Meneldur deixou o pergaminho cair no colo. Grandes nuvens carregadas por um vento vindo do Leste traziam uma escuridão precoce, e os altos círios a seu lado pareciam minguar na penumbra que enchia seu aposento.

"Que Eru me chame antes de chegar um tempo desses!", exclamou em voz alta. Então, disse consigo mesmo: "Ai de mim! Que seu orgulho e minha frieza por tanto tempo tenham mantido nossas mentes separadas. Mas agora, antes do que eu pretendia, a decisão sábia será renunciar ao Cetro em favor dele. Pois esses assuntos estão além de meu alcance.

"Quando os Valar nos concederam a Terra da Dádiva, não nos fizeram seus representantes: recebemos o Reino de Númenor, não o mundo. Eles são os Senhores. Aqui devíamos afastar o ódio e a guerra; pois a guerra terminara, e Morgoth havia sido expulso de Arda. Assim julguei, e assim me ensinaram.

"No entanto, se o mundo novamente se obscurece, os Senhores devem sabê-lo; e não me enviaram nenhum sinal. A não ser que este seja o sinal. E então o quê? Nossos pais foram recompensados pelo auxílio que prestaram na derrota da Grande Sombra. Seus filhos hão de ficar à parte, caso o mal volte a erguer-se?

"Não posso governar com tantas dúvidas. Fazer preparativos ou deixar como está? Fazer preparativos para a guerra, que por enquanto é apenas suspeitada: treinar artesãos e lavradores em meio à paz para derramamento de sangue e batalha; pôr o ferro nas mãos de capitães cobiçosos que amam somente a conquista, e contam os mortos como sua glória? Dirão a Eru: 'Ao menos seus inimigos estavam entre eles?' Ou cruzar as mãos enquanto os amigos morrem injustamente: permitir que os homens vivam numa paz cega, até que o invasor esteja diante do portão? Então o que farão: enfrentarão as armas com as mãos nuas e morrerão por nada, ou fugirão deixando atrás de si os gritos das mulheres? Dirão a Eru: 'Ao menos não derramei sangue?'

"Quando ambos os caminhos podem conduzir ao mal, de que vale a escolha? Que os Valar governem sob Eru! Renunciarei ao Cetro em favor de Aldarion. Porém também isso é uma escolha, pois bem sei qual caminho tomará. A não ser que Erendis..."

Então o pensamento de Meneldur voltou-se, inquieto, para Erendis em Emerië. "Mas lá há pouca esperança (se é que pode ser chamada esperança). Ele não se curvará em assuntos tão graves. Conheço a escolha de Erendis — mesmo que ela se dispusesse a escutar o bastante para compreender. Pois seu coração não tem asas além de Númenor, e ela não imagina o custo. Se sua escolha a levasse à morte no seu próprio tempo, ela morreria com bravura. Mas o que fará com a vida, e com outras vontades? Os próprios Valar, assim como eu, terão de esperar para descobrir."

Aldarion retornou a Rómenna no quarto dia depois que Hirilondë voltara ao porto. Estava sujo da viagem e exausto, e foi imediatamente até Eämbar, a bordo do qual agora pretendia morar. Àquela altura, como descobriu para seu amargor, muitas línguas já tagarelavam na Cidade. No dia seguinte, reuniu homens em Rómenna e os levou a Armenelos. Lá mandou alguns derrubarem todas as árvores, salvo uma, em seu jardim, e levarem-nas aos estaleiros; outros mandou arrasarem sua casa. Apenas poupou a branca árvore-élfica; e, quando os lenhadores haviam partido, olhou para ela, de pé em meio à desolação, e viu pela primeira vez que era bela por si só. No seu lento crescimento élfico, ainda se erguia somente a doze pés, reta, esguia, jovem, agora carregada de botões das suas flores de inverno em ramos levantados que apontavam o céu. Lembrava-lhe sua filha, e ele anunciou: "Chamar-te-ei também de Ancalimë. Que tu e ela assim vos ergais em vida longa, sem vos dobrardes diante do vento nem da vontade, e sem serdes podadas!"

No terceiro dia depois de retornar de Emeriê, Aldarion foi ter com o Rei. Tar-Meneldur permanecia imóvel em sua cadeira e esperava. Contemplando o filho, sentiu medo; pois Aldarion mudara: seu rosto se tornara cinzento, frio e hostil, como o mar quando o sol é subitamente envolvido por nuvens opacas. Em pé diante do pai, falou lentamente em tom de desprezo, e não de ira.

"Tu mesmo sabes melhor do que ninguém o papel que desempenhaste neste caso", disse. "Mas um Rei deveria levar em consideração quanto um homem suporta, por muito que seja súdito, até mesmo seu filho. Se pretendias agrilhoar-me a esta Ilha, então escolheste mal tua corrente. Agora não me resta nem esposa, nem amor por esta terra. Partirei desta mal-encantada ilha de ilusões onde as mulheres, em sua insolência, querem fazer com que os homens se encolham. Usarei meus dias para alguma finalidade em outro lugar, onde não sou desdenhado e sou recebido com mais honras. Poderás encontrar outro Herdeiro mais adequado ao papel de criado doméstico. Da minha herança exijo apenas isto: o navio Hirilondë e tantos homens quantos ele comportar. Também levaria minha filha, se fosse mais velha: mas vou confiá-la à minha mãe. A não ser que tenhas um fraco por carneiros, tu não o impedirás, e não permitirás que a criança tenha seu desenvolvimento prejudicado, criada entre mulheres mudas em fria insolência e desprezo por sua família. Ela pertence à Linhagem de Elros, e tu não terás outro descendente através de teu filho. Terminei. Agora vou tratar de negócios mais lucrativos."

Até esse ponto Meneldur permanecera sentado paciente, de olhos baixos, e não fizera nenhum sinal. Mas então suspirou e ergueu os olhos. "Aldarion, meu filho", falou com tristeza, "o Rei diria que também tu demonstras fria insolência e desprezo por tua família, e que tu próprio condenas os outros sem ouvi-los; mas teu pai, que te ama e se aflige por ti, perdoará isso. Não é apenas culpa minha que até agora eu não tenha entendido teus propósitos. Mas quanto ao que sofreste (assunto sobre o qual gente demais agora está falando), não tenho culpa. Amei Erendis e, como nossos corações têm inclinação semelhante, pensei que ela teve muitas dificuldades para suportar. Agora teus propósitos, meu filho, tornaram-se claros para mim, embora, caso tu estejas disposto a ouvir algo diverso de elogios, eu diria que inicialmente também teu próprio prazer te conduziu. E pode ser que as coisas tivessem tomado outro rumo se tu tivesses falado com maior franqueza muito tempo atrás."

"O Rei pode ter aí algum agravo", exclamou Aldarion, agora com mais veemência, "mas não aquela da qual falas! Com ela, pelo menos, falei longa e frequentemente: a ouvidos frios e incompreensivos. Do mesmo modo um menino inquieto falaria de subir em árvores a uma ama que só se preocupasse com roupas rasgadas e o horário certo das refeições! Eu a amo, ou haveria de me importar menos. Manterei o passado em meu coração; o futuro está morto. Ela não me ama, nem a nada mais. Ela ama a si mesma, com Númenor por pano de fundo, e a mim como a um cão manso que cochila perto do fogão até que ela decida caminhar nos seus próprios campos. Mas, como os cães agora parecem demasiado vulgares, ela quer ter Ancalimë para piar numa gaiola. Mas basta disso. Tenho permissão do Rei para partir? Ou ele tem algum comando?"

"O Rei", respondeu Tar-Meneldur, "muito pensou sobre esses assuntos, no que parecem ser os longos dias desde que tu estiveste em Armenelos pela última vez. Ele leu a carta de Gil-galad, que tem um tom sincero e grave. Infelizmente, ao pedido dele e aos teus desejos o Rei de Númenor tem de dizer 'não'. Ele não pode fazer outra coisa, de acordo com sua compreensão dos riscos de um e outro caminho: preparar-se para a guerra, ou não se preparar."

Aldarion deu de ombros e deu um passo, como se fosse partir. Mas Meneldur ergueu a mão, exigindo atenção, e prosseguiu: "No entanto, o Rei, apesar de agora ter governado a terra de Númenor por cento e quarenta e dois anos, não tem certeza de que sua compreensão do assunto seja suficiente para uma decisão justa em casos de tão grande importância e risco." Fez uma pausa, e, tomando um pergaminho escrito de próprio punho, leu-o com voz clara:

> Portanto: primeiramente pela honra de seu filho bem-amado; e em segundo lugar para a melhor direção do reino em cursos que seu filho compreende com maior clareza, o Rei resolveu: que renunciará imediatamente ao Cetro em favor de seu filho, que há de tornar-se agora Tar-Aldarion, o Rei.

"Isso", continuou Meneldur, "quando for proclamado, tornará conhecido de todos meu pensamento acerca da presente situação. Vai elevar-te acima do desdém; e libertará teus poderes de forma que outras perdas pareçam mais fáceis de suportar. A carta de Gil-galad, tu, quando fores Rei, hás de respondê-la como achar mais conveniente ao detentor do Cetro."

Aldarion ficou imóvel por um momento, estupefato. Preparara-se para enfrentar a ira do Rei que ele voluntariamente se dispusera a inflamar. Agora via-se desconcertado. Então, como alguém que é arrebatado por um vento súbito de direção inesperada, caiu de joelhos diante do pai; porém um momento depois ergueu a cabeça que inclinara e riu — sempre fazia assim quando ouvia falar de algum ato de grande generosidade, pois isso lhe alegrava o coração.

"Pai", suplicou, "pede ao Rei que esqueça minha insolência diante dele. Pois ele é um grande Rei, e sua humildade o coloca muito acima de meu orgulho. Estou dominado: submeto-me totalmente. É inconcebível que um tal Rei haja de renunciar ao Cetro enquanto goza de vigor e sabedoria."

"No entanto, assim está resolvido", sentenciou Meneldur. "O Conselho há de ser convocado imediatamente."

Quando o Conselho se reuniu, depois de passados sete dias, Tar-Meneldur deu-lhes a conhecer sua resolução, e pôs diante deles o rolo. Todos se espantaram então, sem saber ainda quais eram os cursos de que o Rei falava; e todos objetaram, pedindo-lhe que postergasse sua decisão, exceto Hallatan de Hyarastorni. Pois ele havia muito tinha em estima seu parente Aldarion, embora sua própria vida e preferências fossem bem diversas; e julgou que o ato do Rei era nobre e calculado com astúcia, já que tinha de ser.

Mas aos demais, que propunham isto ou aquilo contra sua resolução, Meneldur respondeu: "Não foi sem pensar que cheguei a esta resolução, e em meu pensamento considerei todas as razões que vós sabiamente apresentais. É agora e não mais tarde a hora mais adequada para que se publique minha vontade, por motivos que todos devem imaginar, apesar de nenhum dos presentes tê-los pronunciado. Portanto, que este decreto seja proclamado imediatamente. Mas, se quiserdes, ele não há de ter efeito até o tempo da *Erukyermë* na primavera. Até lá, deterei o Cetro."

Quando chegaram notícias a Emerië sobre a proclamação do decreto, Erendis ficou consternada; pois lia nele uma repreensão vinda do Rei em cujo favor confiara. Percebia-o corretamente, mas não imaginava que houvesse por trás algo de maior importância. Logo depois chegou uma mensagem de Tar-Meneldur, um comando, na verdade, apesar de expresso de modo elegante. Ela era convidada a vir a Armenelos e trazer consigo a senhora

Ancalimë, para que lá morassem pelo menos até a *Erukyermë* e a proclamação do novo Rei.

"É rápido no golpe", pensou ela. "Eu devia tê-lo previsto. Vai despojar-me de tudo. Mas a mim não há de comandar, por muito que seja, através da boca de seu pai."

Portanto respondeu a Tar-Meneldur: "Rei e pai, minha filha Ancalimë deve ir de fato, já que tu o ordenas. Peço que consideres sua idade, e cuides para que ela seja alojada com tranquilidade. Quanto a mim, peço que me desculpes. Ouvi dizer que minha casa em Armenelos foi destruída; e neste momento não apreciaria ser hóspede, especialmente num navio-residência entre marinheiros. Aqui me permitas então permanecer em minha solidão, a não ser que seja vontade do Rei retomar também esta casa."

Tar-Meneldur leu esta carta com preocupação, mas ela errou o alvo em seu coração. Mostrou-a a Aldarion, a quem parecia dirigida mormente. Então Aldarion leu a carta; e o Rei, contemplando o rosto do filho, disse: "Sem dúvida tu estás aflito. Porém o que mais esperavas?"

"Não isso, pelo menos", confessou Aldarion. "Está muito abaixo da esperança que depositava nela. Ela minguou; e, se provoquei isso, então é negra minha culpa. Mas os grandes diminuem na adversidade? Não era essa a maneira, nem mesmo por ódio ou vingança! Ela devia ter exigido que lhe fosse preparada uma grande casa, solicitado uma escolta de Rainha e voltado a Armenelos com sua beleza adornada, regiamente, com a estrela em sua fronte. Poderia então ter enfeitiçado quase toda a Ilha de Númenor em seu favor, e ter-me feito parecer um louco e um grosseirão. Que os Valar sejam minhas testemunhas, eu preferiria que fosse assim: antes uma bela Rainha para me frustrar e escarnecer de mim do que a liberdade de governar enquanto a Senhora Elestirnë recai, obscura, em seu próprio crepúsculo."

Então, com um riso amargo, devolveu a carta ao Rei. "Bem: assim é", encerrou. "Mas se a uma pessoa desagrada morar num navio entre marinheiros, a outra pode-se desculpar a ojeriza por uma fazenda de carneiros entre criadas. Mas não permitirei que minha filha seja educada assim. Ao menos ela há de escolher com conhecimento." Ergueu-se e pediu licença para partir.

NOTAS

1. Em *CI* (p. 294), o autor comentou: "Nas Terras-do-Oeste e em Andúnië, a língua-élfica [sindarin] era falada pelos nobres e pelos comuns. Nessa língua, Erendis foi criada; mas Aldarion falava a língua númenóreana, apesar de, como todos os homens nobres de Númenor, também saber a língua de Beleriand". À essa informação juntou-se uma explicação mais detalhada de Christopher Tolkien sobre as línguas usadas pelos Númenóreanos.
2. *Elanor* era uma pequena flor dourada em forma de estrela; ela também crescia no morro de Cerin Amroth, em Lothlórien: "No sopé do morro Frodo encontrou Aragorn, parado imóvel e silencioso como uma árvore; mas tinha na mão uma florzinha dourada de *elanor* e luz em seus olhos. Estava envolto em alguma bela lembrança: e Frodo, ao olhá-lo, soube que ele contemplava as coisas como haviam sido outrora naquele mesmo lugar. Pois os anos cruéis tinham sido removidos do rosto de Aragorn, e ele parecia trajado de branco, um jovem senhor alto e belo; e falou palavras em língua élfica a alguém que Frodo não podia ver. '*Arwen vanimelda, namárië!*', disse ele, e então deu um suspiro e, ao retornar de seus pensamentos, olhou para Frodo e sorriu.

   'Aqui é o coração da Gente Élfica na terra,' disse ele, 'e aqui meu coração habita sempre, a não ser que haja uma luz além das estradas escuras que ainda temos de trilhar, você e eu. Venha comigo!' E, tomando a mão de Frodo, deixou o morro de Cerin Amroth e nunca mais retornou ali enquanto viveu". (*Sociedade*, Livro II, 6 "Lothlórien", p. 498).

   Sam Gamgi deu o nome dessa flor à sua filha, por sugestão de Frodo. (*Retorno*, Livro VI, 9 "Os Portos Cinzentos", p. 1459).
3. Ver p. 118, nota 6, para a descendência de Erendis de Beleth, a irmã do pai de Morwen, Baragund.
4. Afirma-se que os Númenóreanos, assim como os Eldar, evitavam gerar filhos caso previssem alguma provável separação do marido e da mulher, entre a concepção da criança e seus primeiros anos de vida, pelo menos. Aldarion ficou em casa por muito pouco tempo após o nascimento de sua filha, de acordo com a ideia que os Númenóreanos tinham do que era adequado.
5. Christopher Tolkien escreveu (*CI*, p. 296, nota 24): "Em uma nota sobre o 'Conselho do Cetro' nessa época da história de Númenor está dito que esse Conselho não tinha poderes para dar ordens ao Rei, exceto por sugestão; e nenhum poder desse tipo ainda fora desejado ou imaginado necessário. O Conselho compunha-se de membros vindos de cada uma das divisões de Númenor; mas o Herdeiro do Rei, quando proclamado, era também um membro, para que pudesse se informar sobre o governo da terra, e também a outros o Rei podia convocar, ou pedir que fossem escolhidos, caso possuíssem conhecimentos especiais sobre assuntos que a qualquer momento estivessem em debate. Nessa época havia apenas dois membros do Conselho (além de Aldarion) que pertenciam à Linhagem de

Elros: Valandil de Andúnië pelas Andustar, e Hallatan de Hyarastorni pelas Mittalmar; mas deviam seus lugares não à sua descendência ou riqueza, mas sim à estima e ao amor que lhes tinham nas suas regiões. (No 'Akallabêth', p. 353, diz-se que 'o Senhor de Andúnië estava sempre entre os principais conselheiros do Cetro'.)"

6. O nome, em sindarin, significa "a Região Verde" ou "Província Verde", e mais tarde ficou conhecida como as Planícies de Rohan.

A elevação de Tar-Aldarion

883

REIS E RAINHAS DE NÚMENOR VI:

Tar-Aldarion

Nascimento: S.E. 700; Morte: S.E. 1098 (398 anos)
Reinado: S.E. 883–1075 (192 anos)

Conforme Christopher Tolkien escreveu em *Contos Inacabados*, p. 281: "A partir do ponto em que Aldarion leu a carta em que Erendis se recusava a voltar a Armenelos, a história só pode ser acompanhada em vislumbres e pedaços, de notas e rascunhos: e até mesmo estes não constituem fragmentos de uma história totalmente consistente, visto que foram compostos em épocas diferentes e que frequentemente se contradizem". Com base nessas fontes díspares, Christopher continua e conclui editorialmente a história de Aldarion com o título:

O Desenrolar Posterior da Narrativa

Parece que, quando se tornou Rei de Númenor no ano de 883, Aldarion decidiu revisitar a Terra-média imediatamente, e partiu para Mithlond no mesmo ano ou no seguinte. Está registrado que não colocou na proa de Hirilondë nenhum ramo de *oiolairë*, e sim a imagem de uma águia de bico dourado e olhos feitos de pedras preciosas, que era presente de Círdan.

> Lá estava pousada, pela arte de quem a fizera, como que pronta a voar certeira até uma meta distante que divisara. "Este sinal há de nos conduzir ao nosso alvo", anunciou ele. "Da nossa volta que cuidem os Valar — se nossos atos não lhes desagradarem."

Também está dito que "agora não restam relatos das viagens posteriores que Aldarion fez", mas que "sabe-se que foi longe por terra assim como por mar, e subiu o Rio Gwathló até Tharbad, onde se encontrou com Galadriel". Não há menção desse encontro em outra parte; mas naquela época Galadriel e Celeborn habitavam em Eregion, não muito longe de Tharbad.

> Mas todos os esforços de Aldarion foram anulados. As obras que reiniciou em Vinyalondë nunca foram completadas, e o mar as corroeu. No entanto, estabeleceu as bases para o empreendimento de Tar-Minastir muitos anos após, na primeira guerra contra Sauron; e, não fosse por suas obras, as frotas de Númenor não poderiam ter trazido seu poderio a tempo ao lugar certo — como ele previa. A hostilidade já crescia, e homens obscuros vindos das montanhas forçavam entrada em Enedwaith. Mas, no tempo de Aldarion, os Númenóreanos ainda não desejavam mais espaço, e seus Aventureiros continuaram sendo um grupo pequeno, admirado, mas pouco imitado.

Não há menção de nenhuma evolução posterior da aliança com Gil-galad, ou do envio do auxílio que ele pedira na carta a Tar-Meneldur. Na verdade, está dito que:

> Aldarion chegou tarde demais, ou cedo demais. Tarde demais: pois o poder que odiava Númenor já despertara. Cedo demais: pois ainda não era hora de Númenor mostrar seu poderio ou retornar à batalha pelo mundo.

Houve uma comoção em Númenor quando Tar-Aldarion resolveu voltar à Terra-média em 883 ou 884, pois nenhum Rei jamais deixara a Ilha antes, e o Conselho não tinha precedente. Parece que a regência foi oferecida a Meneldur, que a recusou, e que Hallatan de Hyarastorni se tornou regente, quer nomeado pelo Conselho, quer pelo próprio Tar-Aldarion.

Da história de Ancalimë durante os anos de seu crescimento não há forma certa. Há menos dúvidas acerca do seu caráter um tanto ambíguo, e da influência que a mãe exercia sobre ela. Era menos rígida que Erendis, e por natureza apreciava ostentação, joias, música, admiração e deferência. No entanto, apreciava-as quando tinha vontade e não ininterruptamente, e fazia da mãe e da casa branca em Emeriё uma desculpa para escapar. Aprovava, por assim dizer, tanto o tratamento de Aldarion por Erendis quando aquele retornou tarde, como também a ira de Aldarion, sua impenitência e sua subsequente rejeição implacável a Erendis, que a excluiu de seu coração e de sua consideração. Desagradava profundamente a Ancalimë o casamento obrigatório, e no casamento lhe desagradava qualquer restrição da sua vontade. Sua mãe falara incessantemente contra os homens, e de fato está preservado um notável exemplo dos ensinamentos de Erendis a esse respeito:

> Os homens de Númenor são Meio-Elfos (disse Erendis), em especial os nobres; não são nem uma coisa nem outra. A vida longa que lhes foi concedida engana-os, e brincam no mundo, crianças na mente, até que a velhice os encontre — e então muitos só abandonam a brincadeira ao ar livre pela brincadeira em suas casas. Transformaram sua brincadeira em assuntos importantes, e assuntos importantes em brincadeira. Gostariam de ser artesãos, mestres-do-saber e heróis, tudo ao mesmo tempo; e as mulheres são para eles apenas chamas na lareira — para outros cuidarem até que eles se cansem de brincar, à tardinha. Todas as coisas foram feitas para servi-los: as colinas são para pedreiras, os rios para fornecer água ou girar rodas, as árvores para tábuas, as mulheres para a necessidade de seu corpo ou, se forem belas, para adornar sua mesa e seu lar; e crianças para serem provocadas quando não há mais nada para fazer — mas brincariam da

> mesma forma com as crias dos seus cães. São corteses e bondosos com todos, joviais como cotovias pela manhã (se brilhar o sol), pois nunca se encolerizam se puderem evitá-lo. Os homens devem ser alegres, afirmam, generosos como os ricos, dando o que não necessitam. Mostram ira somente quando se dão conta, de repente, de que existem outras vontades no mundo além da sua. Então são implacáveis como o vento do mar se qualquer coisa ousar se opor a eles.
>
> Assim é, Ancalimë, e não podemos alterar isso. Pois os homens formaram Númenor: os homens, esses heróis de outrora dos quais eles cantam — de suas mulheres ouvimos falar menos, exceto que choravam quando seus homens eram mortos. Númenor devia ser um repouso após a guerra. Mas, quando se cansam do repouso e dos jogos da paz, logo voltam ao seu grande jogo, assassinato e guerra. Assim é; e fomos postas aqui entre eles. Mas não temos de consentir. Se também nós amamos Númenor, vamos desfrutá-la antes que eles a arruínem. Também nós somos filhas dos grandes, e temos nossas próprias vontades e coragem. Portanto não te curves, Ancalimë. Uma vez que estejas curvada um pouco, eles te curvarão mais até que tu estejas inclinada até o chão. Deita tuas raízes na rocha, e enfrenta o vento, por muito que ele leve todas as tuas folhas.

Além disso, e com influência mais forte, Erendis acostumara Ancalimë à companhia de mulheres: a vida fresca, tranquila, suave em Emerië, sem interrupções ou alarmes. Os meninos, como Îbal, gritavam. Os homens vinham cavalgando, tocando trompas em horas estranhas, e eram alimentados com grande barulho. Geravam filhos e os deixavam aos cuidados das mulheres quando davam trabalho. E, embora o parto tivesse menos males e perigos, Númenor não era um "paraíso terrestre", e a exaustão do trabalho ou de todo o fazer não fora removida.

Ancalimë, assim como o pai, era resoluta na consecução de suas políticas; e, assim como ele, era obstinada, tomando o caminho oposto a qualquer um que lhe aconselhassem. Tinha um pouco da frieza e do sentido de ofensa pessoal da mãe; e no fundo de seu coração, quase mas não totalmente esquecida, estava a firmeza com que Aldarion soltara sua mão e a pusera no chão quando ele estava com pressa de partir. Amava apaixonadamente as colinas de seu lar, e (como dizia) nunca em sua vida conseguia dormir tranquila longe do som dos carneiros. Mas não recusou o título de Herdeira, e determinou que, quando chegasse seu dia, seria uma poderosa Rainha Governante; e, quando assim fosse, viveria onde e como lhe agradasse.

Parece que, por durante uns dezoito anos depois de tornar-se Rei, Aldarion frequentemente deixava Númenor; e durante esse tempo Ancalimë passava os dias tanto em Emeriё como em Armenelos, pois a Rainha Almarian muito se afeiçoou a ela e lhe fazia as vontades como fizera as vontades de Aldarion em sua juventude. Em Armenelos todos, e Aldarion não menos, a tratavam com deferência; e apesar de ela inicialmente se sentir pouco à vontade, sentindo falta dos amplos ares de seu lar, acabou por não se sentir mais embaraçada, e se deu conta de que os homens contemplavam maravilhados sua beleza, que agora alcançara a plenitude. À medida que amadurecia, tornava-se cada vez mais voluntariosa e considerava irritante a companhia de Erendis, que se comportava como viúva e não queria ser Rainha; continuava, porém, a retornar a Emeriё, tanto para refugiar-se de Armenelos como por desejar com isso aborrecer Aldarion. Era esperta e maliciosa, e via a possibilidade de se divertir no papel do troféu pelo qual competiam sua mãe e seu pai.

No ano de 892, pois, quando Ancalimë tinha dezenove anos de idade, foi proclamada Herdeira do Rei (em idade muito mais precoce do que ocorrera antes); e naquela época Tar-Aldarion fez com que fosse alterada a lei da sucessão em Númenor. Está dito especificamente que Tar-Aldarion agiu assim "por motivos de consideração particular, mais que por política", e movido por "sua antiga resolução de derrotar Erendis". A mudança da lei está mencionada em *O Senhor dos Anéis*, Apêndice A, I, i:

> O sexto Rei [Tar-Aldarion] deixou apenas uma descendente, uma filha. Ela se tornou a primeira Rainha [isto é, Rainha Governante]; pois foi feita então uma lei da casa real de que o descendente mais velho do Rei, fosse homem ou mulher, receberia o cetro.

Mas em outro lugar a nova lei é formulada de outra maneira. O relato mais completo e claro afirma primeiro que a "antiga lei", como se chamou depois disso, não era de fato uma "lei" númenóreana, e sim um costume herdado que as circunstâncias ainda não haviam questionado; e de acordo com esse costume o filho mais velho do Governante herdava o Cetro. Entendia-se que, caso não houvesse filho, o parente homem mais próximo *descendente* de Elros Tar-Minyatur *pela linha masculina* seria o Herdeiro.[1] Mas pela "nova lei" a filha (mais velha) do Governante herdava o Cetro, caso ele não tivesse filho (o que está, evidentemente, em contradição com o que se diz em *O Senhor dos Anéis*). Por sugestão do Conselho acrescentou-se que ela teria a liberdade de recusar.[2] Em tal caso, de acordo com a "nova lei", o herdeiro do Governante era o parente homem mais próximo, fosse pela linha masculina, fosse pela feminina.[3]

Também foi estabelecido, por insistência do Conselho, que uma herdeira teria de renunciar se permanecesse solteira além de determinada idade; e a essas provisões Tar-Aldarion acrescentou que o Herdeiro do Rei não deveria se casar, a não ser na Linhagem de Elros, e que todos os que fizessem o contrário deixariam de ser elegíveis à posição de Herdeiro. Diz-se que essa estipulação decorreu diretamente do casamento desastroso de Aldarion com Erendis, e de suas reflexões a respeito; pois Erendis, não sendo da Linhagem de Elros, tinha um tempo de vida mais reduzido, e Aldarion cria que nisso residia a raiz de todos os seus aborrecimentos.

Inquestionavelmente essas provisões da "nova lei" foram registradas em tanto detalhe porque teriam influência significativa na história posterior desses reinados; mas infelizmente muito pouco pode-se agora dizer sobre isso.

Em alguma ocasião posterior Tar-Aldarion revogou a lei de que uma Rainha Governante teria de se casar ou então renunciar (e isso certamente foi devido à relutância de Ancalimë de enfrentar qualquer das duas alternativas), mas o casamento do Herdeiro com outro membro da Linhagem de Elros continuou sendo o costume desde então.[4]

Seja como for, logo começaram a surgir em Emeriê pretendentes à mão de Ancalimë, e não somente por causa da mudança em sua posição, pois a fama de sua beleza, sua altivez e seu desdém, bem como da estranheza de sua criação, correra o país. Naquela época o povo começou a se referir a ela como Emerwen Aranel, a Princesa Pastora. Para escapar dos importunos, Ancalimë, auxiliada pela velha Zamîn, escondeu-se em uma fazenda na fronteira das terras de Hallatan de Hyarastorni, onde viveu por certo tempo uma vida de pastora. Os relatos (que na verdade nada mais são do que anotações apressadas) variam no modo como seus pais reagiram a este estado de coisas. De acordo com um desses relatos, a própria Erendis sabia onde Ancalimë estava, e aprovava o motivo de sua fuga, enquanto Aldarion impediu que o Conselho a procurasse, pois concordava que sua filha agisse assim de forma independente. De acordo com outro, no entanto, Erendis perturbou-se com a fuga de Ancalimë, e o Rei ficou furioso; e nessa época Erendis tentou uma reconciliação com ele, ao menos no que dizia respeito a Ancalimë. Mas Aldarion não se comoveu, declarando que o Rei não tinha esposa, mas que tinha uma filha e herdeira, e que não cria que Erendis ignorasse seu esconderijo.

O que é certo é que Ancalimë encontrou um pastor que cuidava dos rebanhos na mesma região; e a ela esse homem disse que se chamava Mámandil. Ancalimë estava totalmente desacostumada a companhias como a dele, e se deleitava quando ele cantava, o que fazia com habilidade. Cantava-lhe canções que vinham de dias longínquos, quando os Edain pastoreavam seus rebanhos em Eriador, muito tempo atrás, ainda antes de conhecerem os Eldar. Assim se encontravam nas pastagens muitas e muitas vezes, e ele alterava as canções dos amantes de outrora e incluía nelas os nomes de Emerwen e Mámandil; e Ancalimë fingia que não compreendia a tendência das palavras. Mas ele acabou declarando abertamente seu amor por ela, e ela se retraiu e o rechaçou, dizendo que o destino dela se interpunha entre eles, pois era Herdeira do Rei. Mas Mámandil não se perturbou, e riu. Contou-lhe então que seu nome verdadeiro era Hallacar, filho de Hallatan de Hyarastorni, da Linhagem de Elros Tar-Minyatur. "E de que outro modo algum pretendente poderia encontrar-te?", perguntou ele.

Então Ancalimë irritou-se, porque ele a enganara, sabendo desde o início quem era ela; mas ele respondeu: "Isso é verdade em parte. De fato tramei para encontrar a Senhora cujos modos eram tão estranhos que fiquei curioso para vê-la mais. Mas então apaixonei-me por Emerwen, e não me importa quem ela possa ser. Não penses que eu cobice tua alta posição; pois muito preferiria que tu fosses apenas Emerwen. Alegro-me somente com o fato de que também sou da Linhagem de Elros, porque do contrário creio que não poderíamos nos casar."

"Poderíamos", concordou Ancalimë, "se eu tivesse alguma pretensão a tal estado. Eu poderia renunciar à minha realeza e ser livre. Mas, se assim fizesse, haveria de ser livre para casar-me com quem quisesse; e esse seria Úner (que é 'Homem-Nenhum'), a quem prefiro acima de todos os demais."

No entanto, foi com Hallacar que Ancalimë acabou se casando. De acordo com uma versão, parece que a persistência de Hallacar em sua corte, a despeito de ela rejeitá-lo, e a insistência do Conselho para que ela escolhesse um marido pela tranquilidade do reino, conduziram ao seu casamento não muitos anos após seu primeiro encontro entre os rebanhos em Emerië. No entanto, em outro lugar diz-se que ela permaneceu solteira por tanto tempo que seu primo Soronto, confiando na provisão da nova lei, insistiu com ela para que entregasse a posição de Herdeira, e que ela então se casou com Hallacar para contrariar Soronto. Em mais outra breve nota está implícito que ela se casou com Hallacar depois que Aldarion revogou a provisão, para acabar com a esperança que Soronto tinha de se tornar Rei caso Ancalimë morresse sem filhos.

Seja como for, está clara a história de que Ancalimë não desejava amor, nem queria ter um filho; e dizia: "Tenho de me tornar como a Rainha Almarian, e ser louca por ele?" Sua vida com Hallacar foi infeliz, e ela encarava com má vontade a ligação de seu filho, Anárion, com o pai, e houve discórdia entre eles desde então. Ela tentou sujeitá-lo, afirmando ser a proprietária das terras dele, e proibindo-lhe morar nelas, pois, conforme dizia, não queria ter por marido um administrador de fazenda. Vem dessa época a última história registrada sobre esses fatos infelizes. Pois Ancalimë não queria permitir que nenhuma de suas mulheres se casasse; e, apesar de a maioria se conter por temor a ela, elas provinham da região em volta e tinham amantes com quem queriam se casar. Mas Hallacar em segredo providenciou para que elas se casassem; e declarou que faria um último banquete em sua própria casa antes de abandoná-la. Convidou Ancalimë para esse banquete, dizendo que era a casa de sua família, e deveria receber uma despedida de cortesia.

Ancalimë foi, acompanhada por todas as suas mulheres, pois não apreciava ser servida por homens. Encontrou a casa toda iluminada e enfeitada como para um grande banquete; os homens da casa, adornados de grinaldas como se fossem se casar, e cada um deles com outra grinalda nas mãos, para a noiva. "Vinde!", chamou Hallacar. "Os casamentos estão preparados, e os aposentos nupciais estão prontos. Mas, como não se pode pensar que pediríamos à Senhora Ancalimë, Herdeira do Rei, para se deitar com um administrador de fazenda, então, infelizmente, ela terá de dormir sozinha esta noite." E Ancalimë foi obrigada a lá permanecer, pois era muito longe para voltar a cavalo, e nem queria ela partir desassistida. Nem os homens nem as mulheres esconderam seus sorrisos; e Ancalimë não quis participar do banquete, mas ficou deitada na cama ouvindo os risos ao longe, pensando que eram destinados a ela. No dia seguinte partiu a cavalo, em fúria gélida, e Hallacar enviou três homens para escoltá-la. Assim ele se vingou, pois Ancalimë jamais retornou a Emerië, onde os próprios carneiros pareciam fazer pouco dela. Mas perseguiu Hallacar com ódio daí em diante.

De Erendis está dito que, quando a velhice se abateu sobre ela, negligenciada por Ancalimë e em amarga solidão, ela voltou a ansiar por Aldarion; e, sabendo que ele partira de Númenor naquela que acabaria sendo sua última viagem, mas que se esperava que ele logo retornasse, ela por fim deixou Emerië e viajou incógnita e desconhecida até o porto de Rómenna. Lá parece que encontrou seu destino; mas somente as palavras "Erendis pereceu na água no ano de 985" permanecem para indicar como isso ocorreu.

Sobre a duração de vida concedida aos Númenóreanos, ela dissera certa vez que "eles se tornavam uma espécie de imitação dos

Elfos; e seus Homens tinham tanto em suas cabeças, e desejo de muito fazer, que sentiam sempre a pressão do tempo, e dessa maneira era raro descansarem ou regozijarem-se no presente. Felizmente, suas esposas eram ponderadas e atarefadas — mas Númenor não era um lugar de grande amor”.[5]

NOTAS

1. Christopher Tolkien fornece aqui um exemplo: “Assim, se Tar-Meneldur não tivesse tido filho, o Herdeiro não teria sido seu sobrinho Valandil (filho de sua irmã Silmarien), mas sim seu primo Malantur (neto de Eärendur, irmão mais novo de Tar-Elendil)”.
2. Por outro lado, um herdeiro masculino legítimo não podia recusar; mas, como um Rei sempre podia renunciar ao Cetro, um herdeiro masculino de fato podia renunciar imediatamente em favor de *seu* herdeiro natural. Considerava-se então que ele próprio também reinara durante um ano pelo menos; e foi esse o caso (o único caso) de Vardamir, filho de Elros, que não ascendeu ao trono, mas deu o Cetro a seu filho Amandil.
3. Christopher Tolkien mais uma vez fornece um exemplo: “Assim, se Ancalimë tivesse recusado o Cetro, o herdeiro de Tar-Aldarion teria sido Soronto, filho de sua irmã Ailinel; e, se Ancalimë tivesse renunciado ao Cetro ou morrido sem filhos, Soronto da mesma forma teria sido seu herdeiro”.
4. É dito em outro lugar que essa regra do “casamento real” nunca foi tema de lei, mas tornou-se um costume de orgulho: “um sintoma do crescimento da Sombra, pois só se tornou rígida quando a distinção entre a Linhagem de Elros e outras famílias, em duração de vida, vigor ou habilidade, diminuíra ou desaparecera por completo”.
5. *Natureza*, Parte Três, 12 “O Envelhecimento dos Númenóreanos”, p. 379.

c. 1000

Sauron, alarmado pelo poderio crescente dos Númenóreanos, escolhe Mordor como a terra para construir um baluarte. Inicia a construção de Barad-Dûr.

Notícias [da fundação de Eregion e da amizade e das obras de engenho compartilhadas entre os Elfos que habitavam lá e os Anãos de Khazad-dûm] alcançaram os ouvidos de Sauron e aumentaram seu temor acerca da chegada dos Númenóreanos a Lindon e às costas mais ao sul, bem como de sua amizade com Gil-galad; e ele também ouviu falar de Aldarion, filho de Tar-Meneldur, Rei de Númenor, que agora se tornara um grande armador e aportava suas embarcações bem longe no Harad. Portanto Sauron deixou Eriador em paz por algum tempo, e escolheu a terra de Mordor, como mais tarde se chamou, como fortaleza para se opor à ameaça dos desembarques númenóreanos.[1]

A escolha de Mordor por Sauron para ser seu baluarte foi provavelmente feita com base em sua localização geográfica. A terra ficava encerrada dentro de uma muralha vagamente retangular e naturalmente defensiva com três lados fornecida por duas grandes cordilheiras: ao norte se estendiam as Ered Lithui, ou Montanhas de Cinza; a oeste e ao sul ficava a Ephel Dúath, também conhecida como as Montanhas de Sombra ou Cerca Exterior, em cujo interior da escarpa noroeste estendia-se uma crista adicional mais baixa "com a borda recortada e entalhada por rochedos semelhantes a presas, que se destacavam negros diante da luz vermelha por trás: era o ameaçador Morgai, o anel interno das muralhas daquele país".[2] Quase cercada por essas imensas barreiras no norte e a leste ficava uma planície alta e desolada, o Planalto de Gorgoroth, um nome derivado da palavra sindarin *gorgor* ("horror", "terror"), dominado pela presença torreante do Monte da Perdição, ou Orodruin ("montanha ardente"),[3] "uma massa imensa de cinzas, escória e pedras queimadas, da qual se levantava às nuvens um cone de flancos escarpados".[4] As terras ao redor eram marcadas por suas violentas erupções vulcânicas, e "que não foram [criadas] por Sauron, mas eram um vestígio dos trabalhos devastadores de Melkor na longa Primeira Era".[5] Essa paisagem atemorizante viria a permanecer por muitos anos, mesmo até a Terceira Era:

Vez por outra as fornalhas [de Orodruin], muito abaixo de seu cone de cinzas, aqueciam-se e, com grandes surtos e latejos, despejavam rios de rocha fundida por abismos em seus flancos. Alguns corriam ardentes na direção de Barad-dûr, descendo por grandes canais; outros serpenteavam para a planície rochosa até arrefecerem e jazerem como retorcidas formas de dragão vomitadas pela terra atormentada.[6]

Como local para a fortaleza de Barad-dûr, a Torre Sombria, Sauron escolheu a extremidade de um longo esporão meridional das Ered Lithui que descia para a parte setentrional da Planície de Gorgoroth. Ali, durante um período de 600 anos, e há muito oculto dos Eldar e dos Edain, Sauron ergueu uma imensa estrutura, uma "vasta fortaleza, arsenal, prisão, fornalha de grande poderio [...] que não suportava rival e ria da bajulação, esperando seu momento, segura em sua altivez e incomensurável força".[7] Tanto na Segunda como na Terceira Era, Barad-dûr representava "a ameaça pavorosa do Poder que aguardava, cismando em pensamentos profundos e malícia insone por trás do escuro véu que envolvia seu Trono [...] como a chegada da ruína da noite no derradeiro fim do mundo".[8]

Dos últimos anos [do rei de Númenor] Tar-Aldarion nada se pode dizer agora, exceto que ele parece ter continuado suas viagens à Terra-média e que mais de uma vez deixou Ancalimë como sua regente. Sua última viagem ocorreu por volta do fim do primeiro milênio da Segunda Era.[9]

NOTAS

1. *CI*, pp. 319–20.
2. *Retorno*, Livro VI, 1 "A Torre de Cirith Ungol", pp. 1290.
3. "Monte da Perdição" é uma tradução do sindarin *amon* (monte, colina) e *amarth* (sina, perdição), ver *O Silmarillion*, "Apêndice: Elementos de nomes em quenya e em sindarin", pp. 475–6; *Orodruin*, literalmente "montanha ardente", *O Senhor dos Anéis*, Apêndice F, II "Da Tradução", p. 1616.
4. *Retorno*, Livro VI, 3 "O Monte da Perdição", pp. 1345–6.
5. Christopher Tolkien em *Peoples*, p. 390, nota 14.
6. *Retorno*, Livro VI, 1 "A Torre de Cirith Ungol", pp. 1290–1.
7. *Torres*, Livro III, 8 "A Estrada para Isengard", pp. 809–10.
8. *Retorno*, Livro VI, 3 "O Monte da Perdição", p. 1339.
9. *CI*, p. 291.

1075

Tar-Ancalimë torna-se a primeira Rainha Governante de Númenor.

1075

REIS E RAINHAS DE NÚMENOR VII:

Tar-Ancalimë

Nascimento: S.E. 873; Morte: S.E. 1285 (412 anos)
Reinado: S.E. 1075–1280 (205 anos)

Tar-Ancalimë reinou por 205 anos, mais do qualquer monarca depois de Elros [...] Por muito tempo permaneceu solteira; mas, quando foi pressionada a renunciar por [seu primo] Soronto, para afrontá-lo, no ano 1000 casou-se com Hallacar, filho de Hallatan, um descendente de Vardamir. Após o nascimento de seu filho, Anárion, houve discórdia entre Ancalimë e Hallacar. Ela era altiva e voluntariosa. Após a morte de Aldarion, negligenciou todas as suas políticas e não deu mais auxílio a Gil-galad.

Seu filho, Anárion, que mais tarde foi o oitavo Monarca de Númenor, teve primeiro duas filhas. Não gostavam da Rainha, e a temiam. Recusaram a posição de Herdeiras, permanecendo solteiras, já que a Rainha por vingança não lhes permitia que se casassem.[1] Súrion, filho de Anárion, nasceu por último, e [viria a se tornar, a seu tempo,] o nono Monarca de Númenor.

NOTAS

1. Em suas notas da narrativa de Aldarion e Erendis (*CI*, p. 296), Christopher Tolkien comentou: "Isso é estranho, porque Anárion era o Herdeiro durante a vida de Ancalimë. Em 'A Linhagem de Elros' (*CI*, p. 300) diz-se apenas que as filhas de Anárion 'recusaram o cetro'".

1200

Sauron tenta seduzir os Eldar. Gil-Galad recusa-se a tratar com ele, mas os Ferreiros de Eregion são convencidos. Os Númenóreanos começam a construir Portos Permanentes.

Mudanças muito grandes vieram a acontecer conforme a Segunda Era progredia. As primeiras naus dos Númenóreanos apareceram nas costas da Terra-média por volta de 600 da Segunda Era, mas nenhum rumor desse portento alcançou o longínquo Norte. Ao mesmo tempo, contudo, Sauron deixou de se esconder e revelou-se em bela forma. Por muito tempo, prestara pouca atenção a Anãos ou Homens e empenhou-se em conquistar a amizade e confiança dos Eldar. Mas lentamente ele se voltou novamente para a lealdade a Morgoth e começou a buscar o poder pela força, reorganizando e comandando os Orks [Orques] e outros seres malignos da Primeira Era, e secretamente construindo sua grande fortaleza na terra rodeada de montanhas no Sul que foi posteriormente conhecida como Mordor.[1]

Os Homens ele descobriu serem os mais fáceis de dobrar de todos os povos da Terra; mas, por muito tempo, buscou persuadir os Elfos a ficarem a seu serviço, pois sabia que os Primogênitos tinham maior poder; e viajou para cá e para lá entre eles, e sua feição ainda era a de alguém tanto belo como sábio. Apenas a Lindon não vinha, pois Gil-galad e Elrond duvidavam dele e de sua bela aparência e, embora não soubessem quem ele era em verdade, não o admitiam àquela terra.[2]

1280

REIS E RAINHAS DE NÚMENOR VIII:

Tar-Anárion

Nascimento: S.E. 1003; Morte: S.E. 1404 (401 anos)
Reinado: S.E. 1280–1394 (114 anos)

Tar-Anárion teve duas filhas, cujos nomes não estão registrados, e um filho, Súrion, que assumiu o trono quando suas irmãs recusaram o cetro.

1394

REIS E RAINHAS DE NÚMENOR IX:

Tar-Súrion

Nascimento: S.E. 1174; Morte: S.E. 1574 (400 anos)
Reinado: S.E. 1394–1556 (162 anos)

Tar-Súrion teve dois descendentes: uma filha, Telperien, e um filho, Isilmo.

NOTAS

1. De um "longo ensaio" de J.R.R. Tolkien incluído em *Peoples*, Part Two: Late Writings, X "Of Dwarves and Men", pp. 304–5.
2. Anéis, p. 375. Em "Acerca de Galadriel e Celeborn" (*CI*, Segunda Parte: A Segunda Era, IV "A História de Galadriel e Celeborn", pp. 320–1), é apresentado um relato das propostas de Sauron aos Elfos de Lindon: "Quando se sentiu seguro, enviou emissários a Eriador, e finalmente, por volta do ano de 1200 da Segunda Era, foi para lá ele mesmo, envergando a forma mais bela que pôde inventar".

   Christopher Tolkien, ao escrever acerca da "bela forma" de Sauron, *CI*, p. 344, nota 7, disse que "Sauron empenhava-se em manter distintos seus dois lados: *inimigo* e *tentador*. Quando vinha ter com os Noldor, adotava uma forma enganosa e bela (uma espécie de antecipação simulada dos Istari posteriores)".

c. 1500

Os artífices-élficos instruídos por Sauron alcançam o píncaro de sua habilidade. Começam a forjar os Anéis de Poder.

Mas alhures os Elfos [de Eregion] recebiam [Sauron] contentes, e poucos entre eles escutavam os mensageiros de Lindon pedindo que tivessem cuidado; pois Sauron tomou para si o nome de Annatar, o Senhor das Dádivas, e tinham, no princípio, muito proveito de sua amizade. E dizia a eles [falando de sua rejeição pelos Elfos de Lindon]: "Ai da fraqueza dos grandes! Pois um rei poderoso é Gil-galad, e sábio em todo conhecimento é Mestre Elrond; e, contudo, não me querem auxiliar em meus labores. Será que não desejam ver outras terras se tornarem tão ditosas quanto a deles? Mas por que motivo a Terra-média deveria permanecer para sempre desolada e sombria, enquanto os Elfos poderiam torná-la tão bela quanto Eressëa e, quiçá, tanto quanto Valinor? E já que não retornastes para lá, como podíeis, percebo que amais esta Terra-média como eu amo. Não é então

nossa tarefa labutar juntos para o seu enriquecimento e para a elevação de todas as gentes-élficas que vagam aqui sem instrução à altura daquele poder e sem o conhecimento que têm aqueles que estão além-Mar?"[1]

Foi em Eregion que os conselhos de Sauron foram recebidos com mais contentamento, pois naquela terra os Noldor desejavam sempre aumentar o engenho e a sutileza de suas obras. Ademais, não estavam em paz em seus corações, já que tinham recusado o retorno ao Oeste, e desejavam tanto ficar na Terra-média, a qual de fato amavam, quanto gozar da ventura daqueles que tinham partido. Portanto, deram ouvidos a Sauron e aprenderam dele muitas coisas, pois seu conhecimento era grande. Naqueles dias, os artífices de Ost-in-Edhil ultrapassaram tudo o que tinham criado antes; e planejaram, e fizeram Anéis de Poder. Mas Sauron guiava o labor deles e estava ciente de tudo o que faziam; pois o seu desejo era lançar um laço sobre os Elfos e mantê-los sob sua vigilância.[2]

Sauron usou todas as suas artes em Celebrimbor e seus coartífices, que haviam formado uma sociedade ou irmandade muito poderosa em Eregion, a Gwaith-i-Mírdain; mas trabalhava em segredo, oculto de Galadriel e Celeborn. Em pouco tempo, Sauron tinha a Gwaith-i-Mírdain sob sua influência, pois de início muito lucraram com sua instrução em assuntos secretos de seu ofício.[3]

Em sua longa carta a Milton Waldman, Tolkien escreveu: "Sauron descobriu o ponto fraco deles ao sugerir que, ajudando-se mutuamente, poderiam tornar a Terra-média ocidental tão bela quanto Valinor. Era realmente um ataque velado aos deuses, uma incitação para tentar criar um paraíso independente em separado. Gil-galad rechaçou todas essas abordagens, como também o fez Elrond. Mas, em Eregion, iniciou-se uma grande obra — e os Elfos chegaram o mais próximo possível de sucumbir à 'magia' e ao maquinário. Com o auxílio do conhecimento de Sauron, criaram *Anéis de Poder* ('poder' é uma palavra ominosa e sinistra em todos esses contos, exceto quando aplicada aos deuses).

O principal poder (igualmente de todos os anéis) era a prevenção ou retardamento da *decadência* (isto é, da 'mudança' vista como uma coisa lamentável), a preservação do que é desejado ou amado, ou de sua aparência — esse é mais ou menos um motivo élfico. Mas eles também aumentavam os poderes naturais do possuidor — aproximando-se assim da 'magia', um motivo facilmente corruptível ao mal, uma ânsia por dominação. E, por fim, tinham outros poderes, derivados mais diretamente de Sauron ('o Necromante': assim ele é chamado enquanto lança uma sombra e um presságio fugidios nas páginas de *O Hobbit*): tais como tornar invisível o corpo material e tornar visíveis objetos do mundo invisível".

1556

REIS E RAINHAS DE NÚMENOR X:
Tar-Telperien

Nascimento: S.E. 1320; Morte: S.E. 1731 (411 anos)
Reinado: S.E. 1556–1731 (175 anos)

Foi segunda Rainha Governante de Númenor. Foi longeva (pois as mulheres dos Númenóreanos tinham a vida mais longa, ou abriam mão dela com menos facilidade), e não se casou com nenhum homem.

Durante o reinado de Tar-Telperien, eventos significativos viriam a ocorrer na Terra-média.

NOTAS

1. Em um rascunho de uma carta escrito por Tolkien em setembro de 1954 (*Cartas*, carta nº 153), ele disse: "O ramo particular dos Altos-Elfos em questão, os Noldor ou Mestres-do-saber, estava sempre do lado da 'ciência e tecnologia', como a chamaríamos: desejavam ter o conhecimento que Sauron genuinamente possuía, e aqueles de Eregion recusaram os avisos

de Gil-galad e Elrond. O 'desejo' específico dos Elfos de Eregion — uma 'alegoria', por assim dizer, de um amor pelo maquinário e pelos artifícios técnicos — também é simbolizado por sua amizade especial com os Anãos de Moria".

Com referência a Sauron assumir o "belo nome" de Annatar, Christopher Tolkien identificou (em "A História de Galadriel e Celeborn", *CI*, p. 344, nota 7) "belos nomes" alternativos: "*Artano*, "alto-artífice", ou *Aulendil*, significando alguém que é devotado ao serviço do Vala Aulë".

2. Anéis, p. 376.
3. *CI*, p. 322. Como Christopher Tolkien observou na p. 321, não há menção de Galadriel "Dos Anéis de Poder e da Terceira Era" (*O Silmarillion*).

c. 1590

Os três Anéis são terminados em Eregion.

Em uma conversa com Frodo Bolseiro sobre o Anel de Bilbo na primavera do Ano 3018 da Terceira Era, Gandalf, o Cinzento, resumiu a história do forjamento dos Anéis de Poder: "Em Eregion, muito tempo atrás, foram feitos muitos anéis-élficos, anéis mágicos, como você os chama, e é claro que eram de vários tipos: alguns mais potentes e outros menos. Os anéis menores eram apenas ensaios do ofício antes que este estivesse maduro, e para os artífices-élficos eles eram meras miudezas — ainda assim, em minha opinião, arriscados para os mortais. Mas os Grandes Anéis, os Anéis de Poder, esses eram perigosos."[1]

Sobre a época em que aqueles Anéis de Poder foram forjado, "A História de Galadriel e Celeborn" reconta:

[Nos dias da Segunda Era, quando Sauron havia se retirado para Mordor e antes da época em que começou a enviar emissários a Eregion,][2] o poder de Galadriel e Celeborn havia crescido, e Galadriel, auxiliada nisso por sua amizade com os Anãos de Moria, entrara em contato com o reino nandorin de Lórinand [posteriormente chamado de "Lórien" e "Lothlórien"], do outro lado das Montanhas Nevoentas.[3] Ele era povoado por aqueles Elfos que renunciaram à Grande Jornada dos Eldar desde

Cuiviénen[4] e se estabeleceram nas florestas do Vale do Anduin;[5] e se estendia às florestas de ambos os lados do Grande Rio, incluindo a região onde mais tarde foi Dol Guldur. Esses Elfos não tinham príncipes ou governantes, e levavam suas vidas livres de preocupação, enquanto todo o poder de Morgoth se concentrava no Noroeste de Terra-média;[6] Galadriel, nos esforços para neutralizar as maquinações de Sauron, teve sucesso em Lórinand; enquanto isso, em Lindon, Gil-galad [expulsara] os emissários de Sauron e até mesmo o próprio Sauron. Mas Sauron teve mais sorte com os Noldor de Eregion, em especial com Celebrimbor, que em seu coração desejava se equiparar à habilidade e à fama de Fëanor.[7]

Em Eregion, Sauron fez-se passar por emissário dos Valar, enviado por eles à Terra-média ("adiantando-se assim aos Istari") ou mandado por eles para lá permanecer e auxiliar os Elfos. Percebeu imediatamente que Galadriel seria sua principal adversária e obstáculo e, portanto, esforçou-se por aplacá-la, suportando o desprezo dela com aparente paciência e cortesia [...][8] Tornou-se tão grande sua dominação [da Gwaith-i-Mírdain] que finalmente os persuadiu a se revoltarem contra Galadriel e Celeborn e tomarem o poder em Eregion. Isso ocorreu em alguma época entre 1350 e 1400 da Segunda Era. Diante disso, Galadriel deixou Eregion e passou por Khazad-dûm para chegar a Lórinand, levando consigo Amroth e Celebrían; mas Celeborn não quis entrar nas mansões dos Anãos, e ficou para trás em Eregion, desconsiderado por Celebrimbor. Em Lórinand, Galadriel assumiu o poder e a defesa contra Sauron.[9]

O próprio Sauron partiu de Eregion por volta do ano de 1500, depois que [a Gwaith-i-Mírdain havia] iniciado a feitura dos Anéis de Poder.[10]

NOTAS

1. *Sociedade*, Livro I, Capítulo 2, "A Sombra do Passado", pp. 97–8.
2. O texto que se segue foi retirado de "A História de Galadriel e Celeborn" em *CI*, pp. 321–2.
3. Para a nota extensa de Christopher Tolkien sobre essa questão, ver *CI*, pp. 343–4, nota 5.
4. "Água do Despertar", o lago da Terra-média onde os Elfos despertaram pela primeira vez, "Quenta Silmarillion", pp. 80–3, 85–6, 89, 123, 312.

5. "Quenta Silmarillion", p. 138.
6. Foi comentado: "mas muitos Sindar e Noldor vieram morar com eles, e começou sua 'sindarinização' sob o impacto da cultura beleriândica". Não fica claro quando ocorreu esse movimento para Lórinand; pode ser que viessem de Eregion através de Khazad-dûm e sob os auspícios de Galadriel.
7. Christopher Tolkien comentou que isso é relatado mais plenamente em Anéis, p. 375. "A forma pela qual Sauron logrou os artífices de Eregion, e o nome de Annatar, Senhor das Dádivas, que assumiu, estão relatos em Anéis, mas não há menção a Galadriel."
8. Christopher Tolkien comentou no corpo dessa passagem: "Neste rápido esboço não se dá explicação do motivo por que Galadriel desprezava Sauron, a não ser que conseguisse enxergar por trás de seu disfarce, ou por que, caso percebesse sua verdadeira natureza, lhe permitia ficar em Eregion".
9. Celebrían era a filha de Galadriel e Celeborn, e, no ponto na criação do legendário de Tolkien do qual essa narrativa data, Amroth era mencionado como irmão dela. Essa genealogia foi mudada num estágio posterior. Como Christopher Tolkien comentou (*CI*, p. 327): "Se Amroth realmente fosse tido como filho de Galadriel e Celeborn quando *O Senhor dos Anéis* foi escrito, uma conexão tão importante dificilmente teria deixado de ser mencionada". Em uma narrativa variante, Amroth viria a se tornar o último Rei de Lórien, herdando o reinado com a morte de seu pai, Amdír (também chamado Malgalad), na Batalha de Dagorlad (ver o ano S.E. 3434). Em *Contos Inacabados*, Christopher Tolkien incluiu "um pequeno conto" (datado de 1969 ou mais tarde) intitulado "Parte da Lenda de Amroth e Nimrodel brevemente relatada" (*CI*, 327–9). Com relação à recusa de Celeborn de atravessar Khazad-dûm, deve-se supor que ele acabou passando para o leste por meio de um dos passos sobre as Montanhas Nevoentas ou através do Desfiladeiro de Calenardhon, conhecido mais tarde como o Desfiladeiro de Rohan.
10. *CI*, p. 322.

c. 1600

Sauron forja o Um Anel em Orodruin. Completa a Barad-Dûr. Celebrimbor percebe os desígnios de Sauron.

Ora, os Elfos fizeram muitos anéis; mas, secretamente, Sauron fez Um Anel para reger a todos os outros, e o poder deles foi atado a esse Anel para que fosse inteiramente sujeito a ele e durasse apenas enquanto ele também durasse. E muito da força e da vontade de Sauron foram passadas para aquele Um Anel; pois o poder dos anéis-élficos era muito grande, e aquilo que fosse governá-los tinha de ser uma coisa de imensa potência; e Sauron o forjou na Montanha de Fogo, na Terra da Sombra. E, enquanto usava o Um Anel, conseguia perceber todas as coisas que eram feitas por meio dos anéis menores e podia ver e governar os próprios pensamentos daqueles que os usavam.[1]

Em sua carta a Milton Waldman, Tolkien explicou a fonte e o efeito do poder do Um Anel:

"[Sauron] governa um império crescente da grande torre sombria de Barad-dûr em Mordor, próxima da Montanha de Fogo, empunhando o Um Anel.

"Mas, para alcançar isso, ele fora obrigado a deixar passar grande parte de seu próprio poder inerente (um motivo frequente muito significativo em mitos e estórias de fadas) para o Um Anel. Enquanto o usava, seu poder na terra era de fato aumentado. Mas, mesmo que não o usasse, esse poder existia e estava em 'concordância' com ele mesmo: ele não era 'diminuído', a não ser que mais alguém tomasse o artefato para si e fosse possuído por ele. Se isso acontecesse, o novo possuidor poderia (caso fosse suficientemente forte e heroico por natureza) desafiar Sauron, tornar-se senhor de tudo o que ele aprendera ou fizera desde a criação do Um Anel e, assim, derrotá-lo e usurpar seu lugar. Essa era a fraqueza essencial que ele introduzira na sua situação em seu esforço (em grande parte malsucedido) de escravizar os Elfos e em seu desejo de estabelecer um controle sobre as mentes e as vontades de seus serviçais. Havia outra fraqueza: caso o Um Anel fosse realmente *desfeito*, aniquilado, então seu poder seria dissolvido, o próprio ser de Sauron seria diminuído, a ponto de desaparecer, e ele seria reduzido a uma sombra, uma mera lembrança de vontade maliciosa. Mas isso ele jamais cogitou nem temeu. O Anel era inquebrável por qualquer ourivesaria menor do que a sua própria. Era indissolúvel em qualquer fogo, exceto no imortal fogo subterrâneo onde fora feito — e este estava inacessível, em Mordor. Além disso, tão grande era o poder de avidez do Anel, qualquer um que o usasse ficava dominado por ele; estava além da força de qualquer vontade (mesmo de sua própria) danificá-lo, jogá-lo fora ou negligenciá-lo. Assim ele pensava. De qualquer maneira, estava em seu dedo."

Embora só relevada quando submetido ao fogo, o Um Anel possuía uma inscrição.[2] As letras eram élficas, "de um modo antigo", mas a língua era a de Mordor, que, traduzida na "língua comum", dizia o seguinte:

Um Anel que a todos rege, Um Anel para achá-los,
Um Anel que a todos traz para na escuridão atá-los.

Estes eram "apenas dois versos de um poema conhecido há muito tempo no saber-élfico":

Três Anéis para os élficos reis sob o céu,
Sete para os Anãos em recinto rochoso,
Nove para os Homens, que a morte escolheu,
Um para o Senhor Sombrio no espaldar tenebroso
Na Terra de Mordor aonde a Sombra desceu.
Um Anel que a todos rege, Um Anel para achá-los,
Um Anel que a todos traz para na escuridão atá-los
Na Terra de Mordor aonde a Sombra desceu."

E esse mesmo Anel, próximo ao final da Terceira Era, viria a ser o tema de uma revelação alarmante feita por Gandalf em Bolsão: "Este é o Anel-Mestre, o Um Anel que a todos rege. Este é o Um Anel que Sauron perdeu muitas eras atrás, com grande enfraquecimento de seu poder. Ele o deseja intensamente — mas não pode recuperá-lo."

Seis meses depois, em Valfenda, Mestre Elrond Meio-Elfo falou sobre o Anel aos representantes dos Povos Livres reunidos em Conselho, falando "dos Ferreiros-élficos de Eregion, de sua amizade com Moria e de sua avidez por conhecimento, pela qual Sauron os engodou. Pois naquele tempo ele ainda não era maligno de se contemplar, e receberam sua ajuda e se tornaram poderosos em seu ofício, enquanto que ele aprendeu todos os seus segredos, e os traiu, e forjou secretamente na Montanha de Fogo o Um Anel para ser mestre deles".[3] Mas, como está registrado em "Dos Anéis de Poder e da Terceira Era" e "A História de Galadriel e Celeborn", Sauron subestimou os Elfos de Eregion.

Mas os Elfos não seriam apanhados tão facilmente. Assim que Sauron pôs o Um Anel em seu dedo, ficaram cientes dele; e o reconheceram, e perceberam que desejava ser o mestre deles e de tudo o que tinham criado. Então, em raiva e medo, tiraram seus anéis.[4]

Agora, Celebrimbor não estava corrompido no coração nem na fé, mas aceitara Sauron como aquilo que este fingia ser. Quando, por fim, descobriu a existência do Um Anel, revoltou-se contra Sauron, e foi a Lórinand para se aconselhar mais uma vez com Galadriel. Deveriam ter destruído todos os Anéis de Poder nessa ocasião, "mas não conseguiram reunir as forças". Galadriel aconselhou-o a esconder os Três Anéis dos Elfos, a jamais usá-los e a dispersá-los, longe de Eregion, onde Sauron cria que estivessem. Foi então que de Celebrimbor ela recebeu Nenya, o Anel Branco, e pelo seu poder o reino de Lórinand foi fortificado e embelezado; mas o poder que exercia sobre ela era também grande e imprevisto, pois aumentou seu desejo latente do Mar e de voltar para o Oeste, de modo que diminuiu sua alegria na Terra-média. Celebrimbor seguiu [o] conselho [de Galadriel] para enviar o Anel do Ar e o Anel do Fogo para fora de Eregion; e confiou-os a Gil-galad em Lindon.[5]

Nessa época, após seis séculos de labor daquelas criaturas mantidas na servidão de Sauron — e auxiliadas pelo poder do Um Anel —, a imensa estrutura de Barad-dûr foi terminada, e era a maior fortaleza construída na Terra-média desde a Queda de Angband, a Prisão de Ferro (ou "Inferno de Ferro") nas profundezas das Montanhas de Ferro que, na Primeira Era, servira como a fortaleza de Melkor.[6] Mais tarde, na Terceira Era, pouco antes do rompimento da Sociedade do Anel, Frodo, sentado no Assento da Visão em Amon Hen e com o Um Anel no dedo, teve uma visão da terrível magnificência de Barad-dûr: "[...] seu olhar se deteve: muralha sobre muralha, ameia sobre ameia, negra, incalculavelmente possante, montanha de ferro, portão de aço, torre de diamante, ele a viu: Barad-dûr, a Fortaleza de Sauron. Toda a esperança o abandonou".[7]

Pode-se perguntar por que, na Segunda Era, Sauron não foi atacado por uma aliança dos Elfos e dos Homens do Oeste assim que foi pressentido que ele estava reunindo e robustecendo suas forças, em vez de esperarem que ele enfim instigasse a guerra. É uma questão da qual Tolkien trataria mais tarde, em janeiro de 1970, em um texto intitulado:

NOTA SOBRE O ATRASO DE GIL-GALAD E DOS NÚMENÓREANOS EM ATACAR SAURON ANTES QUE ELE PUDESSE REUNIR SUAS FORÇAS.[8]

É uma atitude vã, e na verdade injusta, julgar que eles foram tolos por não agir como, no fim, foram obrigados a agir, reunindo rapidamente suas forças e atacando Sauron. (Ver o *Debate dos Mestres-do-saber sobre a Interdição de Manwë* e sua conduta como Senhor de Arda.) Eles não tinham nenhum conhecimento preciso acerca das intenções de Sauron ou do poder dele, e foi um dos êxitos de sua astúcia e seus enganos o fato de que não estavam cientes de sua real fraqueza, e da necessidade que tinha de um longo tempo durante o qual reuniria exércitos suficientes para atacar uma aliança dos Elfos e dos Homens Ocidentais. Sem dúvida, teria mantido a ocupação de Mordor em segredo, se pudesse, e parece, com base em eventos posteriores, que Sauron tinha assegurado a vassalagem de Homens que habitavam terras vizinhas, até mesmo aquelas a oeste do Anduin, nas regiões onde mais tarde ficaria Gondor, nas Ered Nimrais e em Calenardhon. Mas os Númenóreanos, ocupando as Fozes do Anduin e o litoral de Lebennin, tinham descoberto seus estratagemas, e os revelaram a Gil-galad. Porém, até [S.E.] 1600, ele ainda estava usando o disfarce de amigo e benfeitor, e amiúde viajava à vontade por Eriador com poucos acompanhantes, e, assim, não podia arriscar que surgisse qualquer rumor de que estivesse reunindo exércitos. Nessa época, foi forçado a negligenciar o Leste (onde o antigo poder de Morgoth tivera sua base) e, embora seus emissários estivessem se ocupando das tribos de Homens orientais que se multiplicavam, não ousava permitir que qualquer um deles ficasse à vista dos Númenóreanos, ou dos Homens Ocidentais.*

Os Orques de vários tipos (criaturas de Morgoth) acabariam se mostrando os mais numerosos e terríveis de seus soldados e serviçais; mas grandes hostes deles tinham sido destruídas na guerra contra Morgoth e na destruição de Beleriand. Alguns remanescentes tinham escapado para esconderijos na parte norte das Montanhas Nevoentas e das Montanhas Cinzentas, e estavam agora se multiplicando de novo. Porém, mais a leste, havia mais tipos de Orques, e mais fortes, descendentes do reinado de Morgoth, mas, há muito sem um mestre durante a ocupação de Thangorodrim, eram ainda selvagens e ingovernáveis, predando uns aos outros e aos Homens (tanto bons como maus). Mas só depois que Mordor e a Barad-dûr estavam prontas ele pôde permitir que saíssem de seus esconderijos, ao passo que os Orques Orientais, que não tinham experimentado o poder e o terror dos Eldar, ou o valor dos Edain, não eram subservientes a Sauron — enquanto ele foi obrigado, para engodo dos Homens Ocidentais e dos Elfos, a usar forma e semblante tão belos quanto pudesse, eles o desprezavam e riam dele. Assim foi que, embora exercesse todo o seu tempo e toda a sua força para reunir e treinar exércitos, assim que seu disfarce foi revelado e ele foi reconhecido como um inimigo, foram necessários cerca de noventa anos antes que Sauron se sentisse pronto para a guerra aberta. E esse foi um erro de julgamento, como vemos por sua derrota, no fim das contas, quando a grande hoste de Minastir, vinda de Númenor, desembarcou na

---

*Isto é, das numerosas tribos de Homens, a quem os Elfos chamavam de Homens de Boa Vontade, que viviam em Eriador e Calenardhon e nos Vales do Anduin e na Grande Floresta e nas planícies entre esta e Mordor e o Mar de Rhûn. Em Eriador havia, de fato, alguns dos remanescentes das Três Casas de Homens que tinham lutado ao lado dos Elfos contra Morgoth. Outros eram de sua parentela, os quais (como os Elfos Silvestres) nunca tinham atravessado as Ered Luin, e outros tinham parentesco mais remoto. Mas quase todos eram descendentes de antigos rebeldes contra a tirania de Morgoth. (Havia também alguns homens malignos.)

Terra-média. A sua congregação de exércitos não acontecera sem oposição, e seu sucesso fora muito menor do que esperara [...]

NOTAS

1. Anéis, p. 376.
2. As descrições fornecidas e os excertos citados aqui são de *Sociedade*, Livro I, Capítulo 2, "A Sombra do Passado", pp. 101–3.
3. *ibid.*, Livro II, 2 "O Conselho de Elrond", p. 349.
4. Anéis, pp. 376–7.
5. *CI*, p. 322. Christopher Tolkien escreveu (*CI*, p. 345, nota 9): "Galadriel não pode ter feito uso dos poderes de Nenya até muito mais tarde, após a perda do Anel Regente; mas deve-se admitir que o texto não sugere isso de maneira nenhuma (embora logo acima esteja dito que ela deu a Celebrimbor o conselho de que os Anéis élficos jamais fossem usados)".
6. "Quenta Silmarillion", *passim*.
7. *Sociedade*, Livro II, 10 "O Rompimento da Sociedade", p. 563.
8. *Natureza*, Parte Três, cap. 18, pp. 422–3. Para o Debate dos Mestres-do-saber, ver *Natureza*, Parte Três, cap. 8, "A Interdição de Manwë", pp. 353 ss.

1693

Começa a guerra dos Elfos e Sauron. Os três anéis são escondidos.

Mas [Sauron], descobrindo que fora traído e que os Elfos não tinham sido enganados, encheu-se de ira; e veio contra eles em guerra aberta, exigindo que todos os anéis lhe fossem entregues, já que os artífices-élficos não poderiam ter chegado a criá-los sem o seu saber e seu conselho. Mas os Elfos fugiram dele; e três de seus anéis eles salvaram, e os levaram para longe, e os esconderam.

Ora, esses eram os Três que tinham sido feitos por último e possuíam os maiores poderes. Narya, Nenya e Vilya eram seus nomes, os Anéis de Fogo, e de Água, e de Ar, engastados com rubi, e adamante, e safira; e de todos os anéis-élficos eram os que Sauron mais desejava possuir, pois aqueles que os tinham sob sua guarda podiam evitar a decadência do tempo e adiar o cansaço do mundo. Mas Sauron não conseguiu descobrir onde estavam [os Três], pois foram dados às mãos dos Sábios, que os ocultaram e nunca mais os usaram abertamente enquanto Sauron manteve consigo o Anel Regente. Portanto, os Três permaneceram imaculados, pois foram forjados por Celebrimbor apenas, e a mão de Sauron nunca os tinha tocado; contudo, eles também estavam sujeitos ao Um.

Desde aquele tempo, a guerra nunca cessou entre Sauron e os Elfos [...][1]

NOTA

1. Anéis, p. 377.

1695

AS FORÇAS DE SAURON INVADEM ERIADOR. GIL-GALAD ENVIA ELROND A EREGION.

Quando Sauron ouviu falar do arrependimento e da revolta de Celebrimbor, seu disfarce caiu e sua ira se revelou. E, reunindo um grande exército, avançou sobre Calenardhon (Rohan) para invadir Eriador no ano de 1695. Quando Gil-galad recebeu notícias disso, enviou um exército comandado por Elrond Meio-Elfo; mas Elrond tinha um longo caminho a percorrer, e Sauron voltou-se para o norte prosseguindo imediatamente para Eregion. Os batedores e a vanguarda da hoste de Sauron já se aproximavam quando Celeborn fez uma investida e os rechaçou; mas, embora conseguisse reunir suas forças às de Elrond, não puderam voltar a Eregion, pois a hoste de Sauron era muito maior que a deles, grande o suficiente para mantê-los a distância e ao mesmo tempo atacar Eregion com vigor.[1]

NOTA

1. *CI*, p. 323.

1697

Eregion é devastada. Morte de Celebrimbor. Os portões de Moria são fechados. Elrond recua com o remanescente dos noldor e funda o Refúgio de Imladris.

Finalmente os atacantes irromperam em Eregion com ruína e devastação e capturaram o principal objeto do ataque de Sauron, a Casa dos Mírdain, onde estavam suas forjas e seus tesouros. Celebrimbor, desesperado, enfrentou Sauron ele mesmo na escadaria da grande porta dos Mírdain; mas foi agarrado e feito prisioneiro, e a Casa foi saqueada. Lá Sauron apossou-se dos Nove Anéis e de outras obras menores dos Mírdain; mas não conseguiu encontrar os Sete e os Três. Então Celebrimbor foi torturado, e Sauron descobriu por ele a quem haviam sido confiados os Sete. Isso foi revelado por Celebrimbor porque nem os Sete nem os Nove tinham tanto valor para ele quanto os Três; os

Sete e os Nove foram feitos com o auxílio de Sauron, ao passo que os Três foram feitos por Celebrimbor sozinho, com poder e propósito diversos.[1] Acerca dos Três Anéis, Sauron nada pôde saber por Celebrimbor; e mandou matá-lo. Mas adivinhava a verdade, de que os Três haviam sido confiados a guardiões élficos: e isso devia significar a Galadriel e Gil-galad.

Numa fúria sinistra voltou à batalha; e, levando como estandarte o corpo de Celebrimbor suspenso num mastro, trespassado de flechas de Orques, investiu contra o exército de Elrond. Elrond reunira os poucos Elfos de Eregion que haviam escapado, mas não tinha forças para fazer frente ao ataque. Com efeito teria sido derrotado não tivesse a hoste de Sauron sido atacada pela retaguarda; pois Durin enviou um exército de Anãos de Khazad-dûm, e com eles vieram Elfos de Lórinand liderados por Amroth. Elrond conseguiu desenredar-se, mas foi forçado a fugir para o norte, e foi nessa época que estabeleceu um refúgio e uma fortaleza em Imladris (Valfenda). Sauron abandonou a perseguição a Elrond e voltou-se contra os Anãos e os Elfos de Lórinand, que rechaçou; mas os Portões de Moria

foram fechados, e ele não conseguiu entrar. Daí em diante, Moria passou a ter o ódio eterno de Sauron, e todos os Orques recebiam ordens de molestar os Anãos sempre que pudessem.[2]

NOTAS

1. Christopher Tolkien comentou (*CI*, pp. 323–4): "Aqui não se diz efetivamente que Sauron nessa época tenha tomado posse dos Sete Anéis, embora esteja claramente implícito que o fez. No Apêndice A (III) de *O Senhor dos Anéis* diz-se que havia uma crença entre os Anãos do Povo de Durin de que o Anel de Durin III, Rei de Khazad-dûm, lhe fora dado pelos próprios artífices-élficos, e não por Sauron; mas no presente texto nada é dito sobre a forma pela qual os Sete Anéis chegaram à posse dos Anãos".
2. *CI*, p. 324.

1699

Sauron invade Eriador.

Agora, porém, Sauron tentava obter o domínio sobre Eriador: Lórinand podia esperar. Mas, enquanto assolava as terras, matando ou expulsando todos os pequenos grupos de Homens e caçando os Elfos remanescentes, muitos fugiram para engrossar a hoste de Elrond ao norte. Ora, o objetivo imediato de Sauron era capturar Lindon, onde cria ter a maior chance de se apoderar de um ou mais dos Três Anéis; e chamou, portanto, para junto de si suas forças dispersas e marchou para o oeste em direção à terra de Gil-galad, devastando tudo pelo caminho. Mas seu exército foi enfraquecido pela necessidade de deixar para trás um forte destacamento, destinado a reter Elrond e evitar que ele se abatesse sobre sua retaguarda.[1]

Como resultado, não só a grande cidade de Khazad-dûm tornou-se uma morada para os Orques de Sauron como as escavações ávidas dos Anãos haviam despertado um Balrog. Muitos anos mais tarde, no Conselho de Elrond, Glóin refletiu sobre essa catástrofe: "Demasiado fundo escavamos ali e despertamos o medo sem nome. Por longo tempo suas vastas mansões estiveram vazias desde que fugiram os filhos de Durin. [...] nenhum anão ousou passar pelas portas de Khazad-dûm durante muitas vidas de reis, exceto por Thrór, e ele pereceu."[2]

Um antigo lamento anânico fala do esplendor perdido de Khazad-dûm:

O mundo era jovem, verde a montanha,
Sem mancha a Lua cuja luz nos banha,
Nem de rio nem de pedra o nome soou,
Ergueu-se Durin e a sós andou.
Denominou os vales e os montes;
Bebeu de ainda incógnitas fontes;
No Espelhágua esteve a vê-las,
Diante dele coroa de estrelas,
De gemas num fio de prata a miragem
Da sua cabeça sobre a imagem.

O mundo era belo, a montanha era alta
Nos Dias Antigos antes da falta
Em Nargothrond dos reis e também
Em Gondolin, que agora além
Passaram do Mar do Oeste profundo:
Nos Dias de Durin belo era o mundo.

Foi rei entronado de longa data
Em salões de pedra com colunata,
Com telhado de ouro, de prata o chão,
E mágicas runas no seu portão.
A luz solar, lunar, astral,
Em lâmpadas feitas de cristal,
Sem sombra noturna ou nuvem que vela
Brilhava sempre clara e bela.

Lá estava o martelo a soar na bigorna,
Lá se entalhava a letra que orna;
Forjavam espadas, atavam bainhas;
Abriam túneis por retas linhas.
Berilo, pérola, opala em chama,
Metal trabalhado como escama,
Broquel e couraça, machado e espada,
E lança no arsenal guardada.

A gente de Durin não se cansava
E sob as montanhas canções entoava;

As harpas tocando, a cantar menestréis,
Soando ao portão as trombetas fiéis.

Cinzento é o mundo, as montanhas são velhas,
As forjas têm cinzas sobre as grelhas,
Calaram martelos, da harpa as canções:
Reside a treva em seus amplos salões;
Seu túmulo jaz sem brilho nenhum
Em Moria, em Khazad-dûm.
Inda estrelas submersas se veem um momento
No Espelhágua, atro, sem vento;
Nas águas profundas jaz a coroa
Até que de Durin o sono se escoa.[3]*

NOTAS

1. *CI*, p. 324.
2. *Sociedade*, Livro II, 2 "O Conselho de Elrond", p. 347.
3. *Sociedade*, Livro II, 4 "Uma Jornada no Escuro", pp. 445–7.

* *The world was young, the mountains green, / No stain yet on the Moon was seen, / No words were laid on stream or stone / When Durin woke and walked alone. / He named the nameless hills and dells; / He drank from yet untasted wells; / He stooped and looked in Mirrormere, / And saw a crown of stars appear, / As gems upon a silver thread, / Above the shadow of his head. / The world was fair, the mountains tall, / In Elder Days before the fall / Of mighty kings in Nargothrond / And Gondolin, who now beyond / The Western Seas have passed away: / The world was fair in Durin's Day. / A king he was on carven throne / In many-pillared halls of stone / With golden roof and silver floor, / And runes of power upon the door. / The light of sun and star and moon / In shining lamps of crystal hewn / Undimmed by cloud or shade of night / There shone for ever fair and bright. / There hammer on the anvil smote, / There chisel clove, and graver wrote; / There forged was blade, and bound was hilt; / The delver mined, the mason built. / There beryl, pearl, and opal pale, / And metal wrought like fishes' mail, / Buckler and corslet, axe and sword, / And shining spears were laid in hoard. / Unwearied then were Durin's folk; / Beneath the mountains music woke: / The harpers harped, the minstrels sang, / And at the gates the trumpets rang. / The world is grey, the mountains old, / The forge's fi re is ashen-cold; / No harp is wrung, no hammer falls: / The darkness dwells in Durin's halls; / The shadow lies upon his tomb / In Moria, in Khazad-dum. But still the sunken stars appear / In dark and windless Mirrormere; / There lies his crown in water deep, / Till Durin wakes again from sleep.*

1700

Tar-Minastir manda uma grande frota de Númenor a Lindon. Sauron é derrotado.[1]

Já havia muitos anos os Númenóreanos vinham trazendo seus navios aos Portos Cinzentos, e lá eram bem-vindos. Assim que Gil-galad começou a temer que Sauron invadisse Eriador em guerra aberta, enviou mensagens a Númenor; e no litoral de Lindon os Númenóreanos começaram a reunir um exército e suprimentos de guerra. Em 1695, quando Sauron invadiu Eriador, Gil-galad pediu auxílio a Númenor. Então o Rei Tar--Minastir enviou uma grande armada; mas esta atrasou-se e só chegou às costas da Terra-média no ano de 1700. Àquela altura Sauron dominara Eriador inteira, à única exceção da sitiada Imladris, e alcançara a linha do Rio Lhûn. Havia convocado muitos exércitos, que se aproximavam pelo sudeste, e estavam na verdade em Enedwaith, na Travessia de Tharbad, cuja defesa era fraca. Gil-galad e os Númenóreanos mantinham o Lhûn em defesa desesperada dos Portos Cinzentos, quando na última hora chegou o grande armamento de Tar-Minastir; e a hoste de Sauron sofreu pesada derrota e foi repelida. O almirante númenóreano Ciryatur ["Mestre de Navios"] enviou parte de seus navios para um desembarque mais ao sul.

Sauron foi expulso para o sudeste após uma grande carnificina no Vau Sarn (a travessia do Baranduin); e, embora reforçado por seu exército de Tharbad, de repente voltou a encontrar uma hoste númenóreana na sua retaguarda, pois Ciryatur fizera desembarcar um grande exército na foz do Gwathló (Griságua), "onde havia um pequeno porto númenóreano". [Este era Vinyalondë de Tar-Aldarion, mais tarde chamado de Lond Daer.] Na Batalha do Gwathló, Sauron foi totalmente derrotado, e ele próprio só escapou por bem pouco.[2]

NOTAS

1. Embora a data de S.E. 1700 dada para essa intervenção de Tar-Minastir esteja claramente estabelecida no legendário, ela se encontra em desacordo com as datas dadas para o reino de sua tia, a Rainha Tar-Telperien (S.E. 1556–1731). Christopher Tolkien escreveu (*CI*, p. 306, nota 9): "Não consigo explicar esta discrepância de modo algum". Foi sugerido que, na época, Minastir poderia estar agindo em nome da Rainha Tar-Telperien, como Regente ou, possivelmente, como Capitão designado dos Navios [do Rei] da Rainha, e que ele ter recebido o título de "Rei" nos relatos do envio da frota númenóreana para auxiliar os Elfos contra Sauron foi um caso de o cronista, em retrospecto, reconhecer o reinado posterior de Minastir, mesmo que, naquele período, ele não tivesse recebido o Cetro.
2. *CI*, p. 325.

1701

SAURON É EXPULSO DE ERIADOR. AS TERRAS OCIDENTAIS TÊM PAZ POR LONGO PERÍODO.

[O] pequeno exército remanescente [de Sauron] foi atacado no leste de Calenardhon, e ele, sem mais que uma guarda pessoal, fugiu para a região mais tarde chamada de Dagorlad (Planície da Batalha), de onde retornou, quebrado e humilhado, a Mordor, e jurou vingança contra Númenor. O exército que sitiava Imladris foi apanhado entre Elrond e Gil-galad, sendo totalmente destruído. Eriador estava livre do inimigo, mas estava em grande parte destroçada.

Nessa época realizou-se o primeiro Conselho, e lá foi determinado que uma fortaleza élfica no leste de Eriador deveria ser mantida em Imladris, e não em Eregion. Também nessa época Gil-galad deu Vilya, o Anel Azul, a Elrond, e o nomeou seu vice-regente em Eriador; mas reteve o Anel Vermelho, até que o deu a Círdan quando partiu de Lindon nos dias da Última Aliança. Por muitos anos as Terras-do-Oeste tiveram paz e tempo para cicatrizar as feridas.

Conta-se de Galadriel que, nessa época, um grande "anseio do mar" aumentou em seu íntimo.

(Apesar de [Galadriel] considerar seu dever permanecer na Terra-média enquanto Sauron ainda não estivesse subjugado) ela se dispôs a deixar Lórinand e a morar perto do mar. Confiou Lórinand a Amroth; e, atravessando Moria outra vez com Celebrían, chegou a Imladris, em busca de Celeborn. Lá (ao que consta) encontrou-o, e lá moraram juntos por muito tempo; e foi então que Elrond viu Celebrían pela primeira vez, e a amou, apesar de nada dizer a respeito.

Foi enquanto Galadriel estava em Imladris que ocorreu o Conselho anteriormente mencionado. Mas em algum momento posterior [não há indicação da data] Galadriel e Celeborn, na companhia de Celebrían, partiram de Imladris e foram para as terras esparsamente habitadas entre a foz do Gwathló e Ethir Anduin. Ali moraram em Belfalas, no lugar que mais tarde se chamou Dol Amroth. Ali seu filho Amroth às vezes os visitava, e sua companhia era aumentada por Elfos nandorin de Lórinand. Foi somente quando a Terceira Era estava bem avançada, quando Amroth se perdeu e Lórinand estava em perigo, que Galadriel retornou para lá, no ano de 1981.[1]

1731

REIS E RAINHAS DE NÚMENOR XI:
Tar-Minastir

Nascimento: S.E. 1474; Morte: S.E. 1873 (399 anos)
Reinado: S.E. 1731–1869 (138 anos)

Levava esse nome porque construiu uma alta torre na colina de Oromet, perto de Andúnië e das costas ocidentais, e passava boa parte de seus dias olhando de lá para o oeste. Pois o anseio tornara-se forte no coração dos Númenóreanos. Amava os Eldar, mas os invejava. Foi ele quem enviou uma grande frota em auxílio de Gil-galad na primeira guerra contra Sauron.

NOTA

1. *CI*, p. 326; com referência a Amroth e Celebrían, ver p. 192, nota 9.

c. 1800

Mais ou menos a partir desta época, os Númenóreanos começam a estabelecer domínios nas costas. Sauron estende seu poderio para o Leste. A sombra se abate sobre Númenor.

Os Númenóreanos haviam provado o poder na Terra-média, e dessa época em diante começaram a construir povoados permanentes nas costas ocidentais, tornando-se demasiado poderosos para que Sauron tentasse sair de Mordor para o oeste durante muito tempo.[1]

Os Númenóreanos, àquela altura, haviam se tornado grandes navegantes, explorando todos os mares rumo ao leste, e começavam a ansiar pelo Oeste e pelas águas proibidas; e quanto mais jubilosa era sua vida, tanto mais começavam a desejar a imortalidade dos Eldar.[2]

1869

REIS E RAINHAS DE NÚMENOR XII:

Tar-Ciryatan

Nascimento: S.E. 1634; Morte: S.E. 2035 (401 anos)
Reinado: S.E. 1869–2029 (160 anos)

O primeiro sinal da sombra que se abateria sobre eles [havia aparecido] nos dias de Tar-Minastir, o décimo primeiro Rei [...][3]

[Seu filho, Ciryatan,] desprezava os anseios de seu pai, e aliviava a inquietude de seu coração viajando, para o leste, o norte e o sul, até assumir o cetro. Diz-se que constrangeu seu pai a lhe ceder o cetro antes que este o fizesse de livre vontade. Desse modo (afirma-se), pôde ser vista a primeira chegada da Sombra sobre a bem-aventurança de Númenor. [Tar-Ciryatan] construiu uma grande frota de navios reais, e seus serviçais trouxeram de volta grande quantidade de metais e pedras preciosas, e oprimiram os homens da Terra-média.[4]

Ademais, depois de Minastir, os Reis tornaram-se cobiçosos de riqueza e poder. Inicialmente os Númenóreanos haviam chegado à Terra-média como instrutores e amigos de Homens menores afligidos por Sauron; mas agora seus portos se transformaram em fortalezas, mantendo em sujeição amplas terras costeiras.[5]

Essas coisas tiveram lugar nos dias de Tar-Ciryatan, o Construtor de Navios, e de Tar-Atanamir, seu filho; e eles eram homens soberbos, ávidos por riquezas, e puseram os homens da Terra-média sob tributo, tomando agora antes que dando.[6]

2029

REIS E RAINHAS DE NÚMENOR XIII:

Tar-Atanamir, o Grande

Nascimento: S.E. 1800; Morte: S.E. 2251 (451 anos)
Reinado: S.E. 2029–2251 (222 anos)

Muito se diz deste Rei nos Anais que sobreviveram à Queda. Pois era, assim como seu pai, orgulhoso e ávido de riquezas, e os Númenóreanos a seu serviço exigiam pesados tributos dos homens das costas da Terra-média. No seu reinado, a Sombra caiu sobre Númenor; e o Rei e aqueles que seguiam seu saber falavam abertamente contra a interdição dos Valar; e seus corações voltaram-se contra os Valar e os Eldar [...][7]

Foi Tar-Atanamir quem primeiro falou abertamente contra a Interdição e declarou que a vida dos Eldar era dele por direito. Assim a sombra se intensificou e a ideia da morte obscureceu os corações do povo.[8]

Ora, [o anseio intenso dos Númenóreanos] se tornou cada vez maior com os anos; e [eles] começaram a desejar a cidade imortal que viam ao longe, e o desejo da vida sempiterna, de escapar da morte e do fim do deleite, fortaleceu-se sobre eles; e sempre, conforme seu poder e sua glória ficavam maiores, sua inquietação crescia. Pois, embora os Valar tivessem recompensado os Dúnedain com vida longa, não podiam tirar deles o cansaço do mundo que chega afinal, e eles morriam, até mesmo seus reis da semente de Eärendil; e o tempo de suas vidas era breve aos olhos dos Eldar. Assim foi que uma sombra caiu sobre eles: na qual, talvez, a vontade de Morgoth estivesse a operar, ela que ainda se movia pelo mundo. E os Númenóreanos começaram a murmurar, primeiro em seus corações e depois em palavras abertas, contra o destino dos Homens e, acima de tudo, contra a Interdição que lhes proibia velejar para o Oeste.

E disseram entre si: "Por que os Senhores do Oeste se assentam lá em paz interminável, enquanto nós devemos morrer e ir não sabemos aonde, deixando nosso lar e tudo o que fizemos? E os Eldar não morrem, mesmo aqueles que se rebelaram contra os Senhores. E, já que somos mestres de todos os mares, e nenhuma água é tão selvagem ou tão vasta que nossos navios não possam sobrepujá-la, por que não haveríamos de ir a Avallónë e saudar lá nossos amigos?"

E havia alguns que diziam: "Por que não havíamos de ir mesmo a Aman e provar lá, que fosse apenas por um dia, a ventura dos Poderes? Será que não nos tornamos poderosos em meio ao povo de Arda?"

Os Eldar relataram essas palavras aos Valar, e Manwë se entristeceu, vendo uma nuvem surgir durante o zênite de Númenor. E mandou mensageiros aos Dúnedain, que falaram com franqueza ao Rei, e a todos os que queriam ouvir, acerca do fado e da feição do mundo.

"O Destino do Mundo", disseram, "o Uno apenas pode mudar, pois ele é que o fez. E se houvésseis de viajar de modo que, escapando de todos os enganos e armadilhas, chegásseis de fato a Aman, o Reino Abençoado, para vós de pouco proveito isso seria. Pois não é a terra de Manwë que torna seu povo sem-morte, mas os Sem-Morte que nela habitam é que consagraram a terra; e ali apenas murcharíeis e ficaríeis cansados mais cedo, como mariposas em uma luz forte e constante demais."

Mas o Rei disse: "E Eärendil, meu ancestral, não vive? Ou ele não está na terra de Aman?"

Ao que eles responderam: "Sabeis que ele tem um fado à parte e foi adjudicado aos Primogênitos que não morrem; contudo, isto também é seu destino, o de que nunca poderá retornar a terras mortais. Enquanto vós e vosso povo não são dos Primogênitos, mas são Homens mortais como Ilúvatar vos fez. Contudo, parece que desejais agora ter o bem de ambas as gentes, velejar a Valinor quando desejardes e retornar quando vos aprouver para vossas casas. Isso não pode ser. Nem podem os Valar retirar as dádivas de Ilúvatar. Os Eldar, dizeis, não são punidos, e mesmo aqueles que se rebelaram não morrem. Isso, porém, não é para eles nem recompensa nem punição, mas o cumprimento de seu ser. Não podem escapar e estão atados a este mundo, para nunca o deixar enquanto ele durar, pois sua vida é a deles. E vós sois punidos pela rebelião dos Homens, dizeis, na qual tomastes pouca parte, e assim é que morreis. Mas isso não foi no princípio designado como uma punição. Assim escapais e deixais o mundo, e não estais atados a ele, em esperança ou em cansaço. Qual de nós, portanto, deveria invejar os outros?"

E os Númenóreanos responderam: "Por que não havíamos de invejar os Valar ou até o menor dos Sem-Morte? Pois de nós se requer uma confiança cega e uma esperança sem segurança, não sabendo o que jaz diante de nós em pouco tempo. E, contudo, também amamos a Terra e não queríamos perdê-la."

Então os Mensageiros disseram: "De fato, a mente de Ilúvatar acerca de vós não é conhecida dos Valar, e ele não revelou todas as coisas que estão por vir. Mas isto consideramos verdadeiro, que vosso lar não é aqui, nem na Terra de Aman, nem em qualquer lugar dentro dos Círculos do Mundo. E a Sina dos Homens, a de que eles devem partir, foi, no princípio, uma dádiva de Ilúvatar. Tornou-se para eles uma tristeza apenas porque, caindo sob a sombra de Morgoth, parecia-lhes que estavam cercados por uma grande escuridão, da qual tinham medo; e alguns se tornaram voluntariosos e soberbos e não queriam ceder, até que a vida lhes era arrancada. Nós, que carregamos o fardo sempre crescente dos anos, não entendemos isso com clareza; mas, se aquela tristeza retornou para vos perturbar, como dizeis, então tememos que a Sombra esteja surgindo uma vez mais e cresça de novo em vossos corações. Portanto, embora sejais os Dúnedain, mais belos dos Homens, que escapastes da Sombra de outrora e lutastes com valentia contra ela, dizemos a vós: Cuidado! A vontade de Eru não pode ser contradita; e os Valar vos pedem ardentemente que não negueis a confiança à qual sois chamados para que não se torne de novo, em breve, um laço pelo qual sejais oprimidos. Esperai antes que, no fim, até o menor de vossos desejos haja de dar fruto. O amor a Arda foi posto em vossos corações por Ilúvatar, e ele não planta sem propósito. Mesmo assim, muitas eras de Homens não nascidos podem se passar antes que tal propósito se faça conhecido; e a vós será revelado, e não aos Valar."

Foi a Tar-Atanamir que os Mensageiros vieram; e ele era o décimo terceiro Rei, e, em seus dias, o Reino de Númenor tinha durado por mais que dois mil anos e chegara ao zênite de sua ventura, se não ainda de seu poder.

Mas o conselho dos Mensageiros desagradou a Atanamir, e ele lhes deu pouco ouvido, e a maior parte de seu povo o seguiu; pois desejavam ainda escapar da morte em seus próprios dias, sem se fiar na esperança. E Atanamir viveu até grande idade, agarrando-se à vida além do fim de todo regozijo; e foi o primeiro dos Númenóreanos a fazer isso, recusando-se a partir até que estivesse senil e inválido e negando a seu filho a realeza no ápice de seus dias. Pois os Senhores de Númenor costumavam se casar tarde, em suas longas vidas, e partir, e deixar o mando a seus filhos quando esses chegavam à plena estatura de corpo e mente.[9]

[Assim, Tar-Atanamir] também é chamado de o Relutante, pois foi o primeiro dos Reis a recusar-se a abandonar a vida, ou a renunciar ao cetro; e viveu até que a morte o levasse à força, senil.[10]

Nessa Era, como se conta alhures, Sauron se alevantou de novo na Terra-média, e cresceu e voltou-se de novo para o mal no qual fora nutrido por Morgoth, tornando-se poderoso em seu serviço. Já nos dias de Tar-Minastir, o décimo primeiro Rei de Númenor, ele tinha fortificado a terra de Mordor e construíra ali a Torre de Barad-dûr e, dali por diante, batalhou sempre pelo domínio da Terra-média, para se tornar um rei acima de todos os reis, como um deus diante dos Homens. E Sauron odiava os Númenóreanos por causa das façanhas de seus pais e de sua antiga aliança com os Elfos e da fidelidade aos Valar; nem esquecia ele o auxílio que Tar-Minastir dera a Gil-galad outrora, naquele tempo quando o Um Anel foi forjado e houve guerra entre Sauron e os Elfos em Eriador. Ora, ele soube que os reis de Númenor tinham aumentado o seu poder e esplendor e os odiou ainda mais; e os temia, pois podiam invadir suas terras e arrancar dele o domínio do Leste. Mas, por longo tempo, não ousou desafiar os Senhores do Mar e recuou das costas.[11]

NOTAS

1. *CI*, p. 326.
2. Apêndice A, p. 1471.
3. *ibid.*
4. *CI*, p. 300.
5. Apêndice A, p. 1471–2.
6. Akallabêth, p. 349.
7. No complexo desenvolvimento do texto de Tolkien para o "Akallabêth" (como apresentado por Christopher Tolkien em *Peoples*, pp. 150–1), é afirmado ainda que "A [Tar-Atanamir] chegaram mensagens dos Valar, as quais rejeitou [...] Agarrou-se à vida por 50 anos a mais".
8. Apêndice A, p. 1472.
9. Akallabêth, pp. 347–9.
10. *CI*, p. 301.
11. Akallabêth, p. 351.

2251

Morte de Tar-Atanamir. Tar-Ancalimon toma o cetro.[1] Começam a rebelião e a divisão dos Númenóreanos. Por volta desta época, os Nazgûl, ou Espectros-do-Anel, escravos dos nove anéis, aparecem pela primeira vez.

2251

REIS E RAINHAS DE NÚMENOR XIV:

Tar-Ancalimon

Nascimento: S.E. 1986; Morte: S.E. 2386 (400 anos)
Reinado: S.E. 2251–2386 (135 anos)

Então Tar-Ancalimon, filho de Atanamir, tornou-se Rei e era de alvitre semelhante; e, em seus dias, o povo de Númenor ficou dividido. De um lado estava o partido maior, e eram chamados de Homens do Rei, e se tornaram soberbos e se alienaram dos Eldar e dos Valar. E do outro lado estava o partido menor, e eram chamados de Elendili, os Amigos-dos-Elfos; pois, embora permanecessem leais, de fato, ao Rei e à Casa de Elros, desejavam manter a amizade dos Eldar e escutaram o conselho dos Senhores do Oeste. Mesmo assim, até eles, que davam a si mesmos o nome de Fiéis, não escaparam totalmente da aflição de seu povo e estavam perturbados pelo pensamento da morte.

Assim, a ventura de Ociente se tornou diminuída; mas ainda seu poder e esplendor cresciam. Pois os reis e seu povo ainda não tinham abandonado a sabedoria e, se não mais amavam os Valar, ao menos ainda os temiam. Não ousavam quebrar abertamente a Interdição ou velejar para além dos limites que tinham sido fixados. Para leste ainda guiavam seus altos navios. Mas o medo da morte se tornava cada vez mais sombrio sobre eles, e eles a atrasavam por todos os meios possíveis; e começaram a construir grandes casas para seus mortos, enquanto seus homens sábios labutavam sem cessar para descobrir, se pudessem, o segredo de recuperar a vida, ou ao menos o de prolongar os dias dos Homens. Contudo, alcançaram apenas a arte de preservar, sem corrupção, a carne morta dos Homens e encheram toda a terra com tumbas silenciosas nas quais o pensamento da morte era entesourado na escuridão.[2]

E alguns ensinavam que havia uma terra de sombras repleta dos espectros das coisas que eles haviam conhecido e amado sobre a terra mortal, e que em sombra os mortos haveriam de ir até lá carregando consigo as sombras de suas posses.[3]

Mas aqueles que viviam se voltaram ainda mais avidamente para prazeres e folguedos, desejando cada vez mais bens e mais riquezas; e, depois dos dias de Tar-Ancalimon, a oferenda das primícias a Eru foi negligenciada, e os homens iam raramente ao Santuário sobre as alturas de Meneltarma, no meio da terra.[4]

Muitos dos Homens do Rei começaram a abandonar o uso das línguas-élficas, e a não ensiná-las mais a seus filhos. Mas os títulos reais ainda eram dados em quenya, mais por antigo costume que por amor, por temerem que o abandono de um velho uso trouxesse má sorte.[5]

Sauron reuniu em suas mãos todos os Anéis de Poder remanescentes; e os entregou aos outros povos da Terra-média, esperando assim colocar sob sua tutela todos aqueles que desejavam poder secreto além da medida de sua gente. Sete anéis deu aos Anãos; mas aos Homens deu nove, pois os Homens se mostraram, nessa matéria tal como em outras, os mais abertos à sua vontade.[6]

> Em sua carta a Milton Waldman, Tolkien viria a escrever: "No decorrer de todo o crepúsculo da Segunda Era, a Sombra cresce no Leste da Terra-média, disseminando cada vez mais sua influência sobre os Homens — que se multiplicam à medida que os Elfos começam a desvanecer".[7]

E todos aqueles anéis que governava ele perverteu com mais facilidade, porque tivera uma parte em sua criação, e eram amaldiçoados, e traíram, no final, todos aqueles que os usavam. Os Anãos, de fato, mostraram-se vigorosos e difíceis de domar; pois pouco suportam a dominação da parte de outrem, e os pensamentos de seus corações são difíceis de vasculhar, nem podem eles ser transformados em sombras. Usaram seus anéis apenas para a obtenção de riqueza; mas a ira e uma cobiça desmesurada por ouro acenderam-se em seus corações, das quais depois veio suficiente mal para o proveito de Sauron. Dizem que a fundação de cada um dos Sete Tesouros dos Reis-Anãos de outrora era um anel de ouro; mas todos esses tesouros há muito tempo foram saqueados, e os Dragões os devoraram, e, dos Sete Anéis, alguns foram consumidos no fogo e alguns Sauron recuperou.

Os Homens se mostraram mais fáceis de enredar. Aqueles que usavam os Nove Anéis se tornaram poderosos em seus dias, reis, feiticeiros e guerreiros de outrora. Obtiveram glória e grande riqueza, mas isso se revelou sua desdita. Tinham, ao que parecia, vida interminável, mas a vida se tornou insuportável para eles. Podiam caminhar, se quisessem, sem ser vistos por todos os olhos neste mundo sob o sol, e podiam ver coisas em mundos invisíveis para homens mortais; mas mais frequentemente contemplavam apenas os espectros e as ilusões de Sauron. E um por um, mais cedo ou mais tarde, de acordo com sua força nativa e com o bem ou o mal de suas vontades no princípio, caíram sob a servidão do anel que portavam e sob o domínio do Um, que era de Sauron. E se tornaram para sempre invisíveis, salvo para aquele que usava o Anel Regente, e entraram no reino das sombras. Os Nazgûl eram eles, os Espectros-do-Anel, os mais terríveis serviçais do Inimigo; a escuridão os acompanhava, e gritavam com as vozes da morte.[8]

Sauron, porém, sempre fora astuto, e conta-se que, entre aqueles que apanhou com os Nove Anéis, três eram grandes senhores de raça númenóreana.[9]

Em *A Sociedade do Anel*, Tolkien cria uma imagem vívida dos Nazgûl quando, séculos mais tarde, na Terceira Era, eles apareceram a Frodo quando este usou o Um Anel: "Eram tão negros que pareciam buracos negros na profunda sombra atrás deles. [Ele] pensou ouvir um chiado fraco, como de um hálito peçonhento, e sentiu o ar gélido, fino e penetrante [...]

"Imediatamente, apesar de tudo o mais continuar como antes, obscuro e sombrio, as formas tornaram-se terrivelmente nítidas. Ele conseguia enxergar por baixo de suas roupas negras. [...] Nos seus rostos brancos ardiam olhos penetrantes e implacáveis; sob seus mantos havia longas vestes cinzentas; sobre seus cabelos grisalhos havia elmos de prata; em suas mãos magras havia espadas de aço. Seus olhos recaíram sobre ele e o penetraram, enquanto se precipitavam em sua direção".[10]

Mais tarde, em *As Duas Torres*, o autor faz com que Faramir conte sobre a origem os Nazgûl: "Dizem que seus senhores eram homens de Númenor que caíram em maldade sombria; a eles o Inimigo dera anéis de poder e os devorara: tornaram-se fantasmas viventes, terríveis e malignos".[11]

NOTAS

1. No Apêndice B (p. 1540), é mostrado que esses eventos ocorreram no ano 2251. Ao falar sobre essa discrepância (*CI*, pp. 306–7, nota 10), Christopher Tolkien escreveu: "Em o 'Conto dos Anos' (Apêndice B de *O Senhor dos Anéis*) aparece o registro: '2251 Tar-Atanamir toma o cetro. Começam a rebelião e a divisão dos Númenóreanos'. Isso discorda completamente do texto presente, segundo o qual Tar-Atanamir morreu em 2221. Essa data de 2221, no entanto, é ela mesma uma correção de 2251; e sua morte está mencionada em outro lugar como tendo ocorrido em 2251. Assim, o mesmo ano aparece em diferentes textos como data de sua ascensão ao trono e como data de sua morte; e toda a estrutura da cronologia mostra claramente que a primeira alternativa deve estar errada. Ademais, no 'Akallabêth' (*O Silmarillion*, p. 350) diz-se que foi no tempo de Ancalimon, filho de Atanamir, que o povo de Númenor se dividiu. Portanto, tenho poucas dúvidas de que o registro de "O Conto dos Anos" está errado, e que a leitura correta é: '2251 Morte de Tar-Atanamir. Tar-Ancalimon toma o cetro. Começam a rebelião e a divisão dos Númenóreanos'. Mas, se assim for, continua estranho que a data da morte de Atanamir tenha sido alterada na 'Linhagem de Elros' se estava fixada por um registro em 'O Conto dos Anos'". Neste volume, a datação segue a "leitura correta" de Christopher Tolkien.*
2. Akallabêth, p. 350.
3. Passagem rascunhada, não inserida no "Akallabêth", apresentada por Christopher Tolkien em *Peoples*, p. 152.
4. Akallabêth, p. 350.
5. *CI*, p. 301.
6. Anéis, p. 377.
7. *Cartas*, carta nº 131.
8. Anéis, pp. 377–8.
9. Akallabêth, p. 351.
10. *Sociedade*, Livro I, 11 "Um Punhal no Escuro", pp. 290–1.
11. *Torres*, Livro IV, 6 "A Lagoa Proibida", p. 990.

*A data corrigida já aparece nas novas edições de *O Senhor dos Anéis* que têm como base o texto revisado pela ocasião do aniversário de 50 anos da publicação do livro. [N. T.]

2280

Umbar se torna uma grande fortaleza de Númenor.

2350

Construção de Pelargir. Torna-se o principal porto dos Númenóreanos fiéis.

Assim veio a acontecer, naquele tempo, que os Númenóreanos fizeram os primeiros grandes assentamentos nas costas do oeste das terras antigas; pois sua própria terra lhes parecia encolhida, e não tinham nenhum descanso ou contentamento nela, e desejavam agora riqueza e domínio na Terra-média, já que o Oeste lhes fora negado. Grandes portos e fortes torres erigiram, e ali muitos deles fizeram sua morada; mas apareciam agora antes como senhores e mestres e recolhedores de tributo do que como quem trazia ajuda e ensinamento. E os grandes navios dos Númenóreanos eram levados para o leste pelos ventos e retornavam sempre carregados, e o poder e a majestade de seus reis foram aumentados; e bebiam e festejavam, e se trajavam de prata e de ouro.

Em tudo isso os Amigos-dos-Elfos tomavam pequena parte. Eles, apenas, vinham agora sempre para o norte e para a terra de Gil-galad, mantendo sua amizade com os Elfos e dando-lhes auxílio contra Sauron [...] Mas os Homens do Rei velejavam muito ao longe, para o sul, e embora os reinos e fortalezas que fizeram tenham deixado muitos rumores nas lendas dos Homens, os Eldar nada sabem delas. Apenas de Pelargir eles se lembram, pois era lá o porto dos Amigos-dos-Elfos acima das fozes do Anduin, o Grande.[1]

Os Númenóreanos, que primeiro haviam ido à Terra-média "em busca de riqueza e domínio", foram levados a construir fortificações e defesas nas regiões costeiras como resultado da ambição implacável de Sauron e da vinda dos Úlairi, como os Nazgûl são chamados em quenya.

E, quando os Úlairi surgiram, eles que eram os Espectros-do-Anel, serviçais [de Sauron], e a força de seu terror e mando sobre os Homens crescera de modo sobremaneira grande, ele começou a assaltar as praças-fortes dos Númenóreanos nas costas do mar.[2]

Os Amigos-dos-Elfos vão principalmente para o Noroeste, mas seu local mais fortificado é em Pelargir, acima das Fozes do Anduin. O Povo do Rei estabelece domínios em Umbar e no Harad e em muitos outros lugares nas costas das Grandes Terras.

Durante o mesmo período, Sauron estende seu domínio lentamente sobre grande parte da Terra-média; mas seu poder se volta para o leste, já que ele é refreado nas costas pelos Númenóreanos.[3]

> Em anos subsequentes, as divisões ficariam mais profundas entre os Númenóreanos conhecidos como "O Povo do Rei" ou "Os Homens do Rei" e aqueles que eram "Amigos-dos-Elfos" e que mantinham uma lealdade inabalável para com os Eldar.

Os Reis e seus seguidores abandonaram o uso das línguas eldarin; e por fim o vigésimo Rei assumiu seu nome régio em forma númenóreana, denominando-se Ar-Adûnakhôr, "Senhor do Oeste". Isso pareceu aos Fiéis ser de mau agouro, pois até então haviam dado aquele título apenas a algum dos Valar, ou ao próprio Rei Antigo.[4]

Ora, a cobiça e a soberba de Sauron aumentaram até não reconhecer limite algum, e decidiu fazer de si mestre de todas as coisas da Terra-média, e destruir os Elfos, e realizar, se pudesse, a queda de Númenor. Não aceitava liberdade nem rival algum, e chamou a si mesmo de Senhor da Terra. Uma máscara ainda podia usar de modo que, se desejasse, era capaz de enganar os olhos dos Homens, parecendo-lhes sábio e belo. Mas governava antes por força e medo, se lhe pudessem valer; e aqueles que percebiam sua sombra se espalhando pelo mundo o chamaram de Senhor Sombrio e lhe deram o nome de Inimigo; e ele reuniu de novo sob seu governo todas as coisas malignas dos dias de Morgoth que permaneciam na terra ou debaixo dela, e os Orques estavam sob seu comando e se multiplicavam como moscas. Assim os Anos de Trevas começaram, aos quais os Elfos chamam de Dias de Fuga. Naquele tempo, muitos dos Elfos da Terra-média fugiram para Lindon e de lá atravessaram o mar para nunca retornar; e muitos foram destruídos por Sauron e seus serviçais. Mas, em Lindon, Gil-galad ainda mantinha seu poder, e Sauron ainda não ousava cruzar as montanhas das Ered Luin ou atacar os Portos; e Gil-galad era auxiliado pelos Númenóreanos. Em outros lugares, Sauron reinava, e aqueles que queriam ser livres buscavam refúgio nos lugares inacessíveis, em mata e montanha, e sempre o medo os perseguia. No leste e no sul quase todos os Homens estavam sob o domínio dele, e se tornaram fortes naqueles dias e construíram muitas cidades e muralhas de pedra, e eram numerosos e ferozes na guerra e armados com ferro. Para eles Sauron era tanto rei como deus; e o temiam sobremaneira, pois ele cercava sua morada com fogo.[5]

2386

REIS E RAINHAS DE NÚMENOR XV:

Tar-Telemmaitë

Nascimento: S.E. 2136; Morte: S.E. 2526 (390 anos)
Reinado: S.E. 2386–2526 (140 anos)

A partir dele, cada Rei passou a reinar em termos nominais desde a morte de seu pai até sua própria morte, embora o poder efetivo muitas vezes passasse a seus filhos ou conselheiros, e os dias dos descendentes de Elros minguaram sob a Sombra. Diz-se que o décimo quinto Monarca de Númenor era chamado [Telemmaitë] ("mão-de-prata") em virtude de seu amor pela prata, "e mandava seus serviçais procurarem sempre por *mithril*".[6]

2526

REIS E RAINHAS DE NÚMENOR XVI:

Tar-Vanimeldë

Nascimento: S.E. 2277; Morte: S.E. 2637 (360 anos)
Reinado: S.E. 2526–2637 (111 anos)

[Tar-Vanimeldë] foi a terceira Rainha Governante [...] Pouco se importava com o governo, apreciando mais a música e a dança; e o poder era exercido por seu marido Herucalmo, mais jovem que ela, porém descendente de Tar-Atanamir no mesmo grau.

2637

REIS E RAINHAS DE NÚMENOR [USURPADOR]

Tar-Anducal (Herucalmo)

Nascimento: S.E. 2286; Morte: S.E. 2657 (371 anos)
Reinado: (ilegalmente) S.E. 2637–2657 (20 anos)

Herucalmo assumiu o cetro após a morte da esposa, chamando-se Tar-Anducal, e recusando o reinado a seu filho Alcarin. Há, porém, quem não o conte na Linhagem dos Reis como o décimo sétimo, e passe a Alcarin.

2657

REIS E RAINHAS DE NÚMENOR XVII:

Tar-Alcarin

Nascimento: S.E. 2406; Morte: S.E. 2737 (331 anos)
Reinado: (*de jure*) S.E. 2637–2737 (100 anos)
(*de facto*) S.E. 2657–2737 (80 anos)

Devido à usurpação de Herucalmo (o chamado Tar-Anducal), pai de Tar-Alcarin, ele governou como Rei de direito por apenas oitenta anos.

2737

REIS E RAINHAS DE NÚMENOR XVIII:

Tar-Calmacil (Ar-Belzagar)

Nascimento: S.E. 2516; Morte: S.E. 2825 (309 anos)
Reinado: S.E. 2737–2825 (88 anos)

Tomou [o nome Tar-Calmacil] porque na juventude foi um grande capitão e conquistou vastas regiões ao longo do litoral da Terra-média. Assim insuflou o ódio de Sauron, que, não obstante, se retirou para construir seu poderio no Leste, longe da costa, à espera do momento propício. Nos dias de Tar-Calmacil o nome do Rei foi pela primeira vez pronunciado em adûnaico; e pelos Homens do Rei ele era chamado Ar-Belzagar.

2825

REIS E RAINHAS DE NÚMENOR XIX:

Tar-Ardamin (Ar-Abattârik)

Nascimento: S.E. 2618; Morte: S.E. 2899 (281 anos)
Reinado: S.E. 2825–2899 (74 anos)

Tar-Ardamin foi o último dos Reis númenóreanos a assumir o cetro usando um nome régio em quenya.[7]

NOTAS

1. Akallabêth, pp. 350–51. A segunda parte dessa passagem (após "dando-lhes auxílio contra Sauron") foi retirada do "texto autêntico" conforme apresentado por Christopher Tolkien em *Peoples*, p. 152. A versão como apresentada em *O Silmarillion* diz o seguinte: "[...]e seu porto era Pelargir, acima

das fozes do Anduin, o Grande. Mas os Homens do Rei velejavam muito ao longe, para o sul; e os senhorios e as fortalezas que fizeram deixaram muitos rumores nas lendas dos Homens".

2. Akallabêth, pp. 351–2.
3. *Peoples*, p. 175. Sobre a importância de Umbar e Pelargir na Terceira Era e o papel desempenhado pelos Corsários de Umbar na Guerra do Anel, ver *O Senhor dos Anéis*, Livros V e VI.
4. Apêndice A, p. 1472. Tolkien observa uma referência ao "Rei Antigo" em "A Canção de Eärendil", ou "Eärendil foi um navegante", escrita por Bilbo Bolseiro (com uma contribuição ao conteúdo feita por Aragorn, como o poeta admitiu) e cantada para a companhia reunida em Valfenda na véspera do Conselho de Elrond.

   A referência aparece na sexta estrofe, que fala da visita de Eärendil a Valinor antes de partir para "singrar os céus como farol / atrás do Sol e à luz da Lua":

   "Pisou depois perpétuos paços
   pelos compassos de anos sem fim,
   domínio eterno do Rei Antigo
   no Monte e abrigo de Ilmarin;
   o que se disse não ouviu ninguém,
   nem Elfo nem Mortal de fora;
   de além do mundo viu signo novo
   oculto ao povo que nele mora."*
5. Anéis, pp. 378–9.
6. *CI*, p. 301 e p. 380, nota 31.
7. Existe uma anomalia no registro do lugar de Tar-Ardamin na lista de monarcas que foi posteriormente mencionada por Christopher Tolkien em suas notas de "A Linhagem de Elros", onde escreveu (*CI*, p. 307, nota 11): "Na lista dos Reis e Rainhas de Númenor no Apêndice A (I, i) de *O Senhor dos Anéis*, o monarca que se seguiu a Tar-Calmacil (o décimo oitavo) foi Ar-Adûnakhôr (o décimo nono). Em 'O Conto dos Anos', no Apêndice B, diz-se que Ar-Adûnakhôr assumiu o cetro no ano de 2899; e com base nisso o sr. Robert Foster, em *The Complete Guide to Middle-earth*, indica a data da morte de Tar-Calmacil como 2899. Por outro lado, mais adiante no relato dos monarcas de Númenor do Apêndice A, Ar-Adûnakhôr é chamado de vigésimo rei; e em 1964 meu pai respondeu a um correspondente que perguntara acerca desse ponto: 'Do modo como a genealogia está escrita, ele deveria ser chamado de décimo sexto rei e décimo nono

* *He came unto the timeless halls / where shining fall the countless years, / and endless reigns the Elder King / in Ilmarin on Mountain sheer; / and words unheard were spoken then / of folk of Men and Elven-kin, / beyond the world were visions showed / forbid to those that dwell therein.*

monarca. Possivelmente dever-se-ia ler dezenove em vez de vinte; mas também é possível que um nome tenha sido omitido.' Explicou que não podia ter certeza porque, à época em que escrevia aquela carta, seus estudos sobre o assunto não estavam disponíveis.

"Ao editar o 'Akallabêth', mudei o texto original 'E o vigésimo rei tomou o cetro de seus pais e subiu ao trono com o nome de Adûnakhôr' para 'E o décimo nono rei [...]' (*O Silmarillion*, p. 352), e de modo semelhante 'vinte e quatro' para 'vinte e três' (*ibid.*, p. 354). Naquela época eu não observara que em 'A Linhagem de Elros' o monarca seguinte a Tar-Calmacil não era Ar-Adûnakhôr, mas sim Tar-Ardamin; mas agora parece perfeitamente claro, apenas pelo fato de que a data da morte de Tar-Ardamin está dada aqui como 2899, que ele foi erroneamente omitido da lista em *O Senhor dos Anéis*.

"Por outro lado, é uma certeza da tradição (afirmada no Apêndice A, no 'Akallabêth', e em 'A Linhagem de Elros') que Ar-Adûnakhôr foi o primeiro Rei a assumir o cetro com um nome em idioma adûnaico. Partindo-se do pressuposto de que Tar-Ardamin foi omitido da lista no Apêndice A por mero descuido, é surpreendente que a mudança do estilo dos nomes reais seja lá atribuída ao primeiro monarca após Tar-Calmacil. Pode ser que na base do texto exista uma situação textual mais complexa do que um mero erro de omissão."*

*O nome de Tar-Ardamin foi acrescentado ao texto da edição de aniversário de 50 anos de *O Senhor dos Anéis* (publicada em 2005), de modo que as novas edições publicadas desde então já se encontram corrigidas. [N. T.]

2899

Ar-Adûnakhôr toma o cetro.

2899

REIS E RAINHAS DE NÚMENOR XX:

Ar-Adûnakhôr (Tar-Herunúmen)

Nascimento: S.E. 2709; Morte: S.E. 2962 (253 anos)
Reinado: S.E. 2899–2962 (63 anos)

Naqueles dias, a Sombra se tornou mais profunda sobre Númenor; e as vidas dos Reis da Casa de Elros esvaneceram-se por causa de sua rebelião, mas eles endureceram seus corações ainda mais contra os Valar. E o vigésimo rei tomou o cetro de seus pais e subiu ao trono com o nome de Adûnakhôr, Senhor do Oeste, abandonando as línguas-élficas e proibindo o uso delas diante de si. Contudo, no Pergaminho dos Reis, o nome Herunúmen foi escrito na fala alto-élfica por causa do antigo costume, que os reis temiam quebrar totalmente para que não sobreviesse o mal. Ora, esse título parecia aos Fiéis soberbo demais, sendo o título dos Valar; e seus corações foram duramente testados entre sua lealdade à Casa de Elros e sua reverência aos Poderes designados. Mas o pior ainda estava por vir.[1]

Nesse reinado, as línguas-élficas não foram mais usadas, nem se permitiu que fossem ensinadas, mas foram mantidas em segredo pelos Fiéis. E daí em diante os navios de Eressëa passaram a vir às praias ocidentais de Númenor raramente e em segredo.[2]

E de fato, Ar-Adûnakhôr começou a perseguir os Fiéis e a punir os que usavam abertamente as línguas dos Elfos; e os Eldar não vieram mais a Númenor.

Não obstante, o poder e a riqueza dos Númenóreanos continuava a aumentar; mas seus anos minguavam à medida que crescia seu medo da morte, e seu júbilo partiu.[3]

2962

REIS E RAINHAS DE NÚMENOR XXI:

Ar-Zimrathôn (Tar-Hostamir)

Nascimento: S.E. 2798; Morte: S.E. 3033 (235 anos)
Reinado: S.E. 2962–3033 (71 anos)

3033

REIS E RAINHAS DE NÚMENOR XXII:

Ar-Sakalthôr (Tar-Falassion)

Nascimento: S.E. 2876; Morte: S.E. 3102 (226 anos)
Reinado: S.E. 3033–3102 (69 anos)

3102

REIS E RAINHAS DE NÚMENOR XXIII:

Ar-Gimilzôr (Tar-Telemnar)

Nascimento: S.E. 2960; Morte: S.E. 3175 (215 anos)
Reinado: S.E. 3102–3175 (73 anos)[4]

Ar-Gimilzôr, o vigésimo terceiro rei, foi o maior inimigo dos Fiéis que já surgira. Em seus dias, a Árvore Branca deixou de ser cuidada e começou a declinar; e ele proibiu totalmente o uso das línguas-élficas e punia aqueles que recebiam os navios de Eressëa que ainda vinham secretamente às costas do oeste da terra.[5]

Não reverenciava nada e nunca ia ao Local Sagrado de Eru.[6]

Ora, os Elendili [os Fiéis] habitavam mormente as regiões do oeste de Númenor; mas Ar-Gimilzôr ordenou a todos os que pôde descobrir dos membros desse partido a se mudar do oeste e habitar no leste da terra; e ali eram vigiados. E a principal habitação dos Fiéis nos dias mais tardios ficava, assim, próxima ao porto de Rómenna; de lá muitos içavam velas para a Terra-média, buscando as costas do norte, onde podiam ainda falar com os Eldar no reino de Gil-galad. Isso era conhecido dos reis, mas não o impediam, contanto que os Elendili partissem de sua terra e não retornassem; pois desejavam encerrar toda amizade entre seu povo e os Eldar de Eressëa, a quem chamavam de Espiões dos Valar, na esperança de manter seus feitos e seus conselhos ocultos dos Senhores do Oeste. Mas tudo o que faziam era conhecido de Manwë, e os Valar estavam irados com os Reis de Númenor e não lhes davam mais conselho e proteção; e os navios de Eressëa nunca mais vieram do pôr do sol, e os portos de Andúnië foram abandonados.

Os de mais subida honra, depois da casa dos reis, eram os Senhores de Andúnië; pois eram da linhagem de Elros, sendo descendentes de Silmarien, filha de Tar-Elendil, o quarto rei de

Númenor. E esses senhores eram leais aos reis e os reverenciavam; e o Senhor de Andúnië estava sempre entre os principais conselheiros do Cetro. Contudo, também desde o princípio eles tinham especial amor pelos Eldar e reverência pelos Valar; e, conforme a Sombra crescia, auxiliavam os Fiéis como podiam. Mas por muito tempo não se declararam abertamente e buscavam, antes, corrigir os corações dos senhores do Cetro com conselhos mais sábios.

Havia uma certa senhora Inzilbêth, renomada por sua beleza, e sua mãe era Lindórië, irmã de Eärendur, o Senhor de Andúnië nos dias de Ar-Sakalthôr, pai de Ar-Gimilzôr. Gimilzôr a tomou por esposa, embora isso pouco fosse do gosto dela, pois era no coração uma das Fiéis, tendo sido instruída por sua mãe; mas os reis e seus filhos tinham se tornado soberbos e não podiam ser contraditos em seus desejos. Nenhum amor havia entre Ar-Gimilzôr e sua rainha ou entre seus filhos. Inziladûn, o mais velho, era semelhante à sua mãe em mente como em corpo; mas Gimilkhâd, o mais novo, era como seu pai, se não fosse por ser ainda mais soberbo e voluntarioso. A ele Ar-Gimilzôr teria cedido o cetro antes que ao filho mais velho, se as leis o permitissem.[7]

NOTAS

1. Akallabêth, p. 352.
2. *CI*, pp. 302–3.
3. Apêndice A, p. 1472.
4. Em "A Linhagem de Elros", *CI*, p. 303, o ano da morte de Ar-Gimilzôr é dado como "3177"; contudo, em "O Conto dos Anos" (Apêndice B, p. 1540), o "Arrependimento de Tar-Palantir" é datado de "3175", o que sugere que essa data é o ano em que Tar-Palantir assumiu o cetro. Somente para a cronologia conforme estabelecida neste volume, a extensão do reinado de Ar-Gimilzôr e a data de sua morte foram devidamente emendadas. Ver as observações de Christopher Tolkien na nota 2 abaixo.
5. Akallabêth", p. 352.
6. *CI*, p. 303.
7. Akallabêth, pp. 352–3.

3175

Arrependimento de Tar-Palantir. Guerra civil em Númenor.

3175

REIS E RAINHAS DE NÚMENOR XXIV:

Tar-Palantir (Ar-Inziladûn)[1]

Nascimento: S.E. 3035; Morte: S.E. 3255 (220 anos)
Reinado: S.E. 3175–3255 (80 anos)[2]

Quando Inziladûn recebeu o cetro, tomou de novo um título na língua-élfica como outrora, chamando a si mesmo de Tar-Palantir, pois enxergava longe tanto com olhos como com mente, e mesmo aqueles que o odiavam temiam suas palavras como as de um vidente da verdade.[3]

Tar-Palantir arrependeu-se dos costumes dos Reis que o precederam, e de bom grado teria retornado à amizade dos Eldar e dos Senhores do Oeste.[4]

Deu paz, por algum tempo, aos Fiéis; e foi uma vez mais nas estações devidas ao Santuário de Eru sobre o Meneltarma, o qual Ar-Gimilzôr abandonara. À Árvore Branca deu cuidados novamente com honra; e profetizou, dizendo que, quando a Árvore perecesse, então também a linhagem dos Reis chegaria a seu fim. Mas seu arrependimento vinha tarde demais para apaziguar a raiva dos Valar quanto à insolência de seus pais, da qual a maior parte de seu povo não se arrependeu. E Gimilkhâd [o irmão do Rei] era forte e não gentil, e, [seguindo os costumes de Ar-Gimilzôr], assumiu a liderança daqueles que tinham sido chamados de Homens do Rei, e se opunha à vontade de seu irmão tão abertamente quanto o ousava, e ainda mais em segredo. Assim, os dias de Tar-Palantir se escureceram com a tristeza; e ele passava muito de seu tempo no oeste, e lá ascendia amiúde à antiga torre do Rei Minastir, sobre o monte de Oromet, perto de Andúnië, donde mirava a oeste em anseio, esperando ver, talvez, alguma vela sobre o mar. Mas nenhum navio jamais veio de novo do Oeste para Númenor, e Avallónë estava velada em nuvem.[5]

Também passava boa parte de seus dias em Andúnië, visto que Lindórië, mãe de sua mãe, era aparentada dos Senhores, por ser de fato irmã de Eärendur, o décimo quinto Senhor e avô de Númendil, que era Senhor de Andúnië nos dias de seu primo Tar-Palantir.[6]

[O irmão de Tar-Palantir,] Gimilkhâd, morreu dois anos antes de completar duzentos anos (o que era considerado uma morte precoce para alguém da linhagem de Elros, mesmo em seu esvanecer), mas isso não trouxe paz alguma ao Rei. Pois Pharazôn, filho de Gimilkhâd [e sobrinho do Rei], tinha se tornado um homem ainda mais inquieto e ávido por riqueza e poder que seu pai.[7]

[Ar-Pharazôn] era um homem de grande beleza e força/estatura, à imagem dos primeiros reis e, de fato, em sua juventude não era dessemelhante aos Edain de outrora também na mente, embora tivesse [coragem e] poder de vontade mais do que de sabedoria, como mais tarde se demonstrou, quando foi corrompido pelos conselhos de seu pai e pela aclamação do povo.

Em seus dias antigos, tinha amizade próxima com Amandil, que foi depois Senhor de Andúnië, e ele amara as pessoas da Casa de Valandil, com quem tinha parentesco (por causa de Inzilbêth, mãe de seu pai). Deles era frequentemente hóspede, e veio Zimraphel, [chamada Míriel na língua-élfica,] sua prima, filha de Inziladûn que foi depois o Rei Tar-Palantir.[8]

Ora, Zimraphel [...] era uma mulher de grande beleza, menor [?em... estatura] do que era a maioria das mulheres daquela terra, com olhos brilhantes [...] Era um ano mais velha do que Ar-Pharazôn, mas parecia mais jovem [...]

Elentir, o irmão de Amandil, amava [Míriel], mas, quando ela primeiro viu Pharazôn [...] no esplendor de sua virilidade juvenil [...] e quando Pharazôn foi recepcionado na escadaria da casa [...] seus olhos e seu coração voltaram-se para ele, por sua beleza e por sua riqueza também.

[E Pharazôn] partiu e [Míriel] permaneceu inupta.[9]

[Pharazôn] tinha feito amiúde longas jornadas, como um líder nas guerras que os Númenóreanos travavam então nas regiões costeiras da Terra-média, buscando estender o domínio deles sobre os Homens; e assim ganhara grande renome como um capitão, tanto na terra como no mar. Desse modo, quando voltou a Númenor, ouvindo sobre a morte de seu pai, os corações do povo se voltaram para ele; pois trazia consigo grande riqueza e era, naquele tempo, liberal ao distribuí-la.[10]

E veio a acontecer que Tar-Palantir fatigou-se de tristeza e morreu. [Havia se casado tarde e] não tinha filho, mas uma filha apenas [nascida no ano 3117], a quem chamava de Míriel na língua-élfica; e a ela agora, por direito e pelas leis dos Númenóreanos, devia vir o cetro. Mas Pharazôn a tomou por esposa contra sua vontade, fazendo o mal nisso e o mal também em que as leis de Númenor não permitiam o casamento, mesmo na casa real, daqueles de parentesco mais próximo do que primos de segundo grau. E quando se casaram, ele tomou o cetro com sua própria mão, adotando o título de Ar-Pharazôn (Tar-Calion na língua élfica); e o nome de sua rainha ele mudou para Ar-Zimraphel.

NOTAS

1. Christopher Tolkien comentou (*CI*, p. 307–8, nota 13): "Existe um desenho floral altamente formalizado, feito por meu pai, de estilo semelhante ao mostrado em *Pictures by J.R.R. Tolkien* (1979) n. 45, no canto inferior direito, que traz o título *Inziladûn*, e abaixo dele está escrito, tanto em escrita fëanoriana como em transliteração, *Númellótë* ['Flor do Oeste']".
2. Christopher Tolkien escreveu (*CI*, p. 308, nota 15): "Uma discrepância final entre 'A Linhagem de Elros' e 'O Conto dos Anos' surge nas datas de Tar-Palantir. Está dito no 'Akallabêth' (p. 353) que, 'quando Inziladûn recebeu o cetro, tomou de novo um título na língua-élfica como outrora, chamando a si mesmo de Tar-Palantir'; e em 'O Conto dos Anos' aparece o registro: '3175 Arrependimento de Tar-Palantir. Guerra civil em Númenor'. Por essas afirmativas pareceria quase certo que 3175 foi o ano de sua ascensão; e isso se confirma pelo fato de que na 'Linhagem de Elros' a data da morte de seu pai Ar-Gimilzôr foi originalmente dada como 3175, e só mais tarde corrigida para 3177. Assim como ocorre com a data da morte de Tar-Atanamir [ver p. 224, nota 1], é difícil compreender por que foi feita essa pequena mudança, em contradição a 'O Conto dos Anos'".

   Somente para a cronologia conforme estabelecida neste volume (assim como com as datas relacionadas a Ar-Gimilzôr, ver p. 231, nota 4), uma emenda foi feita na data de ascensão de Tar-Palantir e na extensão de seu reinado.
3. Akallabêth, p. 353.
4. *CI*, p. 303.
5. Akallabêth, pp. 353–4.
6. *CI*, pp. 303–4.
7. Essas três passagens incorporam material de *Peoples*, pp. 160–2. Palavras entre colchetes precedidas por um ponto de interrogação indicam palavras que Christopher Tolkien teve dificuldade para decifrar na letra apressada do pai. Em outra frase na p. 161, Tolkien refere-se não só a Míriel sendo amada por Elentir, mas ao casal ser "noivo".
8. *Peoples*, pp. 159–62. Essas três passagens aparecem em uma seção que Christopher Tolkien intitulou "*Nota sobre o matrimônio de Míriel e Pharazôn*", sobre a qual ele comenta que seu pai "despendeu muito trabalho" nessa história, mas que o manuscrito que foi preservado é "muito irregular" e "extraordinariamente difícil de decifrar". O nome "Zimrahil" nessas passagens foi aqui emendado para a sua versão tardia, "Zimraphel". Em uma nota sobre a referência a Amandil, Christopher Tolkien acrescentou que seu pai havia adicionado, na margem do manuscrito: "3º na linhagem depois de Eärendur e 18º depois de Valandil, o Primeiro Senhor de Andúnië". O acréscimo das palavras "[coragem e]" foi retirado de *Peoples*, p. 162.
9. *Peoples*, p. 160.
10. Akallabêth, p. 354.

3255

Ar-Pharazôn, O Dourado, toma o cetro.

REIS E RAINHAS DE NÚMENOR:

Tar-Míriel (Ar-Zimraphel)

Nascimento: S.E. 3117; Morte na Queda: S.E. 3319 (202 anos); Reinado: Embora tivesse direito à posição de vigésimo quinto monarca de Númenor, ela não sucedeu ao pai por ter entregado o cetro a Ar-Pharazôn.

Ela viria ser Rainha Reinante pelo breve período, em S.E. 3319, entre o embarque de Ar-Pharazôn para atacar Valinor e a submersão final de Númenor.

3255

REIS E RAINHAS DE NÚMENOR XXV:

Ar-Pharazôn (Tar-Calion)

Nascimento: S.E. 3118; Morte na Queda: S.E. 3319 (201 anos)
Reinado (por usurpação): S.E. 3255–3319 (64 anos)

O mais poderoso e soberbo era Ar-Pharazôn, o Dourado, dentre todos aqueles que tinham portado o Cetro dos Reis-dos-Mares desde a fundação de Númenor; e quatro e vinte Reis e Rainhas tinham regido os Númenóreanos antes e dormiam, então, em seus túmulos profundos sob o monte de Meneltarma, deitados sobre camas d'ouro.[1]

Seu desejo era nada menos que a realeza do mundo.[2]

Os Elendili ["Amigos-dos-Elfos", "Os Fiéis"] somente não eram subservientes a [Ar-Pharazôn], ou ousavam falar contra seus desejos, e tornou-se bem conhecido de todos naquele tempo que Amandil, o Senhor de Andúnië, era o chefe de seu partido, embora não abertamente declarado. Portanto, Ar-Pharazôn perseguiu os Fiéis, tomando-lhes quaisquer riquezas que possuíssem, e privou os herdeiros de Valandil de seu senhorio.[3]

Andúnië ele tomou, então, e fez dele o porto-mor para os navios do rei, e Amandil, o Senhor, ele ordenou que habitasse em Rómenna. Ainda assim, não o importunou de outras maneiras, nem o dispensou ainda do seu Conselho. Pois, nos dias de sua juventude (antes que seu pai o corrompesse), Amandil fora seu amigo querido.[4] E Amandil era benquisto também por muitos que não eram dos Elendili.[5]

Ao descrever a mudança que acometera os Númenóreanos, J.R.R. Tolkien escreveu na carta a Milton Waldman, composta em 1951:[6]

Númenor crescera em riqueza, sabedoria e glória sob sua linhagem de grandes reis de vida longa, que descendiam diretamente de Elros, filho de Eärendil, irmão de Elrond. A *Queda de Númenor*, a Segunda Queda do Homem (ou do Homem reabilitado, mas ainda mortal), ocasiona o fim catastrófico, não apenas da Segunda Era, mas do Mundo Antigo, o mundo primevo das lendas (visto como plano e limitado). Depois disso, começou a Terceira Era, uma Era de Crepúsculo, um Medievo, a primeira do mundo partido e mudado; a última do domínio remanescente dos Elfos visíveis e completamente encarnados, e também a última na qual o Mal assume uma única forma encarnada dominante.

A Queda [que ocorrerá] é em parte o resultado de uma fraqueza interior nos Homens — resultante, eu diria, da primeira Queda (não registrada nestes contos) — arrependidos, mas não curados definitivamente. A recompensa na terra é mais perigosa para os homens do que a punição! A Queda é alcançada pela astúcia de Sauron ao explorar essa fraqueza. Seu tema central é (inevitavelmente, creio, em uma história de Homens) uma Interdição ou Proibição.

Os Númenóreanos habitam à vista remota da mais oriental terra "imortal", Eressëa; e como os únicos homens a falar uma língua élfica (aprendida nos dias de sua Aliança), eles estão em constante comunicação com seus antigos amigos e aliados, seja na bem-aventurança de Eressëa, seja no reino de Gil-galad nas costas da Terra-média. Assim, tornaram-se na aparência, e mesmo nos poderes da mente, difíceis de serem distinguidos dos Elfos — mas permaneceram mortais, apesar de recompensados com uma duração de vida tripla, ou mais do que tripla. Sua recompensa é sua ruína — ou o meio de sua tentação. Sua vida longa auxilia suas realizações na arte e na sabedoria, mas gera uma atitude possessiva em relação a essas coisas, e desperta o desejo de mais *tempo* para desfrutá-las. Antevendo isso parcialmente, os deuses impuseram uma Interdição sobre os Númenóreanos desde o início: jamais deviam navegar até Eressëa, nem para o oeste fora da vista de sua própria terra. Em todas as outras direções podiam ir conforme quisessem. Não deviam pôr os pés em terras "imortais", e, dessa forma, tornam-se enamorados de uma imortalidade (dentro do mundo) que era contra sua lei, o destino especial ou dádiva de Ilúvatar (Deus), e que sua natureza não podia suportar de fato.[*]*

Há três etapas na sua queda em desgraça. Primeiro a aquiescência, a obediência que é livre e desejosa, embora sem completa compreensão. Depois, por muito tempo obedecem contra a vontade, murmurando cada vez mais abertamente. Por fim, rebelam-se — e um cisma surge entre os homens do Rei e rebeldes e a pequena minoria de Fiéis perseguidos.

Na primeira etapa, sendo homens de paz, sua coragem é devotada às viagens marítimas. Como descendentes de Eärendil, tornam-se navegantes supremos e, estando barrados do Oeste, navegam até os extremos norte, sul e leste. Chegam principalmente às costas ocidentais da Terra-média, onde auxiliam os Elfos e os Homens contra Sauron e incorrem no ódio imorredouro deste. Naqueles dias, apareciam entre os Homens Selvagens como benfeitores quase divinos, trazendo presentes de arte e conhecimento, e partindo novamente — deixando para trás muitas lendas de reis e deuses vindos do poente.

Na segunda etapa, os dias de Orgulho e Glória e ressentimento da Interdição, começam a buscar riqueza em vez de felicidade. O desejo de escapar à morte produziu um culto dos mortos, e despenderam riqueza e arte em túmulos e memoriais. Estabeleciam agora povoados nas costas ocidentais, mas estes tornaram-se antes fortalezas e "feitorias" de senhores em busca de riqueza, e os Númenóreanos transformaram-se em coletores de impostos que levavam por sobre o mar cada vez mais e mais bens em seus grandes navios. Os Númenóreanos iniciaram a forja de armas e máquinas.

Essa etapa terminou, e a última começou, com a ascensão ao trono do [vigésimo quinto] rei da linhagem de Elros,

[*]* Assume-se a ideia (que claramente reaparece mais tarde no caso dos Hobbits que possuem o Anel por algum tempo) de que cada "Gente" possui uma duração natural de vida, integral à sua natureza biológica e espiritual. Ela não pode realmente ser *aumentada* qualitativa ou quantitativamente de modo que o prolongamento no tempo (é como esticar um arame com tensão cada vez maior ou "espalhar cada vez mais a manteiga") torna-se um tormento intolerável.

Tar-Calion, o Dourado [Ar-Pharazôn], o mais poderoso e orgulhoso de todos os reis.

NOTAS

1. Akallabêth, p. 354. Como dito na pp. 231–32, nota 7, "três" no texto-fonte foi emendado para "quatro".
2. Apêndice A, p. 1472.
3. *Peoples*, p. 160.
4. *Peoples*, p. 162.
5. *Peoples*, p. 160.
6. *Cartas*, carta nº 131.

3261

Ar-Pharazôn zarpa e aporta em Umbar.

Ora, Sauron, sabendo da dissensão em Númenor, ponderou sobre como poderia se valer dela para consumar sua vingança. Começou, portanto, a assaltar os portos e fortes dos Númenóreanos e invadiu as terras costeiras sob domínio deles. Como previra, isso provocou a grande ira do Rei, que resolveu desafiar Sauron, o Grande, pela senhoria da Terra-média.[1]

Os marinheiros de Númenor traziam rumores acerca dele. Alguns diziam que ele era um rei maior do que o Rei de Númenor; alguns diziam que era um dos Deuses ou de seus filhos, enviado para governar a Terra-média. Alguns relatavam que ele era um espírito maligno, quiçá o próprio Morgoth retornado. Mas isso era considerado apenas como uma fábula tola dos Homens selvagens. [...] Os Senhores enviaram mensageiros ao rei e falaram através das bocas de sábios e o aconselharam, opondo-se a essa missão; pois disseram que Sauron obraria o mal caso viesse.[2]

E, sentado sobre seu trono entalhado na cidade de Armenelos, na glória de seu poder, [Ar-Pharazôn] meditava sombrio, pensando em guerra. Pois ficara sabendo, na Terra-média, da força do reino de Sauron e de seu ódio por Ociente.

E então vieram a ele os mestres de navios e capitães retornando do Leste e relataram que Sauron estava pondo à mostra o seu poder desde que Ar-Pharazôn voltara da Terra-média, e estava cercando as cidades nas costas; e tinha adotado agora o título de Rei dos Homens, e declarara seu propósito de varrer os Númenóreanos para o mar e destruir até mesmo Númenor, se pudesse.

Grande foi a raiva de Ar-Pharazôn diante dessas notícias e, enquanto ponderava longamente em segredo, seu coração ficou repleto do desejo de poder sem freios e da dominação única de sua vontade. E determinou, sem conselho dos Valar ou o auxílio de qualquer sabedoria que não a sua, que o título de Rei dos Homens ele próprio reivindicaria e forçaria Sauron a se tornar seu vassalo e seu serviçal; pois, em sua soberba, julgava que nenhum rei deveria se erguer com poderio que fizesse frente ao Herdeiro de Eärendil. Portanto, começou, naquele tempo, a forjar grande reserva de armas e muitos navios de guerra construiu e encheu com seu armamento; [por cinco anos Ar-Pharazôn se preparou] e, quando tudo estava pronto, ele próprio içou velas, com sua hoste, para o Leste.

E os homens viram [as] velas [de Ar-Pharazôn] vindo do pôr do sol, tingidas como que com escarlate e brilhando com ouro rubro, e o medo caiu sobre os habitantes das costas, e eles fugiram para longe. Mas a frota chegou por fim àquele lugar que era chamado de Umbar, onde estava o magno porto dos Númenóreanos que mão alguma construíra.[3] Vazias e silenciosas estavam todas as terras em volta quando o Rei do Mar marchou sobre a Terra-média. Por sete dias viajou com bandeira e trombeta, e chegou a um monte, e o subiu, e dispôs ali seu pavilhão e seu trono; e se sentou em meio à terra, e as tendas de sua hoste estavam todas arranjadas à sua volta, azuis, douradas e brancas, como um campo de altas flores. Então enviou arautos e mandou que Sauron viesse diante dele e lhe jurasse fidelidade.

E Sauron veio. De sua magna torre de Barad-dûr ele próprio veio e não ofereceu batalha. Pois percebeu que o poder e majestade dos Reis do Mar ultrapassavam todos os rumores que ouvira deles, de modo que não podia confiar que até mesmo o maior de seus serviçais os detivesse; e não achara ainda o momento de fazer operar sua vontade com os Dúnedain. E era matreiro, com grande engenho para ganhar o que desejava por sutileza quando a força não lhe valia. Portanto, humilhou-se diante de Ar-Pharazôn e suavizou sua língua; e os homens se espantaram, pois tudo o que dizia parecia belo e sábio.

Mas Ar-Pharazôn ainda não fora enganado e veio à sua mente que, para melhor guarda de Sauron e de suas juras de fidelidade, ele deveria ser trazido a Númenor para lá habitar como um refém por si mesmo e por todos os seus serviçais na Terra-média. A isso Sauron assentiu como quem é forçado, porém, em seu pensamento secreto, recebeu contente a ordem, pois se combinava de fato com seu desejo.[4]

"É uma sentença difícil," disse Sauron, "mas a vontade dos grandes reis deve-se cumprir", e submeteu-se como quem é coagido, escondendo seu deleite; pois as coisas haviam acontecido de acordo com seu desígnio.[5]

NOTAS

1. *Peoples*, pp. 181–2.
2. *Road*, p. 26, §5.
3. A expressão "brilhando com ouro rubro" é uma emenda àquela publicada em *O Silmarillion*, "brilhando com vermelho e ouro"; aqui foi seguida a correção de Christopher Tolkien em *Peoples*, p. 155, §41.
4. Akallabêth, pp. 355–6.
5. *Peoples*, p. 182.

3262

Sauron é levado prisioneiro para Númenor.

3262–3310

Sauron seduz o Rei e corrompe os Númenóreanos.

Esperando realizar por astúcia o que não pôde obter por força [...][1] Sauron atravessou o mar, e contemplou a terra de Númenor e a cidade de Armenelos nos dias de sua glória, e ficou assombrado; mas o coração dentro dele se encheu ainda mais de inveja e ódio.

Contudo, tal eram a astúcia de sua mente e boca e a força de sua vontade oculta que, antes que três anos tivessem passado, tornou-se o mais próximo dos conselhos secretos do Rei; pois lisonja doce como mel estava sempre em sua língua, e conhecimento ele tinha de muitas coisas ainda não reveladas aos Homens.[2]

Ora, Sauron [...] conseguia encontrar palavras de aparente razão para persuadir todos, exceto os mais cautelosos; e ele conseguia ainda assumir um belo semblante quando desejava [...] "A vontade dos grandes reis deve-se cumprir": esse era o moto de todo seu aconselhamento; e o que quer que o Rei desejasse, dizia que era seu direito e tramava planos pelos quais poderia conquistá-lo.[3]

E, vendo o favor que tinha diante de seu senhor, todos os conselheiros começaram a adulá-lo, salvo um apenas, Amandil, senhor de Andúnië. Então, devagar, uma mudança veio sobre a terra, e os corações dos Amigos-dos-Elfos foram duramente atormentados, e muitos fugiram por medo; e, embora aqueles que permaneceram ainda se chamassem de Fiéis, seus inimigos lhes davam o nome de rebeldes. Pois agora, tendo os ouvidos dos homens, Sauron, com muitos argumentos, contradizia tudo o que os Valar tinham ensinado; e incitou os homens a pensar que no mundo, a leste e mesmo a oeste, havia ainda muitos mares e muitas terras para que os conquistassem, nos quais havia riqueza inumerável. E ademais, se chegassem afinal ao término daquelas terras e daqueles mares, além de tudo havia a Antiga Escuridão. "E dela o mundo foi feito. Pois só a Escuridão se deve adorar, e o Senhor de tal treva pode ainda criar outros mundos como presentes para aqueles que o servem, de modo que o aumento de seu poder não há de achar fim."

E Ar-Pharazôn disse: "Quem é o Senhor da Escuridão?"

Então, detrás de portas trancadas, Sauron falou ao Rei e mentiu, dizendo: "É aquele cujo nome não é agora pronunciado; pois os Valar vos enganaram acerca dele, colocando à frente o nome de Eru, um espectro inventado na insensatez de seus corações, buscando acorrentar os Homens em servidão a eles mesmos. Pois eles são o oráculo desse Eru, que fala apenas o que querem. Mas aquele que é o mestre deles ainda há de prevalecer e libertar-vos-á desse espectro; e seu nome é Melkor, Senhor de Tudo, Provedor da Liberdade, e há de vos fazer mais forte que eles."

Então Ar-Pharazôn, o Rei, voltou-se para o culto ao Escuro e a Melkor, seu Senhor, primeiro em segredo, mas logo abertamente e diante de seu povo; e eles, na maior parte, seguiram-no. Contudo, havia ainda um remanescente dos Fiéis, como se contou, em Rómenna e no país próximo ao porto, e alguns outros poucos havia aqui e ali pela terra. Os principais entre eles, de quem esperavam liderança e coragem em dias malignos, eram Amandil, conselheiro do Rei, e seu filho Elendil, cujos filhos eram Isildur e Anárion, então homens jovens na contagem de Númenor. Amandil e Elendil eram grandes capitães de navios; e eram da linhagem de Elros Tar-Minyatur, embora não da casa governante à qual pertenciam a coroa e o trono na cidade de Armenelos. Nos dias de sua juventude juntos, Amandil tinha sido caro a Pharazôn e, embora fosse dos Amigos-dos-Elfos, permaneceu no conselho até a chegada de Sauron. Então foi dispensado, pois Sauron o odiava acima de todos em Númenor. Mas ele era tão nobre e tinha sido tão poderoso capitão do mar que ainda tinha honra entre muitos do povo, e nem o Rei nem Sauron ousavam deitar mãos sobre ele ainda.

Portanto, Amandil se retirou para Rómenna, e todos os que ainda acreditava serem fiéis ele convocou a irem para lá em segredo; pois temia que o mal agora crescesse rápido e que todos os Amigos-dos-Elfos estivessem em perigo. E assim logo veio a se passar. Pois o Meneltarma foi de todo abandonado naqueles dias; e, embora nem mesmo Sauron ousasse profanar o lugar alto, ainda assim o Rei não deixava homem algum, sob pena de morte, ascender a ele, nem mesmo aqueles dos Fiéis que ainda tinham Ilúvatar em seus corações. E Sauron incitou o Rei a cortar a Árvore Branca, Nimloth, a Bela, que crescia em seus pátios, pois era um memorial dos Eldar e da luz de Valinor.

No princípio, o Rei não assentiu a isso, já que acreditava que as sortes de sua casa estavam ligadas à Árvore, como tinha sido prenunciado por Tar-Palantir. Assim, em sua insensatez, ele que agora odiava os Eldar e os Valar em vão se agarrava à sombra da antiga fidelidade de Númenor. Mas quando Amandil ouviu rumores do propósito maligno de Sauron, entristeceu-se em seu coração, sabendo que, no fim, Sauron decerto faria sua vontade. Então falou a Elendil e aos filhos de Elendil, recordando a história das Árvores de Valinor; e Isildur não disse palavra, mas saiu à noite e fez uma façanha pela qual mais tarde ganhou renome. Pois foi sozinho, disfarçado, a Armenelos e aos pátios do Rei, os quais agora eram proibidos para os Fiéis; e chegou ao lugar da Árvore, que era proibido para todos por ordens de Sauron, e a Árvore era vigiada dia e noite por guardas a seu serviço. Naquele tempo, Nimloth estava escura e não portava flor, pois era fim de outono e seu inverno estava próximo; e Isildur passou pelos guardas, e tomou da Árvore um fruto que pendia dela, e voltou-se para ir embora. Mas a guarda despertou, e ele foi atacado, e abriu caminho, lutando e recebendo muitos ferimentos; e escapou, e, porque estava disfarçado, não se descobriu quem tinha posto as mãos na Árvore. Mas Isildur chegou por fim, com dificuldade, a Rómenna, e entregou o fruto nas mãos de Amandil, antes que sua força lhe falhasse. Então o fruto foi plantado em segredo e foi abençoado por Amandil; e um rebento se levantou dele e brotou na primavera. Mas, quando sua primeira folha se abriu, então Isildur, que jazera longamente e chegara perto da morte, levantou-se e não mais foi atormentado por suas feridas.

Nem foi isso feito cedo demais; pois, depois do ataque, o Rei cedeu a Sauron, e cortou a Árvore Branca, e deu então de todo as costas à fidelidade de seus pais. Mas Sauron ordenou que se construísse, sobre o monte em meio à cidade dos Númenóreanos, Armenelos, a Dourada, um magno templo; e tinha a forma de um círculo na base, e nele as paredes tinham cinquenta pés de espessura, a largura da base era de quinhentos pés no centro, e as paredes se erguiam do chão por quinhentos pés e estavam coroadas com magno domo. E esse domo era todo coberto de prata e se erguia cintilando ao sol, de modo que a luz dele podia ser vista ao longe; mas logo a luz escureceu, e a prata se tornou negra. Pois havia um altar de fogo em meio ao templo, e, no topo do domo, havia uma fresta, donde saía grande fumaça. E o primeiro fogo sobre o altar Sauron acendeu com a madeira cortada de Nimloth, que crepitou e foi consumida; mas os homens se maravilharam com o fumo que subiu dela, de modo que a terra jazeu sob uma nuvem por sete dias, até que lentamente ela passou para o oeste.

Desde então, o fogo e a fumaça subiam sem cessar; pois o poder de Sauron aumentava a cada dia, e naquele templo, com derramamento de sangue, e tormento, e grande perversidade, os homens faziam sacrifício a Melkor para que ele os libertasse da Morte. E mais amiúde entre os Fiéis escolhiam suas vítimas; porém, nunca abertamente com a acusação de que eles não queriam adorar a Melkor, o Provedor da Liberdade; antes, a causa que citavam contra eles era que odiavam o Rei e eram rebeldes, ou que tramavam contra sua gente, produzindo mentiras e venenos. Essas acusações eram, em sua maior parte, falsas; contudo, aqueles eram dias amargos, e ódio gera ódio.

Mas mesmo com tudo isso, a Morte não partiu da terra, antes chegava mais cedo e mais amiúde e em muitas formas horrendas. Pois enquanto dantes os homens ficavam velhos devagar e se deitavam no fim a dormir, quando estavam cansados afinal do mundo, agora a loucura e a enfermidade os atacavam; e, contudo, tinham medo de morrer e sair para o escuro, o reino do senhor que tinham adotado; e maldiziam a si mesmos em sua agonia. E os homens tomavam armas naqueles dias e matavam uns aos outros por pequena causa; pois tinham se tornado rápidos para a raiva, e Sauron, ou aqueles a quem subjugara, saíam pela terra colocando homem contra homem, de modo que o povo murmurava contra o Rei e os senhores ou contra qualquer um que tivesse algo que não tinham; e os homens de poder tiravam cruel vingança.

Mesmo assim, por muito tempo pareceu aos Númenóreanos que prosperavam e, se não aumentavam em felicidade, ainda se tornavam mais fortes, e seus homens ricos, cada vez mais ricos. Pois, com o auxílio e o conselho de Sauron, multiplicaram suas posses, e inventaram máquinas, e construíram navios cada vez maiores. E velejavam agora com poder e armamento à Terra-média, e não vinham mais como os que traziam dádivas, nem mesmo como governantes, mas como homens de guerra ferozes. E caçavam os homens da Terra-média, e tomavam os seus bens, e os escravizavam, e a muitos matavam cruelmente sobre seus altares. Pois construíram em suas fortalezas templos e grandes tumbas naqueles dias; e os homens os temiam, e a memória dos reis bondosos de outrora se esvaneceu do mundo e foi escurecida por muitas histórias de horror.

Assim, Ar-Pharazôn, Rei da Terra da Estrela, tornou-se o mais poderoso tirano que já existira no mundo desde o reinado de Morgoth, embora em verdade Sauron regesse a tudo detrás do trono.[4]

Tão grande era seu poder sobre o coração da maior parte das pessoas que talvez, se o desejasse, poderia ter tomado o cetro; mas tudo o que desejava era levar Númenor à ruína. Portanto, disse ao Rei: "Uma coisa apenas agora vos falta para vos tornar o maior Rei do mundo, a vida imortal que vos é negada por medo e inveja dos Poderes mentirosos no Oeste. Mas grandes reis tomam o que é seu direito." E Ar-Pharazôn ponderou sobre essas palavras, mas por muito tempo o medo o refreou.[5]

Mas os anos passaram, e o Rei sentiu a sombra da morte se aproximar, conforme seus dias transcorriam; e ficou cheio de medo e de ira. Então veio a hora que Sauron tinha preparado e que havia muito aguardava. E Sauron falou ao Rei, dizendo que sua força agora era tão grande que podia pensar em obter sua vontade em todas as coisas e não estar sujeito a nenhum mandamento ou interdição.

E ele disse: "Os Valar se apossaram da terra onde não há morte; e mentem a vós acerca disso, escondendo-a tão bem quanto podem, por causa de sua avareza e de seu medo de que os Reis de Homens arranquem deles o reino sem-morte e governem o mundo em seu lugar. E embora, sem dúvida, o dom da vida sem fim não seja para todos, mas apenas para aqueles que são dignos, sendo homens de poderio e de orgulho e de grande linhagem, ainda assim é contra toda justiça que esse dom, que é direito dele, seja vedado ao Rei dos Reis, Ar-Pharazôn, mais poderoso dos filhos da Terra, a quem Manwë, apenas, pode ser comparado, e talvez nem ele. Mas grandes reis não aceitam recusas e tomam o que lhes é devido."

Então Ar-Pharazôn, estando ébrio e caminhando sob a sombra da morte, pois seu tempo estava se aproximando do fim, escutou Sauron; e começou a ponderar em seu coração como poderia fazer guerra aos Valar.[6]

NOTAS

1. Anéis, p. 379.
2. Akallabêth, p. 356.
3. *Peoples*, p. 182.
4. Akallabêth, pp. 356–60.
5. *Peoples*, p. 183.
6. Akallabêth, pp. 360–1.

3310

Ar-Pharazôn começa a construção do Grande Armamento.[1]

[Ar-Pharazôn] começou a preparar um vasto armamento para o assalto a Valinor que haveria de superar aquele com o qual chegara a Umbar, assim como um galeão de Númenor superava um barco de pesca.[2]

Passou muito tempo preparando esse desígnio e não falou abertamente dele, mas não pôde ocultá-lo de todos. E Amandil, ao se tornar ciente dos propósitos do Rei, ficou alarmado e cheio de um grande terror, pois sabia que os Homens não podiam derrotar os Valar em guerra e que a ruína havia de vir sobre o mundo se essa guerra não fosse detida. Portanto, chamou seu filho, Elendil, e lhe disse:

"Os dias são sombrios e não há esperança nos Homens, pois os Fiéis são poucos. Portanto, decidi-me a tentar aquele alvitre que nosso ancestral Eärendil adotou outrora, o de velejar para o Oeste, com ou sem interdição, e falar aos Valar, até mesmo ao próprio Manwë, se possível, e implorar seu auxílio antes que tudo esteja perdido."[3]

"Então trairias o Rei?", disse Elendil. "Pois bem sabes a acusação que fazem contra nós, a de que somos traidores e espiões, e que até este dia ela tem sido falsa."

"Se eu pensasse que Manwë precisaria de tal mensageiro," disse Amandil, "eu trairia o Rei. Pois há uma só lealdade da qual nenhum homem pode ser absolvido em seu coração por causa alguma. Mas é por misericórdia pelos Homens e por sua libertação de Sauron, o Enganador, que eu rogaria, já que alguns ao menos permaneceram fiéis. E, quanto à Interdição, sofrerei em mim mesmo a penalidade para que todo o meu povo não se torne culpado."

"Mas o que pensas, meu pai, que deve sobrevir àqueles de tua casa a quem deixares para trás, quando teu ato se tornar conhecido?"

"Não deve se tornar conhecido", disse Amandil. "Prepararei minha ida em segredo e içarei vela para o leste, para onde todos os dias os navios partem de nossos ancoradouros; e depois disso, conforme o vento e a sorte permitirem, darei a volta, pelo sul ou pelo norte, rumo ao oeste, e buscarei o que puder achar. Mas quanto a ti e a teu povo, meu filho, aconselho que prepareis para vós outros navios e que coloqueis a bordo todas aquelas coisas das quais vossos corações não suportariam se separar; e, quando os navios estiverem prontos, deveis ficar no porto de Rómenna e se deixar ouvir entre os homens que vosso propósito, quando chegar o tempo, é me seguir para o leste. Amandil não é mais tão caro a nosso parente no trono que ele vá prantear em demasia, se decidirmos partir por uma estação ou para sempre. Mas que não se veja que pretendes levar muitos homens, ou ele ficará irritado por causa da guerra que ora trama, para a qual precisará de toda a força que puder reunir. Busca os Fiéis que ainda são sabidamente leais e deixa que se juntem a ti em segredo, se estiverem dispostos a ir contigo e compartilhar de teus desígnios."

"E que desígnios hão de ser esses?", disse Elendil.

"Não se envolver na guerra e vigiar", respondeu Amandil. "Até que eu retorne, não posso dizer mais. Mas o mais provável é que hajas de fugir da Terra da Estrela sem nenhuma estrela a te guiar; pois essa terra está profanada. Então hás de perder tudo o que amaste, provando antes a morte em vida, buscando uma terra de exílio em outro lugar. Mas, se a leste ou a oeste, só os Valar podem dizer."

Então Amandil disse adeus a toda a sua casa, como alguém que está prestes a morrer. "Pois", comentou ele, "pode muito bem ser que não me vejais nunca mais; e que eu não haja de vos mostrar nenhum sinal como o que Eärendil mostrou há muito tempo. Mas ficai sempre preparados, pois o fim do mundo que conhecemos está agora à porta."

Dizem que Amandil içou velas em um pequeno navio, à noite, e navegou primeiro para o leste e então deu a volta e passou-se para o oeste. E tomou consigo três serviçais, caros a seu coração, e nunca mais se ouviu deles palavra ou sinal neste mundo, nem há qualquer história ou conjectura sobre a sina deles. Os Homens não podiam, pela segunda vez, ser salvos por qualquer embaixada como essa, e para a traição de Númenor não havia absolvição fácil.

Mas Elendil fez tudo o que seu pai pedira, e seus navios foram ancorados na costa leste da terra; e os Fiéis puseram a bordo suas mulheres e seus filhos, e suas heranças, e grande reserva de bens. Muitas coisas havia de beleza e poder, tais como os Númenóreanos haviam criado nos dias de sua sabedoria: vasilhas, e joias, e pergaminhos de saber escritos em escarlate e negro. E Sete Pedras tinham, o presente dos Eldar; mas no navio de Isildur estava guardada a árvore jovem, o rebento de Nimloth, a Bela. Assim Elendil se postou preparado e não se envolveu nos feitos malignos daqueles dias; e sempre procurava um sinal que não vinha. Então viajou em segredo para as costas ocidentais e fitou o mar, pois o pesar e o anseio estavam sobre ele, e amava grandemente a seu pai. Mas nada podia divisar, salvo as frotas de Ar-Pharazôn se reunindo nos portos do oeste.

Ora, dantes, na ilha de Númenor, o clima fora sempre apto às necessidades e ao gosto dos Homens: chuva na estação devida e sempre na medida certa; e sol, ora mais quente, ora mais fresco, e ventos do mar. E quando o vento vinha do oeste, parecia a muitos que estava cheio de uma fragrância, passageira, mas doce, de mexer com o coração, como a de flores que desabrocham sempre em prados imorredouros e que não têm nomes nas costas mortais. Mas tudo isso estava agora mudado; pois o próprio céu estava escurecido, e havia tempestades de chuva e granizo naqueles dias, e ventos violentos; e, de quando em vez, um grande navio dos Númenóreanos afundava e não retornava ao porto, embora tal desgraça ainda não tivesse ocorrido a eles desde o nascer da Estrela. E do oeste vinha por vezes uma grande nuvem ao anoitecer, de forma que era como a de águia, com alas espalhadas para o norte e o sul; e devagar ela se aproximava, apagando o pôr do sol, e então noite profundíssima caía sobre Númenor. E algumas das águias traziam relâmpago sob suas asas, e trovões ecoavam entre mar e nuvem.

Então os homens tiveram medo. "Eis as Águias dos Senhores do Oeste!", gritavam. "As Águias de Manwë são chegadas sobre Númenor!" E caíam sobre suas faces.

Então alguns se arrependiam por uma estação, mas outros endureciam seus corações e sacudiam seus punhos contra o céu, dizendo: "Os Senhores do Oeste tramaram contra nós. Atacam primeiro. O próximo golpe há de ser o nosso!" Essas palavras o próprio Rei falou, mas foram prescritas por Sauron.

Ora, os relâmpagos aumentaram e mataram homens nas colinas, e nos campos, e nas ruas da cidade; e um raio de fogo atingiu o domo do Templo e o rachou ao meio, e ele ficou envolto em chama. Mas o Templo em si não foi balouçado, e Sauron ficou de pé sobre o pináculo, e desafiou o relâmpago, e não foi ferido; e naquela hora os homens o chamaram de deus e fizeram tudo o que ele desejava. Quando, por isso, o último portento veio, pouco ouvido lhe deram. Pois a terra tremeu debaixo deles, e um som como o de trovão debaixo da terra se misturou ao rugido do mar, e saiu fumaça do pico do Meneltarma. Mas ainda mais Ar-Pharazôn continuou a preparar seu armamento.

NOTAS

1. Salvo indicação ao contrário, a narrativa que se segue foi retirada de Akallabêth, pp. 361–64.
2. *Peoples*, p. 183.
3. A expressão "não há esperança nos Homens" é uma emenda àquela publicada em *O Silmarillion*, "não há esperança para os Homens"; aqui foi seguida a correção de Christopher Tolkien em *Peoples*, p. 156, §57.

3319

Ar-Pharazôn assalta Valinor. Queda de Númenor. Elendil e seus filhos escapam.[1]

Naquele tempo, as frotas dos Númenóreanos escureciam o mar no oeste da terra e eram como um arquipélago de mil ilhas; seus mastros eram como uma floresta sobre as montanhas, e suas velas, como uma nuvem ameaçadora; e suas bandeiras eram douradas e negras. E todas as coisas aguardavam a palavra de Ar-Pharazôn; e Sauron se recolheu ao círculo mais interno do Templo, e os homens lhe traziam vítimas para serem queimadas.

Então as Águias dos Senhores do Oeste vieram do poente e estavam arranjadas como que para a batalha, avançando em uma fila cuja ponta desaparecia além da vista; e, conforme vinham, suas asas se espalhavam cada vez mais vastas, abrangendo o céu. Mas o Oeste ardia rubro detrás delas, e elas brilhavam por debaixo, como se estivessem acesas com uma chama de grande fúria, de modo que toda Númenor se iluminou como que com fogo crepitando; e os homens olharam para os rostos de seus companheiros e lhes parecia que estavam vermelhos de ira.

Então Ar-Pharazôn endureceu seu coração e foi a bordo de seu poderoso navio, *Alcarondas*, Castelo do Mar. De muitos remos era e de muitos mastros, dourado e azeviche; e sobre ele foi posto o trono de Ar-Pharazôn. Então o Rei vestiu sua panóplia e sua coroa, e mandou erguerem seu estandarte, e deu o sinal para que se levantasse âncora; e naquela hora, as trombetas de Númenor soaram mais altas que o trovão.

Assim, as frotas dos Númenóreanos avançaram contra a ameaça do Oeste; e havia pouco vento, mas tinham muitos remos e muitos escravos fortes para remar debaixo do látego. O sol se pôs, e veio um grande silêncio. A escuridão caiu sobre a terra, e o mar estava parado, enquanto o mundo esperava o que havia de acontecer. Devagar as frotas saíram da vista dos vigias nos portos, e suas luzes sumiram, e a noite as tomou; e pela manhã tinham desaparecido. Pois um vento se levantou no leste e as empurrou para longe; e romperam a Interdição dos Valar, e velejaram para mares proibidos, fazendo guerra aos Sem-Morte para arrancar deles vida sempiterna dentro dos Círculos do Mundo.

Mas as frotas de Ar-Pharazôn vieram das profundezas do mar e cercaram Avallónë e toda a ilha de Eressëa, e os Eldar estavam em luto, pois a luz do sol poente tinha sido tapada pela nuvem dos Númenóreanos. E afinal Ar-Pharazôn chegou até mesmo a Aman, o Reino Abençoado, e às costas de Valinor; e ainda assim tudo estava em silêncio, e a condenação pendia por um fio. Pois Ar-Pharazôn hesitou, no fim, e quase voltou atrás. Seu coração lhe falhou quando contemplou as costas sem som e viu Taniquetil luzindo, mais alva que a neve, mais fria que a morte, silenciosa, imutável, terrível como a sombra da luz de Ilúvatar. Mas a soberba era agora sua mestra, e afinal ele deixou seu navio e caminhou pela praia, reivindicando a terra para si, se ninguém fosse batalhar por ela. E uma hoste dos Númenóreanos acampou armada à volta de Túna, de onde todos os Eldar tinham fugido.

Então Manwë, sobre a Montanha, invocou a Ilúvatar e, por aquele tempo, os Valar puseram de lado seu governo de Arda. Mas Ilúvatar mostrou o seu poder e mudou a feição do mundo; e um grande abismo se abriu no mar entre Númenor e as Terras Sem-Morte, e as águas correram para dentro dele, e o barulho e o vapor das cataratas subiram ao céu, e o mundo foi abalado. E todas as frotas dos Númenóreanos foram puxadas para o abismo, e eles foram afogados e engolidos para sempre. Mas Ar-Pharazôn, o Rei, e os guerreiros mortais que tinham posto pé sobre a terra de Aman foram enterrados sob colinas desabadas; ali se diz que jazem aprisionados nas Cavernas dos Esquecidos até a Última Batalha e o Dia do Juízo.

Mas a terra de Aman e Eressëa dos Eldar foram retiradas e removidas para além do alcance dos Homens para sempre. E Andor, a Terra da Dádiva, Númenor dos Reis, Elenna da Estrela de Eärendil, foi completamente destruída. Pois estava perto do leste da grande rachadura, e suas fundações foram reviradas, e ela caiu e desceu à escuridão, e não existe mais. E não há agora sobre a Terra lugar algum existente onde a memória de um tempo sem mal esteja preservada. Pois Ilúvatar lançou para trás os Grandes Mares a oeste da Terra-média, e as Terras Vazias a leste dela, e novas terras e novos mares foram feitos; e o mundo ficou diminuído, pois Valinor e Eressëa foram tiradas dele e levadas ao reino das coisas ocultas.

Em uma hora imprevista pelos Homens esse julgamento sobreveio, no nono e trigésimo dia desde a passagem das frotas. Então, subitamente, o fogo rebentou do Meneltarma, e veio um vento poderoso e um tumulto da terra, e o céu revirou, e as colinas deslizaram, e Númenor afundou no mar, com todas as suas crianças, e as suas esposas, e as suas donzelas, e as suas soberbas damas; e todos os seus jardins, e seus salões, e suas torres, suas tumbas e suas riquezas, e suas joias e suas tapeçarias, e suas coisas pintadas e entalhadas, e seu riso, e sua alegria, e sua música, sua sabedoria, e seu conhecimento: tudo desapareceu para sempre. E, por último de tudo, a onda que subia, verde e fria e com penacho de espuma, escalando a terra, tomou em seu seio Tar-Míriel, a Rainha, mais bela do que prata, ou marfim, ou pérolas. Tarde demais ela tentou ascender aos caminhos íngremes do Meneltarma até o lugar santo; pois as águas a alcançaram, e seu grito se perdeu no rugir do vento.

Mas, tendo ou não Amandil chegado de fato a Valinor e levado Manwë a ouvir sua prece, por graça dos Valar Elendil,

e seus filhos, e seu povo foram poupados da ruína daquele dia. Pois Elendil tinha permanecido em Rómenna, recusando o chamado do Rei quando ele saiu à guerra; e, evitando os soldados de Sauron que vieram para agarrá-lo e arrastá-lo aos fogos do Templo, foi a bordo de seu navio e ficou ao largo da costa, esperando a hora. Ali, pela terra foi protegido do grande arrasto do mar que puxara tudo para o abismo e, depois disso, ficou abrigado da primeira fúria da tempestade. Mas, quando a onda devoradora rolou por sobre a terra e Númenor desabou em sua queda, então desejou ter sido destroçado e teria julgado ser a tristeza menor perecer, pois nenhum golpe de morte poderia ser mais amargo que a perda e a agonia daquele dia; mas o grande vento o tomou, mais selvagem que qualquer vento que os Homens tinham conhecido, rugindo do oeste, e varreu seus navios para longe; e rasgou suas velas e quebrou seus mastros, caçando os homens infelizes como palha sobre a água.

Nove navios havia: quatro para Elendil, e para Isildur três, e para Anárion dois; e fugiram diante do vendaval negro, saído do crepúsculo de julgamento, para a escuridão do mundo. E as profundezas se ergueram debaixo deles em raiva torrencial, e ondas que eram como montanhas movendo-se com grandes capuzes de neve retorcida carregaram-nos em meio aos destroços das nuvens e, depois de muitos dias, os lançaram sobre as costas da Terra-média. E todas as costas e regiões do mar do mundo ocidental sofreram grande mudança e ruína naquele tempo; pois os mares invadiram as terras, e as costas afundaram, e antigas ilhas foram afogadas, e novas ilhas foram soerguidas; e montes se esfarelaram, e rios ganharam estranhos cursos.

Sobre as mudanças causadas no "tumulto dos ventos e mares que se seguiram à Queda", está escrito em "O Conto dos Anos da Segunda Era", mas em nenhum outro lugar:

[...] em alguns lugares o mar avançou pela terra e, em outros, formou novas costas. Assim, enquanto Lindon sofreu grande perda, a Baía de Belfalas foi muito aterrada no leste e no sul, de modo que Pelargir, que ficava a apenas algumas milhas do mar, recuou bem para o interior e o Anduin esculpiu um novo caminho por muitas fozes até a Baía. Mas a Ilha de Tolfalas foi quase destruída e sobreviveu, no fim, como uma montanha estéril e solitária na água, não muito longe da foz do Rio.[2]

O próprio Sauron se enchera de grande medo diante da ira dos Valar e do julgamento que Eru lançara sobre o mar e sobre a terra. Era muito maior do que qualquer coisa que aguardasse, esperando apenas a morte dos Númenóreanos e a derrota de seu orgulhoso rei. E Sauron, sentado em seu assento negro em meio ao Templo, tinha rido quando ouviu as trombetas de Ar-Pharazôn soando para a batalha; e de novo tinha rido quando ouviu o trovão da tempestade; e uma terceira vez, no momento em que ria de seu próprio pensamento, pensando no que faria agora no mundo, estando livre dos Edain para sempre, foi atingido em meio ao seu divertimento, e seu assento e seu templo caíram no abismo. Mas Sauron não era de carne mortal e, embora fosse então despojado daquela forma na qual fizera tão grande mal, de modo que nunca mais poderia parecer belo aos olhos dos Homens, mesmo assim seu espírito levantou-se das profundezas, e viajou feito uma sombra e um vento negro através do mar [...]

Mas essas coisas não entram no conto da Submersão de Númenor, do qual agora tudo está contado. E até o nome daquela terra pereceu, e os Homens falavam dali por diante não de Elenna, nem de Andor, a Dádiva que foi tirada, nem de Númenórë nos confins do mundo; mas os exilados nas costas do mar, quando se voltavam para o Oeste no desejo de seus corações, falavam de Mar-nu-Falmar que foi sobrepujada pelas ondas, Akallabêth, a Decaída, Atalantë na língua eldarin.[3]

Assim terminou a Glória de Númenor.[4]

Em meio aos Exilados, muitos acreditavam que o cume do Meneltarma, o Pilar do Céu, não tinha sido afundado para sempre, mas se erguera de novo acima das ondas, uma ilha solitária perdida nas grandes águas; pois tinha sido um lugar consagrado e, mesmo nos dias de Sauron, ninguém o profanara. E alguns havia, da semente de Eärendil, que mais tarde o buscaram porque se dizia, entre mestres-do-saber, que os homens de visão aguçada de outrora podiam ver do Meneltarma um vislumbre da Terra Sem-Morte. Pois, mesmo depois da ruína, os corações dos Dúnedain ainda estavam postos a oeste; e, embora soubessem de fato que o mundo estava mudado, diziam: "Avallónë está desaparecida da Terra, e a Terra de Aman foi retirada, e no mundo desta presente escuridão não podem ser achadas. Contudo, uma vez existiram e, portanto, ainda existem em ser verdadeiro e na forma inteira do mundo como no princípio ele foi criado."

Pois os Dúnedain sustentavam que até os Homens mortais, se assim fossem abençoados, podiam contemplar tempos outros que aqueles da vida de seus corpos; e ansiavam sempre por escapar das sombras de seu exílio e ver, em alguma feição, a luz que não morre; pois o pesar do pensamento da morte os tinha perseguido através das profundezas do mar. Assim foi que grandes marinheiros entre eles ainda vasculhavam os mares vazios, esperando chegar à Ilha do Meneltarma e ali ter uma visão das coisas que existiram. Mas não a encontraram. E aqueles que velejavam para longe chegavam apenas às novas terras e as achavam semelhantes às terras antigas e sujeitas à morte. E aqueles que viajavam mais longe ainda apenas faziam uma volta em torno da Terra e retornavam, cansados, enfim, ao lugar onde tinham começado; e diziam: "Todas as rotas agora estão curvadas".

Assim, em dias que vieram depois, seja por viagens de navios, seja por saber e arte-das-estrelas, os reis de Homens descobriram que o mundo de fato se tinha feito redondo, e, contudo, os Eldar ainda tinham permissão para partir e chegar ao Antigo Oeste e a Avallónë, se desejassem. Portanto, os mestres-do-saber dos Homens disseram que uma Rota Reta ainda devia existir para aqueles com permissão para encontrá-la. E ensinaram que, enquanto o novo mundo ficava para trás, a antiga rota e o caminho da memória do Oeste ainda continuava, como se fosse uma enorme e invisível ponte que passava através do ar, da respiração e do voo (que estavam agora curvados como o mundo estava curvado), e atravessava Ilmen, que a carne sem auxílio não pode suportar até que chegava a Tol Eressëa, a Ilha Solitária, e talvez até além, a Valinor, onde os Valar ainda habitam e observam o desenrolar da história do mundo. E histórias e rumores surgiram ao longo das costas do mar acerca de marinheiros e homens abandonados sobre as águas que, por alguma sina, ou graça, ou favor dos Valar, entraram na Rota Reta e viram o rosto do mundo afundar abaixo deles e, assim, chegaram aos ancoradouros iluminados por lamparinas de Avallónë, ou, em verdade, às últimas praias nas margens de Aman, e lá contemplaram a Montanha Branca, terrível e bela, antes de morrer.[5]

Em sua carta a Milton Waldman, escrita três anos antes da publicação de *A Sociedade do Anel*, o autor escreveu sobre o desastre: "A própria Númenor, à beira da fenda, rui e desaparece para sempre, com toda a sua glória, no abismo. Depois disso, não há habitação visível dos divinos ou imortais na terra. Valinor (ou Paraíso) e até mesmo Eressëa são removidas, permanecendo apenas na lembrança do mundo. Os Homens podem agora navegar para o Oeste, se quiserem, até onde conseguirem, mas não chegam próximo de Valinor ou do Reino Abençoado, retornando tão somente ao leste e de volta outra vez; pois o mundo é redondo e finito, e um círculo inescapável — exceto pela morte. Apenas os 'imortais', os Elfos remanescentes, caso queiram, ainda podem, cansados do círculo do mundo, tomar um navio e encontrar o 'caminho reto', e chegar ao antigo ou Verdadeiro Oeste, e ficar em paz".[6]

A fuga de Elendil e dos Exilados após a Queda foi celebrada em uma canção sobre os altos reis e seus nove altos navios. Foram versos que vieram à mente de Gandalf enquanto ele e Pippin cavalgavam Scadufax rumo a Minas Tirith:

Altas naus e altos senhores,
Três vezes três,
O que trouxeram da terra submersa
Sobre o mar daquela vez?
Sete estrelas e sete pedras,
Uma árvore branca, já vês. *[7]

* *Tall ships and tall kings / Three times three, / What brought they from the foundered land / Over the fl owing sea? / Seven stars and seven stones / And one white tree.*

Os eventos calamitosos da Queda viriam a permanecer por muito tempo nas memórias dos povos da Terra-média. Na Terceira Era, enquanto todos aguardavam o resultado da Guerra do Anel, Faramir e Éowyn se encontravam nas muralhas de Minas Tirith, a Cidade de Gondor, olhando para o leste e Mordor:

Pareceu-lhes que, por cima das cristas das montanhas distantes, se erguia outra vasta montanha de treva, pairando no alto como uma onda que engoliria o mundo, e em torno dela tremeluziam relâmpagos; e então um tremor percorreu a terra, e sentiram palpitar os muros da Cidade. Um som semelhante a um suspiro subiu de todas as terras em torno deles; e de repente seus corações voltaram a bater.

"Isso me lembra Númenor", disse Faramir, e admirou-se de se ouvir falando.

"Númenor?", indagou Éowyn.

"Sim," respondeu Faramir, "a terra de Ociente que soçobrou, e a grande onda escura erguendo-se sobre as terras verdes e acima das colinas e vindo, escuridão inescapável. Muitas vezes sonho com isso."[8]

NOTAS

1. Salvo indicação ao contrário, a narrativa que se segue foi retirada de Akallabêth, pp. 364–9.
2. *Peoples*, p. 183. Logo em seguida, Christopher Tolkien comentou: "Não se encontra nenhuma afirmação do tipo em outros lugares. No 'Akallabêth' (*O Silmarillion*, p. 367), em uma passagem retirada praticamente sem alterações de 'A Submersão de Anadûnê' ([*Sauron*], p. 374, §52), não há referência a qualquer nome de lugar ou rio". Ele ainda acrescentou (*Peoples*, p. 187, nota 23): "Essa aparenta ser a única referência a Tolfalas em qualquer texto, exceto por uma menção à sua captura por Homens do Sul em um rascunho feito durante a escrita de *As Duas Torres* ([*The Treason of Isengard* {A Traição de Isengard}], p. 435). A ilha e seu nome já aparecem no Primeiro Mapa da Terra-média ([*Treason*], pp. 298, 308), mas, em todos os mapas, a sua extensão parece muito maior do que na sua descrição aqui".
3. Como observado em outro lugar, outras narrativas da Queda e da reforma do mundo encontram-se em *Sauron Defeated*, Part Three: "The Drowning of Anadûnê", (i)–(iv), e *The Lost Road and Other Writings*, Part One: The Fall of Númenor and *The Lost Road*, I "The Early History of the Legend", II "The Fall of Númenor", (i)–(iv).

No segundo volume (pp. 11–12), Christopher Tolkien incluiu o que ele chamou de "O texto do 'esquema' original da lenda [...] escrito com tal velocidade que em um ponto ou outro não é possível interpretar palavras com certeza. Próximo ao início ele é interrompido por um esboço muito rudimentar e apressado, que mostra um globo central, marcado como *Ambar* ["o mundo habitado"], com dois círculos ao seu redor; a área interna assim descrita está marcada como *Ilmen* ["a região acima do ar onde estão as estrelas"] e a externa como *Vaiya* ["o céu" ou "o ar que envolve o mundo"]. Há uma linha reta que percorre o alto de *Ambar* e atravessa as zonas de *Ilmen* e *Vaiya*, estendendo-se até o círculo exterior em ambas as direções". É muito provável que essa seja a primeira tentativa diagramática de Tolkien de retratar o conceito do Mundo Tornado Redondo e do Caminho Reto.

Conforme Christopher Tolkien acrescentou: "[...] esse texto notável documenta o início da lenda de Númenor, e a ampliação de 'O Silmarillion' a uma Segunda Era do Mundo".

A passagem, em parte, diz o seguinte:

> [...] Os Atalanteanos [Númenóreanos] caem e se rebelam [...] Constroem um armamento e atacam as costas dos Deuses com trovões.
>
> Os Deuses, portanto, separaram Valinor da terra, e uma fenda terrível apareceu, pela qual a água verteu e o armamento de Atalantë [Númenor] foi submerso. Eles deram forma de globo à toda terra, de modo que por mais longe que um homem navegasse, ele jamais tornaria a alcançar o Oeste, voltando então ao ponto de partida. Assim novas terras surgiram sob o Velho Mundo; e o Leste e o Oeste foram curvados e [?a água fluía por toda a redonda] superfície da terra e houve uma época de dilúvio. Mas Atalantë, por estar próxima da fenda, foi derrubada por completo e submergiu. O remanescente dos [...] Númenóreanos em seus navios foge para o Leste e desembarca na Terra-média [...]
>
> O antigo alinho das terras perdurou como uma planície de ar sobre a qual apenas os Deuses podiam caminhar, e os Eldar, que feneciam à medida que os Homens usurpavam o sol. Mas muitos dos Númenórië podiam vê-la ou tenuamente discerni-la; e tentaram inventar navios para navegar nela. Porém, o que obtiveram foram apenas navios que navegavam em Wilwa, ou ar inferior. Ao passo que a Planície dos Deuses cortava e atravessava Ilmen [no] qual mesmo aves não podem voar, salvo pelas águia e falcões de Manwë. No entanto, as frotas dos Númenórië navegavam ao redor do mundo; e os Homens os tomavam por deuses. Alguns ficaram contentes que assim se desse.

Para maiores discussões acerca da formação física da Terra-média, como criada e como mudada após os cataclismos no final da Primeira e da Segunda Eras, ver *The Shaping of Middle-earth* [A Formação da Terra-média] (Volume IV de *A História da Terra-média*), de Christopher Tolkien.

4. Apêndice A, p. 1473.
5. O relato no "Akallabêth" da queda de Númenor foi o resultado de muitos textos anteriores, cujas complexidades são discutidas detalhadamente e podem ser consultadas naqueles volumes de *A História da Terra-média*

citados na p. 271, nota 3. Contudo, para que se possa comparar com o "Epílogo", foi incluído aqui um excerto de "A Submersão de Anadûnê" (*Sauron Defeated*, pp. 392–3) que contém um relato notavelmente diferente sobre a maneira como os exilados viram a reforma do mundo que ocorrera após a Queda.

"Pois mesmo depois de sua ruína os corações dos Adûnâim ainda estavam postos a oeste; e, embora soubessem que o mundo estava mudado, diziam: 'Avallôni está desaparecida da Terra, e a Terra da Dádiva foi retirada, e no mundo desta presente escuridão não podem ser achadas; contudo, uma vez existiram e, portanto, ainda existem, em ser verdadeiro e na forma inteira do mundo.' E os Adûnâim sustentavam que os homens assim abençoados podiam contemplar tempos outros que aqueles da vida do corpo; e ansiavam sempre por escapar das sombras de seu exílio e ver em alguma feição a luz que havia outrora. Portanto, alguns entre eles ainda vasculhavam os mares vazios, esperando chegar à Ilha Solitária, e ali ter uma visão das coisas que existiram.

"Mas não a encontraram, e diziam: 'Todas as rotas estão curvadas entre as que antes eram retas'. Pois na juventude do mundo era duro para os homens compreender que a Terra não era plaina como parecia ser, e poucos, mesmo entre os Fiéis de Anadûnê, tinham acreditado, em seus corações, nesse ensinamento; e quando, em dias que vieram depois, seja por saber e arte-das-estrelas, seja por viagens de navios que vasculhavam todos os caminhos e águas da Terra, os Reis de Homens descobriram que o mundo de fato se tinha feito redondo, então a crença surgiu entre eles que ele se fizera assim apenas no tempo da grande Queda, e que não tinha sido dessa forma antes. Portanto, pensavam que, enquanto o novo mundo ficava para trás, a antiga rota e o caminho da memória da Terra ainda continuava rumo ao céu, como se fosse uma enorme e invisível ponte. E muitos eram os rumores e as histórias entre eles acerca de marinheiros e homens abandonados sobre as águas que, por alguma graça ou sina, adentraram a antiga via e viram o rosto do mundo afundar abaixo deles, e assim chegaram à Ilha Solitária, ou em verdade à Terra de Amân de outrora, e contemplaram a Montanha Branca, terrível e bela, antes de morrer.

6. *Cartas*, carta nº 131. Alguns anos depois, em 1954, Tolkien escreveu (*Cartas*, carta nº 154) sobre a transformação do mundo de plano para redondo: "Na imaginação desta história estamos vivendo agora em uma Terra fisicamente redonda. Mas o 'legendário' inteiro possui uma transição de um mundo plano (ou pelo menos um οἰκουμένη* com bordas em todo seu redor) a um globo: uma transição inevitável, suponho, para um moderno 'criador de mitos' com uma mente submetida às mesmas 'aparências' as quais foram submetidos homens antigos, e que de certa forma alimentou-se de seus mitos, mas que aprendeu que a Terra era redonda desde os primeiros anos. Tão profunda foi a impressão exercida pela 'astronomia' sobre mim que não creio que pudesse lidar com ou conceber imaginativamente um mundo

plano, apesar de um mundo de uma Terra estática com um Sol circundando-a parecer mais fácil (de se imaginar, se não de se racionalizar)".

* *Oikouménē*, um termo em grego antigo para o mundo conhecido, habitado ou habitável.

7. *Torres*, Livro III, 11 "A Palantír", p. 863. Ao fazer referência a essa canção, Christopher Tolkien comentou em outro lugar (*Peoples*, p. 157, §80): "Todos os textos [do "Akallabêth"] têm 'Doze navios havia: seis para Elendil, e para Isildur quatro, e para Anárion dois', mas, no texto de amanuense C, meu pai alterou os números para 'nove: quatro, três, dois', observando na margem: 'Nove, a menos que o verso em SdA [*O Senhor dos Anéis*] seja alterado para *Quatro vezes três*'". Os versos não foram alterados, e Christopher Tolkien apropriadamente emendou "Doze navios" para "Nove" ao editar *O Silmarillion*.
8. *Retorno*, Livro VI, 5 "O Regente e o Rei", p. 1376. Nessa passagem notavelmente autobiográfica, Tolkien dá a Faramir sua própria experiência repetida de um "sonho atlante", no qual uma imensa onda desce sobre uma paisagem; ver "Introdução", pp. 22-25.

3320

Fundações dos reinos no exílio: Arnor e Condor. As pedras são divididas. Sauron retorna a Mordor.

Assim, o fim da Segunda Era avança numa grande catástrofe; mas ela ainda não está totalmente concluída. Do cataclismo há sobreviventes […][1]

Os últimos líderes dos Fiéis, Elendil e seus filhos, escaparam da Queda com nove naus, levando um rebento de Nimloth e as Sete Pedras-Videntes (dádivas dos Eldar à sua Casa); e foram carregados no vento de grande tempestade e lançados nas praias da Terra-média.[2]

Et Eärello Endorenna utúlien. Sinome maruvan ar Hildinyar tenn' Ambar-metta!

E foram essas as palavras que Elendil pronunciou quando saiu do Mar nas asas do vento: "Do Grande Mar vim à Terra-média. Neste lugar habitarei, e meus herdeiros, até o fim do mundo."[3]

OS REIS NÚMENÓREANOS NO EXÍLIO:

Elendil De Númenor[4]

Alto Rei de Gondor e Arnor

Nascimento: S.E. 3119; Morte: S.E. 3441 (322 anos)
Reinado: S.E. 3320–3441 (121 anos)

Naquele tempo, aqueles dos Númenóreanos que foram salvos da destruição fugiram para o leste, como está contado no "Akallabêth". O principal desses era Elendil, o Alto, e seus filhos, Isildur e Anárion. Parentes do Rei eram eles, descendentes de Elros, mas não estavam dispostos a ouvir Sauron e tinham se recusado a fazer guerra aos Senhores do Oeste. Indo a bordo de seus navios com todos os que permaneceram fiéis, abandonaram a terra de Númenor antes que a ruína lhe sobreviesse. Eram homens poderosos, e seus navios eram fortes e altos, mas as tormentas os alcançaram, e foram carregados no alto em montanhas d'água até as nuvens e desceram sobre a Terra-média como aves da tempestade.

Elendil foi lançado pelas ondas na terra de Lindon e lá ganhou a amizade de Gil-galad. Depois subiu o Rio Lhûn e, do outro lado das Ered Luin, estabeleceu o seu reino, e seu povo habitou em muitos lugares de Eriador à volta dos cursos do Lhûn e do Baranduin; mas sua principal cidade era Annúminas, à beira das águas do Lago Nenuial. Em Fornost, sobre as Colinas do Norte, também os Númenóreanos habitavam, e em Cardolan e nos montes de Rhudaur; e torres ergueram sobre as Emyn Beraid e sobre o Amon Sûl; e ainda há muitos tesos e construções arruinadas naqueles lugares, mas as torres das Emyn Beraid ainda estão voltadas para o mar.

Isildur e Anárion foram carregados para o sul e, por fim, subiram com seus navios o Grande Rio Anduin, que corre por Rhovanion até o mar do oeste, na Baía de Belfalas; e estabeleceram um reino naquelas terras, que depois foram chamadas de Gondor, enquanto o Reino do Norte recebeu o nome de Arnor. Muito antes, nos dias do poder deles, os marinheiros de Númenor tinham estabelecido um porto e lugares fortificados em volta das fozes do Anduin, apesar da presença de Sauron na Terra Negra, que ficava a leste. Em épocas posteriores, a esse porto vinham apenas os Fiéis de Númenor, e muitos, portanto, do povo das terras costeiras naquela região eram aparentados, no todo ou em parte, aos Amigos-dos-Elfos e ao povo de Elendil e receberam bem seus filhos. A principal cidade desse reino sulino era Osgiliath, em cujo meio o Grande Rio passava; e os Númenóreanos construíram ali uma grande ponte, sobre a qual havia torres e casas de pedra maravilhosas de se contemplar, e altos navios vinham do mar para os ancoradouros da cidade. Outros lugares fortificados construíram também em cada lado do rio: Minas Ithil, a Torre da Lua Nascente, a leste, sobre uma falda das Montanhas de Sombra, como uma ameaça a Mordor; e, a oeste, Minas Anor, a Torre do Sol Poente, aos pés do Monte Mindolluin, como um escudo contra os homens selváticos dos vales. Em Minas Ithil ficava a casa de Isildur e, em Minas Anor, a casa de Anárion, mas eles compartilhavam entre si o reino, e seus tronos estavam postos lado a lado no Grande Salão de Osgiliath. Essas eram as principais habitações dos Númenóreanos em Gondor, mas outras obras, maravilhosas e fortes, eles construíram na terra nos dias de seu poder, nas Argonath, e em Aglarond, e em Erech; e no círculo de Angrenost, que os Homens chamavam de Isengard, fizeram o Pináculo de Orthanc de rocha inquebrável.

Muitos tesouros e grandes heranças[5] de virtude e assombro os Exilados tinham trazido de Númenor; e desses os mais renomados eram as Sete Pedras e a Árvore Branca. A Árvore Branca crescera do fruto de Nimloth, a Bela, que ficava nos pátios do Rei em Armenelos de Númenor, antes que Sauron a queimasse; e Nimloth descendia, por sua vez, da Árvore de Tirion, que era uma imagem da Mais Antiga das Árvores, a Branca Telperion, que Yavanna fizera crescer na terra dos Valar. A Árvore, memorial dos Eldar e da luz de Valinor, foi plantada em Minas Ithil diante da casa de Isildur, já que ele tinha salvado o fruto da destruição;[6] mas as Pedras foram divididas.

Elendil, Isildur e Anárion dividiram entre eles as sete Pedras-Videntes:

Três Elendil tomou consigo, e seus filhos, duas cada um. Aquelas pertencentes a Elendil foram postas em torres sobre as Emyn Beraid, sobre o Amon Sûl e na cidade de Annúminas. Mas aquelas que eram de seus filhos estavam em Minas Ithil e Minas Anor e em Orthanc e Osgiliath. Ora, essas Pedras tinham esta virtude: aqueles que nelas olhavam podiam perceber coisas muito distantes, seja no espaço ou no tempo. Na maioria das vezes, revelavam apenas coisas próximas a outra Pedra-irmã, pois cada Pedra se ligava às outras; mas aqueles que possuíam grande força de vontade e de mente podiam aprender a direcionar seu olhar para onde quisessem. Assim os Númenóreanos ficavam cientes de muitas coisas que seus inimigos desejavam ocultar, e pouco escapava de sua vigilância nos dias de seu poderio.

Dizem que as torres das Emyn Beraid não foram de fato construídas pelos Exilados de Númenor, mas foram erigidas por Gil-galad para Elendil, seu amigo; e a Pedra Vidente das Emyn Beraid foi posta em Elostirion, a mais alta das torres. Para lá Elendil, por vezes, se dirigia e dali fitava, quando o sofrimento do exílio lhe sobrevinha, os mares que separam; e acredita-se que assim, por vezes, ele via muito ao longe até mesmo a Torre de Avallónë, em Eressëa, onde a Pedra-mestra ficava e ainda fica. Essas pedras foram presentes dos Eldar a Amandil, pai de Elendil, para confortar os Fiéis de Númenor em seus dias sombrios, quando os Elfos não mais podiam ir àquela terra debaixo da sombra de Sauron. Eram chamadas de Palantíri, aquelas que observam ao longe; mas todas aquelas que foram trazidas à Terra-média muito tempo atrás se perderam.[7]

Ao falar sobre as Pedras-Videntes, Gandalf disse: "As *palantíri* vieram de além de Ociente, de Eldamar. Os Noldor as fizeram. Quem sabe o próprio Fëanor as tenha engendrado, em dias tão longínquos que o tempo não pode ser medido em anos. Mas não há nada que Sauron não possa perverter para usos malignos [...] São perigosos para todos nós os expedientes de uma arte mais profunda do que nós mesmos possuímos [...]"[8]

Nos últimos dias da Segunda Era, "os Exilados de Númenor estabeleceram seus reinos em Arnor e em Gondor; mas, antes que muitos anos tivessem passado, tornou-se manifesto que seu inimigo, Sauron, também tinha retornado".[9]

[A ruína de Númenor] foi mais terrível do que Sauron tinha previsto, pois se esquecera do poderio dos Senhores do Oeste em sua fúria.[10]

Pois [os Exilados] criam que ao menos proviera da ruína este bem: que Sauron também perecera.

Mas não era assim. Sauron foi deveras apanhado na destruição de Númenor, de modo que a forma corpórea em que por longo tempo caminhara pereceu; mas fugiu de volta à Terra-média, um espírito de ódio carregado por um vento escuro. Nunca mais foi capaz de assumir uma forma que parecesse bela aos homens, mas tornou-se sombrio e hediondo, e daí em diante seu poder foi somente pelo terror.[11]

Ele veio em segredo, como se contou, a seu antigo reino de Mordor, detrás da Ephel Dúath, as Montanhas de Sombra, e aquele país fazia fronteira com Gondor do lado leste. Ali, acima do vale de Gorgoroth, estava construída sua vasta e magna fortaleza, Barad-dûr, a Torre Sombria; e havia uma montanha ígnea naquela terra, que os Elfos chamavam de Orodruin. De fato, foi por essa razão que Sauron tinha posto ali sua habitação havia muito, pois usava o fogo que manava do coração da terra em suas feitiçarias e em suas forjas; e em meio à Terra de Mordor ele deu forma ao Anel Regente. Agora lá maquinava no escuro, até que fez para si uma nova forma; e essa era terrível, pois seu semblante belo tinha partido para sempre quando foi lançado no abismo durante a submersão de Númenor. Tomou consigo outra vez o grande Anel e se vestiu com poder; e a malícia do Olho de Sauron poucos, mesmo entre os grandes de Elfos e Homens, podiam suportar.[12]

Foi grande [a] ira [de Sauron] quando soube que Elendil, a quem mais odiava, lhe escapara e agora organizava um reino em suas fronteiras.[13]

Ora, Sauron se preparou para a guerra contra os Eldar e os Homens de Ociente, e os fogos da Montanha foram despertos de novo. Donde, vendo a fumaça do Orodruin ao longe e percebendo que Sauron tinha retornado, os Númenóreanos deram novo nome àquela montanha, Amon Amarth, isto é, Monte da Perdição. E Sauron reuniu consigo grande força de seus serviçais do leste e do sul; e em meio a eles havia não poucos da alta raça de Númenor. Pois, nos dias da morada de Sauron naquela terra, os corações de quase todo o seu povo tinham se voltado para a escuridão. Portanto, muitos dos que navegaram para o leste naquele tempo e fizeram fortalezas e habitações nas costas já estavam inclinados à sua vontade e ficaram contentes em servi-lo ainda na Terra-média. Mas por causa do poder de Gil-galad, esses renegados, senhores tão poderosos quanto malignos, em sua maior parte fizeram suas moradas nas longínquas terras do sul; contudo, dois havia, Herumor e Fuinur, que ascenderam ao poder entre os Haradrim, um povo numeroso e cruel que habitava as vastas terras ao sul de Mordor, além das fozes do Anduin.[14]

NOTAS

1. *Cartas*, carta nº 131. Nessa carta, Tolkien escreveu: "Elendil, uma figura semelhante a Noé, que se afastou da rebelião e manteve navios tripulados e abastecidos ao largo da costa leste de Númenor, foge diante da tempestade devastadora da ira do Oeste e é carregado no topo das enormes ondas que levam a ruína ao oeste da Terra-média. Ele e seu povo são lançados como exilados na costa". A referência é ao patriarca Noé, que aparece na história bíblica do Dilúvio (Gênesis 6:11–9:19), sendo ambos fiéis às suas crenças e preparados para o que pudesse ocorrer.
2. Apêndice A, p. 1473.
3. *Retorno*, Livro VI, 5 "O Regente e o Rei", pp. 1382.
4. Relatos desses monarcas encontram-se em *O Senhor dos Anéis*, Apêndices A e B; e em *The Peoples of Middle-earth*, Part One: The Prologue and Appendices to *The Lord of the Rings*, VII "The Heirs of Elendil" e IX "The Making of Appendix A" [A Escrita do Apêndice A]. A narrativa que se segue foi retirada de Anéis, pp. 380–1.
5. Também entre essas heranças estava o cetro que, em Númenor, havia sido o símbolo da posição dos Senhores de Andúnië, sobre o qual foi escrito mais tarde [Apêndice A, p. 1482, nota de rodapé]: "O bastão de prata dos Senhores de Andúnië e é agora, quem sabe, a mais antiga obra de mãos humanas preservada na Terra-média".

O cetro de Númenor, tendo perecido com Ar-Pharazôn na Queda, fez com que esse bastão de prata se tornasse o Cetro de Annúminas, que representava a autoridade da linhagem dos reis númenóreanos na Terra-média. Muitos anos depois, o cetro se encontrava entre as heranças sob custódia de Elrond em Imladris, como está escrito em "O Conto de Aragorn e Arwen" [Apêndice A, (v), pp. 1502 ss.].

6. Ver p. 252.
7. Anéis, pp. 381–2. Na Terceira Era, o conhecimento de que as pedras continuavam a existir ficaria limitado a alguns poucos. Saruman tinha a posse de uma em Orthanc, e Denethor, o último Regente de Gondor, tinha outra em Minas Tirith, enquanto o olho de Sauron que tudo via observava a atividade nessas pedras usando uma terceira mantida em Barad-dûr. Embora a pedra de Orthanc tenha desempenhado um papel significativo na Guerra do Anel, o destino da maioria das Palantíri teria sido desconhecido na época desse texto.
8. *Torres*, p. 864. Para uma história das Pedras-Videntes, ver *CI*, Quarta Parte, III "As Palantíri", pp. 532 ss.
9. Anéis, p. 382.
10. Anéis, p. 379.
11. Apêndice A, pp. 1473–4.
12. Anéis, pp. 382–3.
13. Apêndice A, p. 1474.
14. Anéis, p. 383. Herumor e Fuinur estavam entre os Númenóreanos que, durante a estada de Sauron na ilha, navegaram para o leste a fim de estabelecer fortalezas e moradas ao longo da costa da Terra-média, e cuja vontade já estava sujeita à influência de Sauron. Esses assim chamados "Númenóreanos Negros" podem ter estado entre aqueles Homens que Sauron recrutou quando se preparou para atacar Gondor em S.E. 3429.

3429

Sauron ataca Gondor, toma Minas Ithil e queima a Árvore Branca. Isildur escapa descendo o Anduin e vai ter com Elendil no Norte. Anárion defende Minas Anor e Osgiliath.

Quando, portanto, Sauron achou que sua hora chegara, veio com grande força contra o novo reino de Gondor, e tomou Minas Ithil, e destruiu a Árvore Branca de Isildur que crescia ali. Mas Isildur escapou e, tomando consigo um rebento da Árvore, seguiu rio abaixo com sua esposa e seus filhos de navio, e eles velejaram das fozes do Anduin em busca de Elendil. Enquanto isso, Anárion defendia Osgiliath do Inimigo e, por ora, o empurrou de volta às montanhas; mas Sauron reuniu suas forças de novo, e Anárion sabia que, a não ser que viesse ajuda, o seu reino não duraria muito.[1]

Como Gandalf viria dizer a Frodo posteriormente: "A força dos Elfos para resistir a ele foi maior outrora; e nem todos os Homens estavam afastados deles. Os Homens de Ociente vieram em ajuda deles. Esse é um capítulo de história antiga que seria bom relembrar; pois também então havia pesar e treva crescente, mas também grande proeza e grandes feitos que não foram totalmente em vão."[2]

NOTAS

1. Anéis, p. 383.
2. *Sociedade*, Livro I, Capítulo 2, "A Sombra do Passado", p. 105.

3430

A ÚLTIMA ALIANÇA DE ELFOS E HOMENS SE FORMA.

Ora, Elendil e Gil-galad reuniram-se em conselho, pois percebiam que Sauron tornar-se-ia forte demais e sobrepujaria seus inimigos um a um, se não se unissem contra ele. Portanto, fizeram aquela Liga que é chamada de Última Aliança.[1]

> Durante a viagem dos hobbits até Valfenda, Passolargo faz uma breve alusão a Elendil, Gil-galad e sua Aliança com referência ao Topo-do--Vento, a mais alta e mais meridional das Colinas do Vento no norte de Eriador acima da Grande Estrada Leste feita pelos Anãos:

"Nos primeiros dias do Reino do Norte, construíram uma grande torre de vigia no Topo-do-Vento. Amon Sûl era chamada. Ela foi queimada e demolida, e agora nada resta dela senão um anel desabado, como uma coroa rude na cabeça da colina velha. Mas foi outrora alta e bela. Contam que Elendil lá esteve, observando a vinda de Gil-galad do Oeste nos dias da Última Aliança."[2]

NOTAS

1. Anéis, pp. 383–4.
2. *Sociedade*, Livro I, 11 "Um Punhal no Escuro", p. 277.

3431

Gil-Galad e Elendil marcham para o Leste, rumo a Imladris.

Gil-galad e Elendil marcharam para o leste da Terra-média congregando uma grande hoste de Elfos e Homens; e se detiveram por algum tempo em Imladris. Dizem que a hoste que se ajuntou lá era a mais bela e a mais esplêndida em armas que qualquer uma surgida desde então na Terra-média, e nenhuma maior que ela tinha sido convocada desde que a hoste dos Valar atacara as Thangorodrim.[1]

Anos depois, durante o Conselho de Elrond, o Mestre de Valfenda viria a relembrar aquela reunião de forças: "Então Elendil, o Alto, e seus poderosos filhos, Isildur e Anárion, tornaram-se grandes senhores; e estabeleceram o reino do Norte em Arnor, e o do Sul em Gondor, acima das fozes do Anduin. Mas Sauron de Mordor os assaltou, e fizeram a Última Aliança de Elfos e Homens, e as hostes de Gil-galad e Elendil estavam reunidas em Arnor.

Nesse ponto Elrond fez uma pequena pausa e suspirou. "Lembro-me bem do esplendor de seus estandartes", disse ele. "Ele me recordou a glória dos Dias Antigos e as hostes de Beleriand, tantos eram os grandes príncipes e capitães ali reunidos. Porém não tantos, nem tão belos, quanto no rompimento das Thangorodrim, quando os Elfos julgaram que o mal estava terminado para sempre, e não estava."[2]

NOTAS

1. Anéis, p. 384. Thangorodrim foi o local da Guerra da Ira travada na Primeira Era pela Hoste de Valinor, pelos Eldar e pelos Homens das Três Casas dos Edain contra as forças de Morgoth. Foi pelo valor dos Edain no auxílio da derrubada e derrota de Morgoth que lhes foi concedida Andor, "A Terra da Dádiva", para viverem nela, e que os Homens mais tarde chamaram de Númenor. Ver *O Silmarillion*, "Quenta Silmarillion", 24 "Da Viagem de Eärendil e da Guerra da Ira", em *O Silmarillion*, pp. 327 ss.
2. *Sociedade*, Livro II, 2 "O Conselho de Elrond", p. 350.

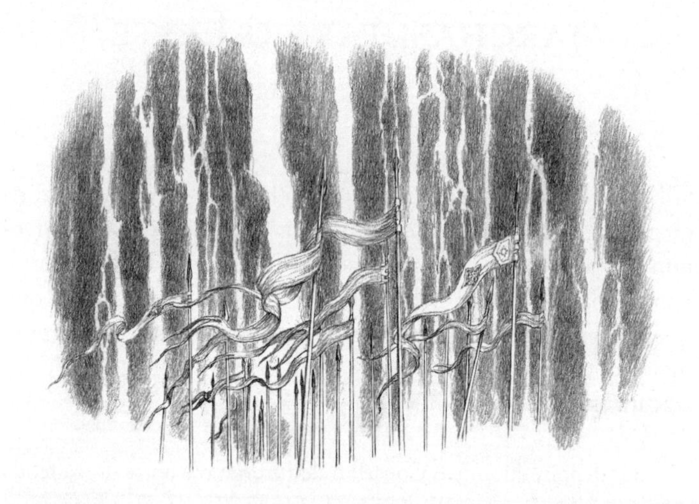

3434

A Hoste da Aliança atravessa as Montanhas Nevoentas. Batalha de Dagorlad e derrota de Sauron. Começa o cerco de Barad-Dûr.

Sauron preparou-se para atacar. Uma das consequências das preparações de Sauron para a guerra foi o desaparecimento da Terra-média das Entesposas, companheiras dos Ents, "Pastores das Árvores" que, na Terceira Era, viriam a desempenhar um papel importante na tomada de Isengard. Em uma carta de 1954, J.R.R. Tolkien escreveu:

Acredito que as Entesposas de fato desapareceram para sempre, sendo destruídas com seus jardins na Guerra da Última Aliança (3429–3441 da Segunda Era), quando Sauron adotou uma política de terra queimada e queimou a terra delas contra o avanço dos Aliados Anduin abaixo. Algumas, é claro, podem ter fugido para o leste, ou até mesmo sido escravizadas: os tiranos, mesmo em tais contos, precisam ter um pano de fundo econômico e agrícola para seus soldados e metalúrgicos. Se algumas sobreviveram assim, estariam realmente muito afastadas dos Ents, e qualquer reaproximação seria difícil — a não ser que a experiência de uma agricultura industrializada e militarizada as tenha tornado um pouco mais anárquicas. Espero que sim. Não sei.[1]

As forças da Aliança permaneceram por três anos em Imladris, sem dúvida elaborando planos de batalha e se equipando para o conflito à frente.

De Imladris cruzaram as Montanhas Nevoentas por muitos passos e marcharam Rio Anduin abaixo, e assim chegaram afinal diante da hoste de Sauron, em Dagorlad, a Planície da Batalha, que está diante do portão da Terra Negra.[2]

A Batalha de Dagorlad foi travada em uma vasta planície indistinta e coberta de pó, e viria a ser o maior conflito da Segunda Era, envolvendo forças que representavam a maioria das raças da Terra-média.

Todas as coisas vivas estavam divididas naquele dia, e alguns de cada espécie, até mesmo entre feras e aves, podiam ser encontrados em cada hoste, salvo os Elfos apenas. Somente eles não estavam divididos e seguiam Gil-galad. Dos Anãos poucos lutaram de cada lado; mas a gente de Durin de Moria lutou contra Sauron.[3]

Entre as forças que faziam parte da Aliança havia dois exércitos de Elfos que há muito haviam decidido se manter à parte e que, como resultado, haviam desfrutado de "longos anos de paz e obscuridade [...] até a Queda de Númenor e a súbita volta de Sauron à Terra-média": os Elfos de Lórien e os Elfos Silvestres do norte de Verdemata, a Grande.[4]

Diz-se que o reino [dos Elfos Silvestres] estendia-se às florestas que circundavam a Montanha Solitária e cresciam ao longo das

costas ocidentais do Lago Longo, antes da chegada dos Anãos exilados de Moria e da invasão do Dragão. O povo élfico desse reino migrara do sul, pois eram parentes e vizinhos dos Elfos de Lórien; mas haviam habitado em Verdemata, a Grande, a leste do Anduin. Na Segunda Era seu rei, Oropher [pai de Thranduil, pai de Legolas], retirara-se para o norte, além dos Campos de Lis. Fez isso para livrar-se do poder e das transgressões dos Anãos de Moria, que se tornara a maior das mansões dos Anãos registrada na história; e também se ressentia das intrusões de Celeborn e Galadriel em Lórien. Mas na época pouco havia a temer entre Verdemata e as Montanhas, e havia constante intercâmbio entre sua gente e seus parentes do outro lado do Rio, até a Guerra da Última Aliança.

A despeito do desejo dos Elfos Silvestres de se intrometerem o mínimo possível nos assuntos dos Noldor e Sindar, ou de quaisquer outros povos, Anãos, Homens ou Orques, Oropher teve a sabedoria de prever que a paz somente voltaria se Sauron fosse derrotado. Reuniu, portanto, um grande exército do seu povo, agora numeroso, e, unindo-se ao exército menor de Malgalad [Amdír] de Lórien, liderou a hoste dos Elfos Silvestres à batalha. Os Elfos Silvestres eram vigorosos e valentes, mas mal equipados com couraças ou armas, em comparação com os Eldar do Oeste; eram também independentes e não estavam dispostos a se submeter ao comando supremo de Gil-galad. Assim, suas perdas foram mais sérias do que precisavam ser, mesmo naquela guerra terrível. Malgalad [Amdír] e mais da metade de seus seguidores pereceram na grande batalha de Dagorlad, pois foram apartados da hoste principal e expulsos para os Pântanos Mortos. Oropher foi morto no primeiro ataque a Mordor, precipitando-se à frente de seus guerreiros mais audazes antes que Gil-galad tivesse dado o sinal para avançar. Seu filho Thranduil sobreviveu; mas, quando a guerra terminou e Sauron foi morto (ao que parecia), ele levou de volta para casa menos de um terço do exército que marchara para a guerra.[5]

Assim, conta-se que a Batalha de Dagorlad foi longa e travada com dificuldade, e que o número de tombados cujos restos mortais afundaram nos Pântanos Mortos era incontável. Mais de três mil anos depois, os Pântanos ainda eram um local assombrado onde se encontravam sepultados aqueles mortos em batalha, como Frodo e Sam descobriram quando Gollum os conduziu através dos Pântanos em sua jornada rumo a Mordor e foram enfeitiçados pelas luzes bruxuleantes, como de velas, pairando sobre lagoas estagnadas: "Estão deitados em todas as lagoas", [disse Frodo,] "rostos pálidos, fundos fundos sob a água escura. Eu os vi: rostos sisudos e maus, e rostos nobres e tristes. Muitos rostos altivos e belos, e ervas em seus cabelos de prata. Mas todos imundos, todos podres, todos mortos. Há uma luz cruel neles."

[Ao que Gollum respondeu:] "Sim, sim [...] Foi uma grande batalha. Homens altos com espadas compridas, e Elfos terríveis, e Órqueses guinchando. Lutaram na planície por dias e meses nos Portões Negros. Mas os Pântanos cresceram depois disso, engoliram os túmulos; sempre rastejando, rastejando."[6]

Embora a Batalha de Dagorlad tenha sido lutada por um longo tempo, ao custo de muitas fatalidades, a Aliança triunfou no fim:

A hoste de Gil-galad e Elendil obteve a vitória, pois o poderio dos Elfos ainda era grande naqueles dias, e os Númenóreanos eram fortes e altos e terríveis em sua ira. Contra Aeglos, a lança de Gil-galad, ninguém podia resistir; a espada de Elendil enchia Orques e Homens de medo, pois brilhava com a luz do sol e da lua, e seu nome era Narsil.[7]

Mais tarde, Elrond viria a relembrar sobre a Batalha: "Fui arauto de Gil-galad e marchei com sua hoste. Estive na Batalha de Dagorlad diante do Portão Negro de Mordor, onde fomos vitoriosos: pois à Lança de Gil-galad e à Espada de Elendil, Aeglos e Narsil, ninguém podia resistir."[8]

Com a batalha vencida, a Aliança entrou no Planalto de Gorgoroth, cercado pelas muralhas montanhosas das Ered Lithui e de Ephel Dúath, com a intenção de levar a derrota final a Sauron sitiando sua poderosa torre-fortaleza de Barad-dûr.

Então Gil-galad e Elendil entraram em Mordor e se postaram em volta da fortaleza de Sauron; e a puseram sob cerco durante sete anos, e sofreram duras perdas por fogo e pelos dardos e setas do Inimigo, e Sauron lançou muitas surtidas contra eles.[9]

NOTAS

1. *Cartas*, carta nº 144; ver também *Torres*, pp. 705–8.
2. Anéis, p. 384.
3. Anéis, p. 384.
4. *CI*, Segunda Parte, IV "A História de Galadriel e Celeborn", p. 331.
5. *CI*, Apêndice B, "Os Príncipes Sindarin dos Elfos Silvestres", pp. 349–50. Christopher Tolkien comentou aqui: "Malgalad de Lórien não ocorre em nenhum outro lugar, e aqui não se diz que tenha sido o pai de Amroth. Por outro lado, há duas menções (*CI*, pp. 325 e 329) de que Amdír, pai de Amroth, teria sido morto na Batalha de Dagorlad. Parece, portanto, que Malgalad pode ser simplesmente identificado com Amdír. Mas sou incapaz de dizer qual nome substituiu o outro".
6. *Torres*, Livro IV, 2 "A Travessia dos Pântanos", pp. 904–5.
7. Anéis, p. 384.
8. *Sociedade*, Livro II, 2 "O Conselho de Elrond", p. 350.
9. Anéis, p. 384.

3440

Anárion é morto.

Ali, no vale de Gorgoroth, Anárion, filho de Elendil, foi morto, e muitos outros.[1]

Em outro lugar está registrado:

A coroa de Gondor [em épocas posteriores] derivou-se da forma de um elmo de guerra númenóreano. No começo era de fato um elmo singelo; e dizem que era aquele que Isildur usou na Batalha de Dagorlad (pois o elmo de Anárion foi esmagado pela pedra lançada de Barad-dûr, que o matou).[2]

NOTAS

1. Anéis, p. 384.
2. Apêndice A, p. 1482, nota de rodapé 24, que continua: "Mas nos dias de Atanatar Alcarin ele foi substituído pelo elmo provido de joias que foi usado na coroação de Aragorn".

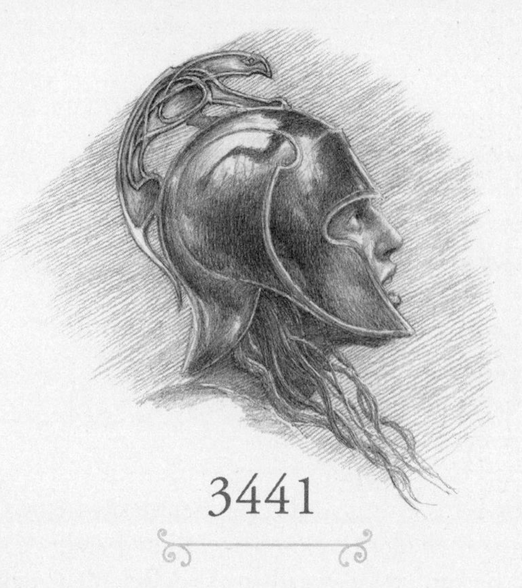

3441

Sauron é derrotado por Elendil e Gil-Galad, que perecem. Isildur toma o Um Anel. Sauron desaparece e os Espectros-do-Anel vão para as sombras. Termina a Segunda Era.

Mas enfim o cerco se tornou tão apertado que o próprio Sauron veio para fora; e lutou com Gil-galad e Elendil, e ambos foram mortos, e a espada de Elendil quebrou debaixo dele quando tombou.[1]

A queda de Gil-galad, o Rei-élfico, viria a ser lembrada por muito tempo em lenda e canção:

Gil-galad foi um Elfo-rei.
Seus tristes feitos cantarei:
foi belo e livre seu lugar,
o último entre Monte e Mar.

Longa a espada, aguda a lança,
do elmo o brilho longe alcança;
os astros mil do firmamento
se espelham no escudo argento.

Mas muito faz que nos deixou,
e ninguém sabe onde ficou;
tombou seu astro na escuridão
em Mordor, onde as sombras são.[2] *

Muitos dos Elfos e muitos dos Númenóreanos e dos Homens que foram seus aliados tinham perecido na Batalha e no Cerco; e Elendil, o Alto, e Gil-galad, o Alto Rei, não mais viviam. Nunca mais foi tal hoste congregada, nem houve mais tal liga de Elfos e Homens; pois, depois dos dias de Elendil, as duas gentes se afastaram.[3]

A perda de Gil-galad e Elendil em sua luta com Sauron nas encostas de Orodruin foi um golpe trágico nos exércitos da Aliança, mas, para o seu inimigo, o triunfo não durou muito:

Mas Sauron também foi derrubado e, com o pedaço da lâmina de Narsil preso ao cabo, Isildur cortou o Anel Regente da mão de Sauron e o tomou para si. Então Sauron foi, por aquele tempo, derrotado, e abandonou seu corpo, e seu espírito fugiu para longe e se escondeu em lugares ermos; e ele não assumiu forma visível de novo por muitos e longos anos.[4]

Como é contado em *A Sociedade do Anel*, muito tempo depois da batalha em que não só ocorreu a queda de Sauron como também a de Gil-galad e Elendil, Elrond Meio-Elfo viria a falar sobre aqueles

---

* *Gil-galad was an Elven-king. / Of him the harpers sadly sing: / the last whose realm was fair and free / between the Mountains and the Sea. / His sword was long, his lance was keen, / his shining helm afar was seen; / the countless stars of heaven's field / were mirrored in his silver shield. / But long ago he rode away, / and where he dwelleth none can say; / for into darkness fell his star / in Mordor where the shadows are.*

dias no Conselho em Valfenda: "Chamei de infrutífera a vitória da Última Aliança? Não o foi totalmente, porém não alcançou seu objetivo. Sauron foi diminuído, mas não destruído. Seu Anel foi perdido, mas não desfeito. A Torre Sombria foi rompida, mas seus fundamentos não foram removidos; pois foram construídos com o poder do Anel e perdurarão enquanto ele permanecer. Muitos Elfos e muitos Homens poderosos, e muitos de seus amigos, pereceram na guerra. Anárion foi morto, e Isildur foi morto; e Gil-galad e Elendil não mais viviam. Nunca mais haverá tal liga de Elfos e Homens; pois os Homens se multiplicam, e os Primogênitos decrescem, e as duas gentes estão apartadas. E desde aquele dia, a raça de Númenor tem decaído, e a extensão de seus anos encurtou".[5]

NOTAS

1. Anéis, p. 384.
2. *Sociedade*, Livro I, 11 "Um Punhal no Escuro", p. 278.
3. Anéis, p. 385.
4. Anéis, p. 384.
5. *Sociedade*, Livro II, 2 "O Conselho de Elrond", pp. 351–2.

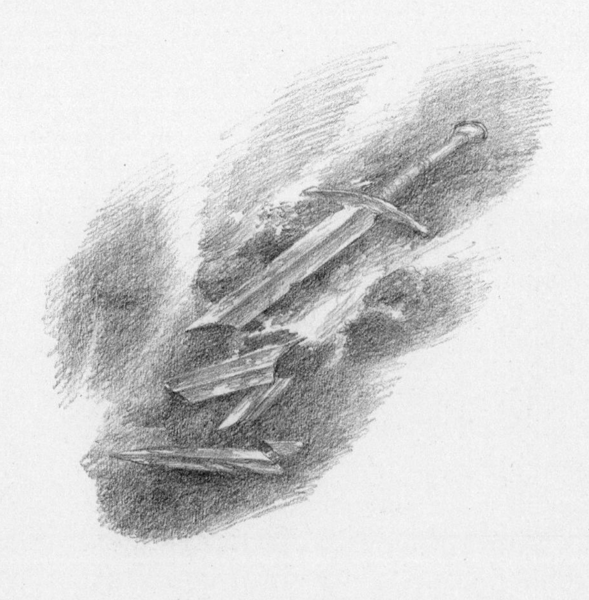

Epílogo

OS REIS NÚMENÓREANOS NO EXÍLIO:

Isildur, Alto Rei de Gondor e Arnor

Nascimento: S.E. 3209; Morte: T.E. 2 (234 anos)
Reinado: S.E. 3441–T.E. 2 (2 anos)

O Anel Regente desapareceu do conhecimento até mesmo dos Sábios daquela era; contudo, não foi desfeito. Pois Isildur não queria cedê-lo a Elrond e Círdan, que estavam a seu lado. Eles o aconselharam a lançá-lo no fogo de Orodruin, ali próximo, no qual tinha sido forjado, de modo que pereceria, e o poder de Sauron seria para sempre diminuído, e ele permaneceria apenas como uma sombra de maldade nos ermos. Mas Isildur recusou esse conselho, dizendo: "Isto guardarei como preço de sangue pela morte de meu pai e de meu irmão. Não fui eu que atingi o Inimigo com o golpe mortal?" E o Anel que segurava lhe parecia sobremaneira belo de se contemplar; e não deixou que fosse destruído. Tomando-o consigo, portanto, retornou primeiro a Minas Anor, e ali plantou a Árvore Branca em memória de seu irmão, Anárion.[1]

Entre os "rolos e livros depositados" nos arquivos de saber mantidos na Cidade de Gondor, estavam "muitos registros dos dias antigos" que "mesmo dentre os mestres do saber" poucos podiam ler, "pois suas escritas e línguas" haviam se tornado "obscuras aos homens recentes". Entre esses documentos em Minas Tirith havia um rolo a respeito do Um Anel, escrito por Isildur após a guerra em Mordor e antes de sua partida para o Norte:

> *Agora o Grande Anel há de se tornar herança do Reino do Norte; mas registros dele hão de ser deixados em Gondor, onde habitam também os herdeiros de Elendil, para que não venha um tempo em que a lembrança destes grandes feitos se desvaneça.*

E após essas palavras, Isildur descreveu o Anel, tal como o encontrou.

> *Estava quente quando o tomei pela primeira vez, quente como brasa, e minha mão foi chamuscada, de tal maneira que duvido que algum dia me livre dessa dor. Mas enquanto escrevo, ele arrefeceu, e parece encolher, porém não perde sua beleza nem sua forma. Já a escrita que traz, que de início era nítida como chama rubra, míngua e agora mal pode ser lida. Está redigida em escrita-élfica de Eregion, pois não há letras em Mordor para obra tão sutil; mas o idioma me é desconhecido. Julgo que seja uma língua da Terra Sombria, visto que é imunda e rude. Não sei que mal ela expressa; mas traço aqui uma cópia, temendo que desvaneça de modo irremediável. Ao Anel falta, quem sabe, o calor da mão de Sauron, que era negra e, ainda assim, ardia como fogo, e assim foi destruído Gil-galad; e talvez, se o ouro fosse reaquecido, a escrita seria renovada. Porém de minha parte não arriscarei danificar esse objeto: a única bela dentre todas as obras de Sauron. É precioso para mim, apesar de eu o comprar com grande dor.*[2]

Mas [Isildur] logo partiu e, depois de ter dado conselhos a Meneldil, filho de seu irmão, e de lhe ter entregado o domínio do sul, levou embora o Anel, para que fosse uma herança de sua casa, e marchou de Gondor para o norte pelo caminho usado por Elendil em sua vinda; e abandonou o Reino do Sul, pois pretendia assumir o domínio de seu pai em Eriador, longe da sombra da Terra Negra.

Mas Isildur foi sobrepujado por uma hoste de Orques que estava à espreita nas Montanhas Nevoentas; e desceram sobre ele sem aviso em seu acampamento entre a Verdemata e o Grande Rio, perto de Loeg Ningloron, os Campos de Lis, pois tinha se descuidado e não havia posto guarda, julgando que todos os seus inimigos tinham sido derrotados. Ali quase todo o seu povo foi morto, e entre eles estavam seus três filhos mais velhos, Elendur, Aratan e Ciryon; mas sua esposa e seu filho mais novo, Valandil, ele tinha deixado em Imladris quando foi à guerra. O próprio Isildur escapou por meio do Anel, pois quando o usava ficava invisível a todos os olhos; mas os Orques o caçaram por faro e trilha até que ele chegou ao Rio e mergulhou nele. Ali o Anel o traiu e vingou seu criador, pois escorregou do dedo de Isildur enquanto ele nadava e se perdeu n'água. Então os Orques o viram enquanto forcejava na corrente, e o feriram com muitas flechas, e esse foi o seu fim.[3]

NOTAS

1. Anéis, p. 385. O *preço de sangue* (também chamado *veregildo*, do inglês antigo *wergeld* "dinheiro de homem") é estabelecido em antigos códigos de lei como a estipulação de um valor monetário pela vida de uma pessoa, imposto como uma multa ao assassino e um pagamento de restituição à família da vítima. Tolkien tinha conhecimento da palavra, que aparece em *Beowulf*, na *Völsungasaga*, na *Saga de Egil* islandesa do século XIII e em outros lugares. Um exemplo dessa lei é mencionado por Tolkien acerca de Túrin II, no Apêndice A, II "A Casa de Eorl", p. 1520. Uma narrativa alternativa mais longa que reconta a queda de Isildur encontra-se em "O Desastre dos Campos de Lis", *CI*, pp. 365–85.
2. *Sociedade*, Livro II, 2 "O Conselho de Elrond", pp. 362–3. O conteúdo do rolo de Isildur foi revelado ao Conselho de Elrond na Terceira Era por Gandalf, que contou aos presentes que acreditava o registro permanecera sem ser lido por ninguém — desde que a linhagem dos reis deixara de existir —, "senão por Saruman e por mim".
3. Anéis, pp. 385–6.

APÊNDICES

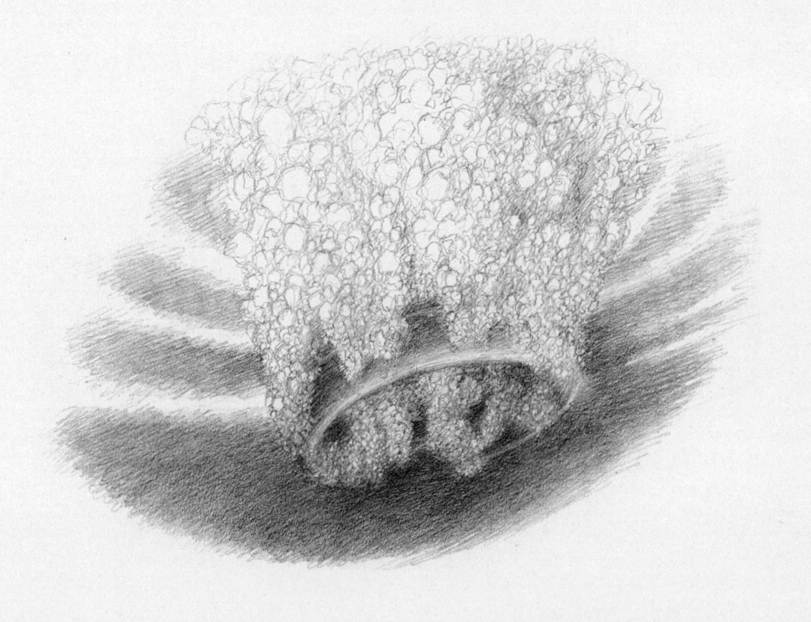

Uma breve crônica da Terceira Era da Terra-média[1]

Apenas três [do] povo [de Isildur] conseguiram atravessar as montanhas depois de muitas andanças; e um desses era Ohtar, seu escudeiro, a quem ele tinha mandado guardar os pedaços da espada de Elendil.

Assim Narsil chegou, no tempo devido, às mãos de Valandil, o herdeiro de Isildur, em Imladris; mas a lâmina estava quebrada e sua luz se extinguira e não foi forjada de novo. E Mestre Elrond profetizou que isso não seria feito até que o Anel Regente fosse achado de novo e Sauron retornasse; mas a esperança de Elfos e Homens era que essas coisas nunca viessem a se passar.

Valandil fez sua morada em Annúminas, mas seu povo estava diminuído, e dos Númenóreanos e dos Homens de Eriador restavam agora muito poucos para povoar a terra ou manter todos os lugares que Elendil construíra; em Dagorlad, e em Mordor, e nos Campos de Lis, muitos tinham tombado. E veio a acontecer, depois dos dias de Eärendur [T.E. 640–861], o sétimo rei que se seguiu a Valandil, que os Homens de Ociente, os Dúnedain do Norte, ficaram divididos em pequenos reinos e senhorios, e seus inimigos os devoraram um a um. Sempre decaíam com os anos, até que sua glória passou, deixando apenas tesos verdejantes na relva. Por fim, nada restava deles exceto um povo estranho, vagando em segredo pelo ermo, e outros homens não conheciam seus lares ou o propósito de suas jornadas e, salvo em Imladris, na casa de Elrond, sua ascendência foi esquecida. Contudo, os pedaços da espada foram guardados com cuidado durante muitas vidas de Homens pelos herdeiros de Isildur; e sua linhagem de pai para filho permaneceu intacta.

No sul, o reino de Gondor durou, e, por algum tempo, seu esplendor cresceu até recordar a riqueza e a majestade de Númenor antes da queda. Altas torres o povo de Gondor construiu, e lugares fortificados, e portos de muitos navios; e a Coroa Alada dos Reis de Homens era tida em reverência por gentes de muitas terras e línguas. Por muitos anos a Árvore Branca cresceu diante da casa do Rei, em Minas Anor, semente daquela árvore que Isildur trouxera, através das profundezas do mar, de Númenor; e a semente dessa, por sua vez, viera de Avallónë e, antes disso, de Valinor, no Dia antes dos dias, quando o mundo era jovem.

Porém, enfim, no cansaço dos anos velozes da Terra-média Gondor definhou, e a linhagem de Meneldil, filho de Anárion, fraquejou. Pois o sangue dos Númenóreanos se tornou muito misturado ao de outros homens, e seu poder e sua sabedoria diminuíram, e seu tempo de vida encurtou, e a guarda sobre Mordor adormentou-se. E nos dias de Telemnar [Reinado: T.E. 1634–36], o terceiro e vigésimo da linhagem de Meneldil, uma praga chegou nas asas de ventos sombrios do leste e feriu de morte o Rei e seus filhos, e muitos do povo de Gondor pereceram. Então os fortes nas fronteiras de Mordor ficaram desertos, e Minas Ithil se esvaziou de seu povo; e o mal entrou na Terra Negra em segredo, e as cinzas de Gorgoroth se remexeram como que por um vento gélido, pois formas sombrias se reuniam lá. Dizem que esses eram de fato os Úlairi, a quem Sauron chamava de Nazgûl, os Nove Espectros-do-Anel que, havia muito, permaneciam escondidos, mas retornavam agora para preparar os caminhos de seu Mestre, pois ele tinha começado a crescer de novo.

E, nos dias de Eärnil [T.E. 1945–2043], fizeram seu primeiro ataque, e vieram à noite de Mordor, pelos passos das Montanhas de Sombra, e tomaram Minas Ithil para ser sua morada; e fizeram dela um lugar de tal horror que ninguém ousava contemplá-lo. Dali em diante, a cidade foi chamada de Minas Morgul, a Torre de Feitiçaria; e Minas Morgul estava sempre em guerra com Minas Anor, no oeste. Então Osgiliath, que no definhar daquele povo havia muito estava deserta, tornou-se um lugar de ruínas e uma cidade de fantasmas. Mas Minas Anor resistiu e recebeu o nome novo de Minas Tirith, a Torre de Guarda; pois lá os reis tinham mandado construir na cidade uma torre branca, muito alta e bela, e seus olhos miravam muitas terras. Orgulhosa ainda e forte era aquela cidade, e nela a Árvore Branca ainda floriu por algum tempo diante da casa dos Reis; e lá os remanescentes dos Númenóreanos ainda defendiam a passagem do Rio contra os terrores de Minas Morgul e contra todos os inimigos do Oeste: Orques, e monstros, e Homens malignos; e, assim, as terras atrás deles, a oeste do Anduin, foram protegidas da guerra e da destruição.

Minas Tirith ainda resistiu depois dos dias de Eärnur [T.E. 2043–50], filho de Eärnil e último Rei de Gondor. Foi ele que cavalgou sozinho até os portões de Minas Morgul para enfrentar o desafio do Senhor-de-Morgul; e o enfrentou em combate singular, mas foi traído pelos Nazgûl e levado vivo para dentro da cidade do tormento, e nenhum homem vivente jamais o viu de novo. Ora, Eärnur não deixou herdeiro, mas quando a linhagem dos Reis terminou, os Regentes da casa de Mardil, o Fiel, governaram a cidade e seu reino cada vez menor; e os Rohirrim, os Cavaleiros do Norte, vieram e habitaram na terra verdejante de Rohan, que antes tinha o nome de Calenardhon e fora parte do reino de Gondor; e os Rohirrim auxiliaram os Senhores da Cidade em suas guerras. E ao norte, além das Quedas de Rauros e dos Portões das Argonath, havia ainda outras defesas, poderes mais antigos, dos quais os Homens sabiam pouco, contra os quais as coisas malignas não ousavam agir até que, quando o momento estivesse maduro, seu senhor sombrio, Sauron, voltasse a se revelar.

E, até a chegada daquele tempo, nunca mais, depois dos dias de Eärnil, os Nazgûl ousaram cruzar o Rio ou sair de sua cidade em forma visível aos Homens.

Em todos os dias da Terceira Era, depois da queda de Gil-galad, Mestre Elrond morou em Imladris, e reuniu lá muitos Elfos e outros seres de sabedoria e poder vindos de todas as gentes da Terra-média, e preservou, ao longo de muitas vidas de Homens, a memória de tudo o que fora belo; e a casa de Elrond era um refúgio para os exaustos e os oprimidos, e um tesouro de bom conselho e conhecimento sábio. Naquela casa eram abrigados os Herdeiros de Isildur, na infância e na velhice, por causa do parentesco de seu sangue com o próprio Elrond e porque ele tinha conhecimento, em sua sabedoria, de que havia de vir alguém daquela linhagem a quem um grande papel estava designado nos últimos feitos daquela Era. E, até que chegasse esse tempo, os pedaços da espada de Elendil foram postos sob a guarda de Elrond, quando os dias dos Dúnedain escureceram e eles se tornaram um povo viandante.

Em Eriador, Imladris era a principal habitação dos Altos Elfos; mas nos Portos Cinzentos de Lindon morava também um remanescente do povo de Gil-galad, o Rei-élfico. Por vezes eles vagavam pelas terras de Eriador, mas, em sua maior parte, viviam perto das costas do mar, construindo e reparando os navios-élficos nos quais aqueles dos Primogênitos que ficavam cansados do mundo içavam vela para o extremo Oeste. Círdan, o Armador, era senhor dos Portos e poderoso entre os Sábios.

Dos Três Anéis que os Elfos tinham preservado sem mácula nunca se dizia palavra clara entre os Sábios, e poucos, mesmo entre os Eldar, sabiam onde eles estavam. Contudo, depois da queda de Sauron, o poder deles estava sempre operando e onde se encontravam também habitava a alegria, e todas as coisas escapavam da mancha das tristezas do tempo. Portanto, antes que a Terceira Era terminasse, os Elfos perceberam que o Anel de Safira estava com Elrond, no belo vale de Valfenda, sobre cuja casa as estrelas do céu mais claramente brilhavam; enquanto o Anel de Adamante estava na Terra de Lórien, onde habitava a Senhora Galadriel. Rainha era ela dos Elfos das matas, esposa de Celeborn de Doriath, mas ela mesma vinha dos Noldor e recordava o Dia antes dos dias em Valinor, e era a mais poderosa e a mais bela de todos os Elfos que permaneciam na Terra-média. Mas o Anel Vermelho permaneceu oculto até o fim, e ninguém exceto Elrond, Galadriel e Círdan sabiam a quem tinha sido confiado.

Assim foi que em dois domínios a ventura e a beleza dos Elfos permaneciam ainda indiminuídas enquanto aquela Era durou:

em Imladris; e em Lothlórien, a terra oculta entre o Celebrant e o Anduin, onde as árvores portavam flores d'ouro e nenhum Orque ou coisa maligna jamais ousava aparecer. Muitas vozes, porém, ouviam-se entre os Elfos com o presságio de que, se Sauron surgisse de novo, então ou ele acharia o Anel Regente que estava perdido, ou, com sorte, seus inimigos iriam descobri-lo e destruí-lo; mas, de qualquer modo, os poderes dos Três haviam então de fraquejar, e todas as coisas mantidas por eles feneceriam, e assim os Elfos entrariam em seu crepúsculo, e o Domínio dos Homens começaria.

[...] Naquele tempo, os Noldor caminhavam ainda nas Terras de Cá, mais poderosos e mais belos dos filhos do mundo, e suas línguas ainda se faziam ouvir nos ouvidos mortais. Muitas coisas de beleza e de assombro permaneciam na terra naquele tempo, e muitas coisas também de malignidade e de terror: Orques havia, e trols, e dragões, e feras horrendas, e criaturas estranhas, antigas e sábias nas matas, cujos nomes estão esquecidos; Anãos ainda labutavam nos montes e faziam com paciente engenho obras de metal e de pedra que ninguém agora pode igualar. Mas o Domínio dos Homens estava sendo preparado, e todas as coisas estavam mudando até que, afinal, o Senhor Sombrio surgiu de novo em Trevamata.

Ora, dantes o nome daquela floresta tinha sido Verdemata, a Grande, e seus vastos salões e alamedas eram a morada de muitos bichos e de aves de claro canto; e ali era o domínio do Rei Thranduil, sob o carvalho e a faia. Mas depois de muitos anos, quando quase um terço daquela era do mundo tinha passado, uma escuridão se esgueirou devagar através da mata, vinda do sul, e o medo pôs-se a caminhar lá em espaços sombrios; feras temíveis vieram a caçar, e criaturas cruéis e malignas lá puseram suas armadilhas.

Então o nome da floresta foi mudado, e Trevamata é como passaram a chamá-la, pois a sombra da noite jazia profunda sobre ela, e poucos ousavam atravessá-la, salvo apenas no norte, onde o povo de Thranduil ainda mantinha o mal à distância. Donde esse mal veio poucos podiam dizer e demorou até que mesmo os Sábios pudessem descobri-lo. Era a sombra de Sauron e o sinal de seu retorno. Pois vindo dos lugares devastados do Leste, ele fez sua morada no sul da floresta e, lentamente, cresceu e tomou forma ali outra vez; em uma colina escura estabeleceu sua habitação e fazia lá sua feitiçaria, e toda gente temia o Feiticeiro de Dol Guldur e, no entanto, não sabiam, no começo, quão grande era o seu perigo.

Enquanto as primeiras sombras se faziam sentir em Trevamata, apareceram no oeste da Terra-média os Istari, a quem os Homens chamavam de Magos. Ninguém sabia, naquele tempo, donde vinham, salvo Círdan dos Portos, e apenas a Elrond e a Galadriel ele revelou que chegavam pelo Mar. Mas mais tarde se disse entre os Elfos que eles eram mensageiros enviados pelos Senhores do Oeste para desafiar o poder de Sauron, se ele se erguesse de novo, e para levar Elfos e Homens e todas as coisas vivas de boa vontade a praticar feitos valentes. Na semelhança de Homens apareciam, velhos, mas vigorosos, e mudavam pouco com os anos, e só envelheciam lentamente, embora grandes cuidados pesassem sobre eles; grande sabedoria tinham, e muitos poderes de mente e mão. Longamente viajaram por toda parte em meio a Homens e Elfos e tinham colóquio também com bichos e com aves; e os povos da Terra-média lhes davam muitos nomes, pois seus nomes verdadeiros não revelavam. Os principais eram aqueles a quem os Elfos chamavam de Mithrandir e Curunír, mas os Homens no Norte os chamavam de Gandalf e Saruman. Desses, Curunír era o mais velho e chegou primeiro, e depois dele vieram Mithrandir, e Radagast, e outros dos Istari que foram ao leste da Terra-média e não entram nestas histórias. Radagast era o amigo de todas as feras e aves; mas Curunír visitava mormente os Homens e era sutil em fala e hábil em todas as artes de ferreiro. Mithrandir conferenciava de modo mais próximo com Elrond e os Elfos. Vagava ao longe no Norte e no Oeste e nunca fez, em terra alguma, morada duradoura; mas Curunír viajou para o Leste e, quando retornou, passou a habitar em Orthanc, no Círculo de Isengard, que os Númenóreanos fizeram nos dias de seu poder.

Sempre mui vigilante era Mithrandir, e era ele quem mais suspeitava da escuridão em Trevamata, pois embora muitos julgassem que tinha sido feita pelos Espectros-do-Anel, ele temia que aquilo fosse de fato a primeira sombra de Sauron retornando; e foi a Dol Guldur, e o Feiticeiro fugiu diante dele, e houve uma paz vigilante por longo tempo. Mas, por fim, a Sombra retornou e seu poder cresceu; e, naquele tempo, foi criado pela primeira vez o Conselho dos Sábios, que é chamado o Conselho Branco, e nele estavam Elrond, e Galadriel, e Círdan, e outros senhores dos Eldar, e com eles estavam Mithrandir e Curunír. E Curunír (isto é, Saruman, o Branco) foi escolhido para ser o líder deles, pois era o que mais tinha estudado os antigos planos de Sauron. Galadriel, de fato, desejava que Mithrandir chefiasse o Conselho, e Saruman lhes tinha mágoa por isso, pois seu orgulho e desejo de poder se tornara grande; mas Mithrandir recusou esse cargo, já que não queria nenhuma amarra e nenhuma obediência, salvo àqueles que o tinham enviado, e não queria ficar em lugar algum, nem estar sujeito a convocação alguma. Mas Saruman então começou a estudar o que se sabia sobre os Anéis de Poder, sua criação e sua história.

Ora, a Sombra crescia cada vez mais, e os corações de Elrond e Mithrandir sentiam as trevas. Portanto, certa vez, Mithrandir, correndo grande perigo, foi de novo a Dol Guldur e às fossas do Feiticeiro, e descobriu a verdade por trás de seus medos, e escapou. E, retornando a Elrond, disse:

"É verdade, ai de nós, o que achávamos. Não se trata de um dos Úlairi, como muitos supuseram por tanto tempo. É o próprio Sauron que está tomando forma de novo e agora cresce a passos largos; e está reunindo de novo todos os Anéis em sua mão; e busca sempre novas do Um e dos Herdeiros de Isildur, desejando saber se ainda vivem na terra."

E Elrond respondeu: "Na hora em que Isildur tomou o Anel e não quis entregá-lo, esta sina foi desencadeada, a de que Sauron havia de retornar."

"Contudo, o Um foi perdido", disse Mithrandir, "e, enquanto ainda está oculto, podemos dominar o Inimigo, se reunirmos nossa força e não nos demorarmos demais."

Então o Conselho Branco foi convocado; e Mithrandir os incitou a agir com celeridade, mas Curunír falou contra ele e os aconselhou a ainda esperar e observar.

"Pois não creio", disse ele, "que o Um seja jamais achado de novo na Terra-média. No Anduin caiu, e há muito tempo, julgo eu, rolou para o Mar. Lá há de jazer até o fim, quando todo este mundo for destroçado e as profundezas forem removidas."

Portanto, nada foi feito naquele momento, embora o coração de Elrond o alertasse, e ele dissesse a Mithrandir: "Mesmo assim, pressinto que o Um ainda será encontrado, e então a guerra há de vir de novo, e, nessa guerra, esta Era terminará. De fato, em uma segunda escuridão terminará, a menos que algum estranho acaso nos livre disso, o que meus olhos não conseguem ver."

"Muitos são os estranhos acasos do mundo," disse Mithrandir, "e a ajuda amiúde há de vir das mãos dos fracos quando os Sábios falham."

Assim, os Sábios ficaram perturbados, mas ninguém ainda percebia que Curunír se voltara para pensamentos sombrios e já era um traidor em seu coração; pois desejava que ele, e nenhum outro, achasse o Grande Anel para que pudesse usá-lo ele próprio e ordenar todo o mundo de acordo com a sua vontade. Por tempo demais estudara os caminhos de Sauron na esperança de derrotá-lo e agora o invejava como rival, em vez de odiar suas obras. E julgava que o Anel, que era de Sauron, buscaria seu mestre quando ele se tornasse manifesto uma vez mais; mas, se ele fosse desalojado de novo, então permaneceria oculto. Portanto, estava disposto a jogar com o perigo e deixar Sauron em paz por algum tempo, esperando por suas artes deter tanto seus amigos como o Inimigo quando o Anel aparecesse.

Pôs uma guarda nos Campos de Lis; mas logo descobriu que os serviçais de Dol Guldur estavam vasculhando todos os caminhos do Rio naquela região. Então percebeu que Sauron também já tinha conhecimento do modo como Isildur morrera, e ficou com medo, e recuou para Isengard e a fortificou; e sempre investigava mais a fundo o que se sabia sobre os Anéis de Poder e sobre a arte de forjá-los. Mas não falou de nada disso ao Conselho, ainda com esperança de ser o primeiro a ouvir novas sobre o Anel. Reuniu grande hoste de espiões, e muitos desses eram aves; pois Radagast lhe dava seu auxílio, sem nada adivinhar de sua aleivosia e a julgar que isso era apenas parte da vigilância contra o Inimigo.

Mas a sombra em Trevamata crescia sem cessar, e para Dol Guldur iam coisas malignas de todos os lugares escuros do mundo; e estavam unidas de novo sob uma única vontade, e sua malícia se dirigia contra os Elfos e os sobreviventes de Númenor. Portanto, enfim o Conselho foi de novo convocado e o saber dos Anéis foi muito debatido, mas Mithrandir falou ao Conselho, dizendo:

"Não é necessário que o Anel seja achado, pois enquanto ele existir na terra e não for desfeito, ainda o poder que contém viverá, e Sauron crescerá e terá esperança. O poder dos Elfos e dos Amigos-dos-Elfos é menor hoje do que outrora. Logo ele será forte demais para vós, mesmo sem o Grande Anel; pois ele rege os Nove, e dos Sete recuperou três. Devemos atacar."

A isso Curunír então assentiu, desejando que Sauron fosse tirado de Dol Guldur, que era perto do Rio, e não tivesse mais tempo de vasculhar a região. Portanto, pela última vez, auxiliou o Conselho, e eles atacaram com toda a sua força; e assediaram Dol Guldur, e expulsaram Sauron de sua fortaleza, e Trevamata, por pouco tempo, tornou-se sadia de novo.

Mas o ataque veio tarde demais. Pois o Senhor Sombrio o previra e preparara, havia muito, todos os seus movimentos; e os Úlairi, seus Nove Serviçais, tinham ido diante dele para preparar sua chegada. Portanto, sua fuga não passou de finta, e ele logo retornou e, antes que os Sábios pudessem impedi-lo, entrou de novo em seu reino de Mordor e alçou uma vez mais as torres escuras de Barad-dûr. E, naquele ano, o Conselho Branco se reuniu pela última vez, e Curunír se enfurnou em Isengard e não se aconselhava mais com ninguém além de si mesmo.

Os Orques estavam se reunindo, e, ao longe, no leste e no sul, os povos selvagens se armavam. Então, em meio ao medo que se ajuntava e aos rumores de guerra, o presságio de Elrond se mostrou verdadeiro, e o Um Anel de fato foi achado de novo, por um acaso mais estranho do que até Mithrandir tinha previsto; e foi ocultado de Curunír e de Sauron. Pois tinha sido tirado do Anduin muito antes que o buscassem, sendo encontrado por alguém do pequeno povo de pescadores que habitava à beira do Rio, antes que os Reis desaparecessem em Gondor; e por seu descobridor foi levado para além de qualquer busca a um esconderijo sombrio, debaixo das raízes das montanhas. Ali ficou até que, no próprio ano do assalto a Dol Guldur, foi achado de novo por um viandante, fugindo, nas profundezas da terra, da perseguição dos Orques, e foi levado para um país muito distante, para a terra dos Periannath, o Povo Diminuto, os Pequenos, que habitavam no oeste de Eriador. E até aquele dia eram tidos como de pouca conta por Elfos e por Homens, e nem Sauron nem qualquer dos Sábios, exceto Mithrandir, havia, em todos os seus conselhos, pensado neles.

Ora, por sorte e por sua vigilância, Mithrandir soube primeiro do Anel, antes que Sauron tivesse notícias dele; contudo, ficou assustado e cheio de dúvidas. Pois grande demais era o poder maligno dessa coisa para que qualquer um dos Sábios a usasse, a menos que, como Curunír, ele mesmo desejasse se tornar um tirano e um senhor sombrio; mas tampouco o Anel podia ser ocultado de Sauron para sempre, nem podia ser desfeito pelo engenho dos Elfos. Portanto, com a ajuda dos Dúnedain do Norte, Mithrandir pôs uma guarda sobre a terra dos Periannath e esperou. Mas Sauron tinha muitos ouvidos e logo ouviu rumores sobre o Um Anel, o qual ele desejava acima de todas as coisas, e enviou os Nazgûl para pegá-lo. Então a guerra se inflamou, e, na batalha contra Sauron, a Terceira Era terminou, tal como havia começado.

A HISTÓRIA CONTINUA EM
O SENHOR DOS ANÉIS

NOTA

1. A narrativa que se segue foi retirada de Anéis, pp. 386 ss.

Os capítulos Númenóreanos de *A Estrada Perdida*

Entre os manuscritos do romance inacabado de J.R.R. Tolkien, *A Estrada Perdida*, iniciado em algum momento antes de 1937, há alguns prenúncios de temas desenvolvidos mais tarde em seus escritos acerca da Queda de Númenor. No segundo capítulo há um poema, traduzido do anglo-saxão, que descreve claramente um lugar semelhante às terras de Númenor e ao Reino Abençoado, e o anseio dos Homens pelo Oeste:

"Há muitas coisas nas regiões do Oeste desconhecidas dos homens, maravilhas e seres estranhos, uma terra bela e agradável, a pátria dos Elfos, e a ventura dos Deuses. Pouco qualquer homem sabe o que é a saudade daquele cuja velhice lhe impede o retorno."

E, em outros lugares, aparecem os nomes "Númenor", "Sauron", "Morgoth", "Melko" [Melkor] e "Eärendel" [Eärendil]. O esquema de muitas camadas de "viagem no tempo" é complexo e, sem dúvida, foi a razão de o romance ter sido abandonado, provando ser, como Tolkien viria a expressar mais tarde, "um desvio demasiado grande para o que eu realmente queria fazer, uma nova versão da lenda de Atlântida".

Quando, em 1987, Christopher Tolkien publicou os elementos sobreviventes do manuscrito de seu pai em *The Lost Road and Other Writings*, ele destacou o que chamou de "Os Capítulos Númenóreanos" como uma seção à parte que deveria receber a proeminência apropriada ao se examinar o texto.

Embora não sejam fáceis de incorporar à forma cronológica usada neste volume, esses capítulos merecem ser incluídos aqui por conterem um sumário magistral da Primeira Era, da criação de Númenor, da Ascensão de Sauron e da vinda da Sombra, apresentado como um diálogo socrático ricamente ornamentado pelo estilo em sua maior parte majestoso e épico de Tolkien.

No tocante à parte da cronologia na qual possivelmente poderiam se encontrar, esses capítulos parecem se encaixar com maior facilidade naquele ponto do "Akallabêth" em que Ar-Pharazôn divulga seus planos de atacar o Reino Abençoado e Amandil, o leal conselheiro do Rei, parte de seu lar em Rómenna e navega para o Oeste a fim de apelar por auxílio aos Valar, deixando seu filho, Elendil, à espera e aguardando o retorno do pai.

Nessa versão é Orontor, e não Amandil, que embarca naquela missão. O filho de Elendil é chamado aqui "Herendil" (em vez de Isildur, a escolha tardia de Tolkien), enquanto é dito que o próprio Elendil era filho de "Valandil" em vez de "Amandil"; Tolkien posteriormente deu o nome de Valandil ao filho mais novo de Isildur. Ar-Pharazôn é chamado aqui "Tarkalion", uma antiga variação de seu nome númenóreano, Tar-Calion.

Os capítulos númenóreanos

Christopher Tolkien forneceu a seguinte introdução:

Meu pai disse em sua carta de 1964 sobre o assunto que "em minha história *chegaríamos por fim* a Amandil e Elendil, líderes do partido leal em Númenor, quando esta caiu sob o domínio de Sauron". No entanto, está claro que ele só chegou a esse conceito *após* a narrativa existente em sua maior parte estar escrita, ou mesmo levada até o ponto em que foi abandonada. No final do Capítulo II, a história númenóreana obviamente está prestes a começar, e os capítulos númenóreanos foram originalmente numerados de forma contínua com os de abertura. Por outro lado, a decisão de adiar Númenor e torná-la a conclusão e o clímax do livro já havia sido tomada quando *A Estrada Perdida* foi para a Allen & Unwin em novembro de 1937.

Como o episódio númenóreano foi deixado inacabado, este é um ponto conveniente para mencionar uma anotação que meu pai presumivelmente fez enquanto a história estava em andamento. A anotação diz que, quando a primeira "aventura" (isto é, Númenor) acaba, "Alboin ainda se encontra precisamente em sua poltrona, e Audoin está acabando de fechar a porta". [Essa é uma referência aos capítulos anteriores conforme publicados em *The Lost Road and Other Writings*.]

Com o adiamento de Númenor, os números dos capítulos foram mudados, mas isso não tem importância e, portanto, numero estes como "III" e "IV"; eles não possuem títulos. Neste caso achei mais conveniente anotar o texto com notas numeradas.

Capítulo III

Elendil estava caminhando em seu jardim, mas não para admirar a beleza deste à luz do entardecer. Ele estava preocupado e sua mente estava voltada para dentro. Sua casa, com sua torre branca e telhado dourado, brilhava às suas costas ao pôr do sol, mas seus olhos estavam no caminho diante de seus pés. Ele estava descendo até a praia, para banhar-se nas lagoas azuis da angra além de onde terminava o jardim, como era o seu costume naquela hora. E também esperava encontrar seu filho Herendil lá. Era chegada a hora em que deveria falar com ele.

Chegou por fim à grande sebe de *lavaralda*[1] que cercava o jardim em sua extremidade inferior, a oeste. Era uma visão familiar, mas os anos não podiam lhe diminuir a beleza. Fazia sete dozenas de anos[2] ou mais desde que a plantara pessoalmente ao planejar o seu jardim antes do casamento; e ele agradecera a sua boa sorte. Pois as sementes tinham vindo de Eressëa no Oeste distante, de onde navios chegavam raras vezes já naqueles dias, e agora não vinham mais. Mas o espírito daquela terra abençoada e de seu belo povo ainda permanecia nas árvores que haviam crescido daquelas sementes: suas longas folhas verdes eram douradas na parte de baixo, e quando uma brisa vinda da água as agitava, elas sussurravam com um som de muitas vozes baixas, e reluziam como raios de sol nas ondas encrespadas. As flores eram claras com um resplendor amarelo, densamente agrupadas nos galhos como neve iluminada pelo sol; e seu odor tomava conta de todo o jardim inferior, tênue, mas distinto. Marinheiros antigamente diziam que o perfume da *lavaralda* podia ser sentido no ar muito antes de a terra de Eressëa ser avistada, e que ele causava um desejo de descanso e grande contentamento. Elendil vira as árvores em flor dia após dia, pois elas deixavam de florir apenas muito raramente. Mas agora, de repente, ao passar, o perfume o atingiu com uma fragrância potente, ao mesmo tempo conhecida e totalmente estranha. Pareceu por um momento jamais tê-la sentido: penetrou as preocupações de sua mente, desconcertante, trazendo não um contentamento familiar, mas uma nova inquietação.

"Eressëa, Eressëa!", disse ele. "Queria estar lá; e não ter sido destinado a habitar em Númenor[3] a meio caminho entre os mundos. E menos ainda nestes dias de perplexidade!"

Ele passou por baixo de um arco de folhas brilhantes, e desceu depressa os degraus talhados nas rochas até a praia branca. Elendil olhou à sua volta, mas não conseguia ver o filho. Uma imagem surgiu em sua mente do corpo branco de Herendil, forte e belo no início da idade adulta, cortando a água, ou deitado na areia reluzindo ao sol. Mas Herendil não estava ali, e a praia parecia estranhamente vazia.

Elendil lá ficou e divisou a angra e suas paredes rochosas mais uma vez; e, enquanto olhava, seus olhos se ergueram por acaso até a própria casa entre árvores e flores nas encostas acima da praia, branca e dourada, brilhando ao pôr do sol. Deteve-se e contemplou: pois, de repente, lá se encontrava uma casa, como algo ao mesmo tempo real e visionário, como algo em algum outro tempo e história, belo, amado, porém estranho, despertando um desejo como se fosse parte de um mistério que ainda estava oculto. Elendil não conseguia interpretar a sensação.

Ele suspirou. "Creio que seja a ameaça de guerra que me faz olhar para coisas belas com tamanha inquietação", pensou. "A sombra do medo está entre nós e o sol, e todas as coisas se parecem como se já estivessem perdidas. Contudo, são estranhamente belas vistas assim. Não sei. Fico me questionando. A Númenórë! Espero que as árvores floresçam em teus montes nos anos por vir como florescem agora; e suas torres hão de se erguer brancas à Lua e fulvas ao Sol. Quisera não fosse esperança, mas certeza — aquela certeza que costumávamos ter antes da Sombra. Mas onde está Herendil? Preciso vê-lo e lhe falar, mais claramente do que falei até então. Antes que seja tarde demais. O tempo urge."

"Herendil!", chamou ele, e sua voz ecoou ao longo da costa baixa acima do som suave do cair das ondas. "Herendil!"

E mesmo ao chamá-lo, parecia ouvir a própria voz, e notar que ela era forte e curiosamente melodiosa. "Herendil!", tornou a chamar.

Por fim houve uma resposta: uma voz jovem muito nítida vinda de certa distância dali — como um sino do fundo de uma caverna.

"*Man-ie, atto, man-ie?*"

Por um breve momento, a Elendil as palavras pareceram estranhas. "*Man-ie, atto?* O que é, pai?" Então a sensação passou.

"Onde estás?"

"Aqui!"

"Não consigo te ver."

"Estou no alto da muralha, olhando para ti."

Elendil olhou para cima; e então subiu depressa outra escadaria de degraus de pedra na extremidade norte da angra. Chegou a um ponto aplanado e nivelado no topo da escarpa saliente de rocha. Ali havia espaço para deitar-se ao sol, ou para sentar-se em um amplo assento de pedra encostado no penhasco, de cuja face descia uma cascata de talos rastejantes repletos de grinaldas de flores azuis e prateadas. Deitado na pedra com as mãos no queixo havia um jovem. Ele olhava para o mar, e não virou a cabeça quando seu pai aproximou-se e sentou-se no assento.

"Com o que sonhas, Herendil, que teus ouvidos não ouvem?"

"Estou pensando, não sonhando. Não sou mais uma criança."

"Sei que não és", disse Elendil; "e por essa razão eu queria te encontrar e falar contigo. Amiúde estás fora e ao largo, e é tão raro ter-te em casa nestes dias."

Ele olhou para o corpo branco diante de si. Era-lhe caro, e belo. Herendil estava nu, pois estivera mergulhando do ponto elevado, mergulhador destemido que era e orgulhoso de sua habilidade. Pareceu de súbito a Elendil que o rapaz crescera da noite para o dia, quase sem ser percebido.

"Como cresceste", disse ele. "Tens o feitio de um homem poderoso, e quase terminou a feitura."

"Por que zombas de mim?", perguntou o garoto. "Sabes que sou moreno, e menor do que a maioria dos outros de minha idade. E isso é um incômodo para mim. Mal chego aos ombros de Almáriel, cujos cabelos são de ouro brilhante, e ela é uma donzela, e da minha idade. Afirmamos que somos do sangue de reis, mas te digo que os filhos dos teus amigos zombam de mim e me chamam de *Terendul*[4] — delgado e moreno; e dizem que tenho sangue eressëano, ou que sou meio-Noldo. E isso não é dito com amor nestes dias. É só um passo de ser chamado de meio-Gnomo para ser chamado de temente a Deuses; e isso é perigoso."[5]

Elendil suspirou. "Então deve ter se tornado perigoso ser o filho daquele que é chamado *elendil*; pois isso leva a *Valandil*, Amigo-de-Deus, que foi o pai de teu pai."[6]

Fez-se silêncio. Por fim Herendil tornou a falar: "De quem dizes que nosso rei, Tarkalion, descende?"

"De Eärendel, o marinheiro, filho de Tuor, o magno, que se perdeu nestes mares."[7]

"Por que então não pode o rei fazer como Eärendel, de quem veio? Dizem que ele deveria segui-lo e terminar o trabalho dele."

"O que achas que querem dizer com isso? Para onde ele haveria de ir, e completar qual obra?"

"Tu sabes. Eärendel não viajou ao extremo Oeste e pisou naquela terra que nos é proibida? Ele não morre, ou assim dizem as canções."

"O que chamas de Morte? Ele não retornou. Ele abandonou todos a quem amava, antes de pisar naquela costa.[8] Ele salvou sua gente ao perdê-los."

"Os Deuses se iraram com ele?"

"Quem há de saber? Pois ele não voltou. Mas ele não ousou aquele feito para servir Melko, e sim para derrotá-lo; para libertar os homens de Melko, não dos Senhores; para nos conquistar a terra, não a plaga dos Senhores. E os Senhores ouviram o seu rogo e levantaram-se contra Melko. E a terra é nossa."

"Dizem agora que a história foi alterada pelos Eressëanos, que são escravos dos Senhores: que, em verdade, Eärendel era um aventureiro, e nos mostrou o caminho, e que os Senhores o tomaram como prisioneiro por essa razão; e que a obra dele encontra-se forçosamente inacabada. Portanto, o filho de Eärendel, nosso rei, deveria terminá-la. Eles desejam levar a cabo o que há muito foi deixado incompleto."

"E o que é?"

"Tu sabes: pisar no extremo Oeste, e não recuar. Conquistar novos reinos para a nossa raça, e aliviar a pressão desta ilha povoada, onde cada estrada é por demais trilhada, e cada árvore e folha de grama contadas. Serem livres, e mestres do mundo. Escapar da sombra da uniformidade, e do término. Faríamos de nosso rei o Senhor do Oeste: *Nuaran Númenóren.*[9] A morte aqui chega lenta e raramente; porém, chega. A terra é apenas uma gaiola adornada para se parecer com o Paraíso."

"Sim, assim ouvi outros dizerem", disse Elendil. "Mas o que sabes tu do Paraíso? Vê, nossas palavras errantes chegaram sem guia ao ponto do meu propósito. Mas me aflige descobrir que teu ânimo é dessa sorte, embora eu temesse que assim pudesse ser. Tu és meu único filho varão, e meu filho mais querido, e gostaria que estivéssemos de acordo em todas as nossas escolhas. Mas escolher devemos, tu assim como eu — pois no teu último aniversário te tornaste sujeito a armas e ao serviço do rei. Devemos escolher entre Sauron e os Senhores (ou Aquele Mais Elevado). Tu sabes, suponho, que nem todos os corações em Númenor se voltam para Sauron?"

"Sim. Há tolos mesmo em Númenor", disse Herendil, em voz baixa. "Mas por que falas de tais coisas neste lugar aberto? Desejas me causar mal?"

"Não causo mal algum", disse Elendil. "Isto nos é imposto: a escolha entre dois males — os primeiros frutos da guerra. Mas vê, Herendil! A nossa é uma casa de sabedoria e cauto saber; e por muito tempo foi venerada por isso. Segui meu pai, como pude. Tu me segues? Que sabes da história do mundo ou de Númenor? Tens apenas quatro dozenas,[10] e eras apenas um menino quando Sauron chegou. Não compreendes como eram os dias antes disso. Não podes escolher em ignorância."

"Mas outros de mais idade e conhecimento do que os meus — ou os teus — escolheram", replicou Herendil. "E eles dizem que a história os confirma, e que Sauron lançou uma nova luz sobre a história. Sauron conhece a história, toda a história."

"Sauron conhece, de fato; mas ele distorce o conhecimento. Sauron é um mentiroso!" A raiva crescente fez com que Elendil erguesse a voz à medida que falava. As palavras ressoaram como um desafio.

"Estás louco", disse seu filho, virando-se por fim de lado e encarando Elendil, com horror e medo nos olhos. "Não me diga tais coisas! Eles podem, podem..."

"Quem são *eles*, e o que poderiam fazer?", perguntou Elendil, mas um medo gélido passou dos olhos do filho ao seu próprio coração.

"Não perguntes! E não fales — tão alto!" Herendil virou-se, e ficou deitado com o rosto enfiado nas mãos. "Sabes que é perigoso — para todos nós. O que quer que seja, Sauron é poderoso, e tem ouvidos. Temo as masmorras. E te amo, eu te amo. *Atarinya tye-meláne*."

Atarinya tye-meláne, meu pai, eu te amo: as palavras soaram estranhas, mas doces — atingiram o coração de Elendil. "*A yonya inye tye-méla*: e eu também, meu filho, te amo", disse ele, sentindo cada sílaba estranha, mas vívida, ao dizê-las. "Mas entremos! É tarde demais para banhar-se. O sol quase se pôs. Brilha lá para o Oeste nos jardins dos Deuses. Mas o crepúsculo e a escuridão estão chegando aqui, e a escuridão não mais é salubre nesta terra. Vamos para casa. Preciso contar-te e pedir-te muito esta noite — detrás de portas fechadas, onde talvez te sentirás mais seguro." Ele olhou para o mar, que amava, ansiando por banhar o corpo nele, como que para lavar o cansaço e a preocupação. Mas a noite estava chegando.

O sol baixara, e mergulhava depressa no mar.

Fez-se fogo nas ondas distantes, mas esvanecia quase que de pronto ao acender-se. Um vento gélido soprou de súbito do Oeste agitando a água amarela longe da costa. Acima da borda iluminada pelo fogo nuvens escuras se ergueram; estenderam grandes asas, ao norte e ao sul, e pareciam ameaçar a terra.

Elendil estremeceu. "Vê, as águias do Senhor do Oeste estão vindo com uma ameaça a Númenor", murmurou ele.

"O que dizes?", perguntou Herendil. "Não foi decretado que o rei de Númenor há de ser chamado Senhor do Oeste?"

"Foi decretado pelo rei; mas isso não faz que assim seja de fato", respondeu Elendil. "Mas eu não pretendia dar voz ao agouro de meu coração. Vamos!"

A luz desaparecia depressa enquanto subiam os caminhos do jardim entre flores pálidas e luminosas no crepúsculo. As árvores exalavam doces perfumes noturnos. Um *lómelindë* [rouxinol] começou a gorjear à beira de uma lagoa.

Acima deles erguia-se a casa. As paredes brancas cintilavam como se o luar estivesse aprisionado em sua substância; mas ainda não havia lua, somente uma luz fria, difusa e sem sombra. Através do céu límpido como vidro frágil pequenas estrelas fincavam suas chamas brancas. Uma voz vinda de uma janela alta desceu como prata até a lagoa de crepúsculo onde caminhavam. Elendil conhecia a voz: era a voz de Fíriel, uma donzela de sua casa, filha de Orontor. Seu coração pesou, pois Fíriel estava habitando em sua casa porque Orontor havia partido. Os homens diziam que ele estava numa longa viagem. Outros diziam que fugira do desprazer do rei. Elendil sabia que ele se encontrava em uma missão da qual poderia jamais retornar, ou retornar tarde demais.[11] E ele amava Orontor e Fíriel era bela.

Agora a voz dela cantava uma canção de anoitecer na língua eressëana, mas composta por homens, há muito tempo. O rouxinol se calou. Elendil parou para escutar; e as palavras lhe chegaram, distantes e estranhas, como alguma melodia numa fala arcaica cantada com pesar num crepúsculo esquecido nos primórdios da jornada do homem pelo mundo.

> *Ilu Ilúvatar en káre eldain a fírimoin*
> *ar antaróta mannar Valion: númessier…*

> O Pai fez o Mundo para elfos e mortais, e o entregou nas mãos dos Senhores, que estão no Oeste.

Assim cantou Fíriel no alto, até sua voz baixar com tristeza à pergunta com a qual a canção terminava: "*man táre antáva nin Ilúvatar, Ilúvatar, enyáre tar i tyel íre Anarinya qeluva?* O que há Ilúvatar, ó Ilúvatar, de me dar naquele dia além do fim, quando meu Sol findar?"[12]

"*E man antaváro*? O que ele há de dar realmente?", disse Elendil; e ficou a remoer pensamentos sombrios.

"Ela não deveria cantar aquela canção de uma janela", disse Herendil, rompendo o silêncio. "Cantam de outro modo agora. Melko retorna, dizem, e o rei há de nos dar o Sol para sempre."

"Sei o que dizem", disse Elendil. "Não o digas ao teu pai, nem na casa dele." Ele entrou por uma porta escura, e Herendil, encolhendo os ombros, seguiu-o.

Capítulo IV

Herendil estava deitado no chão, estendido aos pés do pai sobre um tapete tecido com um padrão de aves douradas e plantas entrelaçadas com flores azuis. Tinha a cabeça apoiada nas mãos. Seu pai estava sentado em sua cadeira de pedra com as mãos inertes sobre os braços, os olhos voltados para o fogo que ardia na lareira. Não estava frio, mas o fogo que era chamado de "o coração da casa" (*hon-maren*)[13] queimava sempre naquele recinto. Era ademais uma proteção contra a noite, que homens já começavam a temer.

Mas entrava um ar fresco pela janela, doce e com o perfume de flores. Através dela podia ser visto, para além das espiras de árvores inertes, o oceano ocidental, prateado sob a Lua, que agora ligeiro seguia o Sol até os jardins dos Deuses. No silêncio da noite, as palavras de Elendil soavam baixas. Enquanto falava, ele ouvia, como se outro contasse uma história há muito esquecida.[14]

"Há[15] Ilúvatar, o Uno; e há os Poderes, dos quais o mais velho no pensamento de Ilúvatar era Alkar, o Radiante;[16] e há os Primogênitos da Terra, os Eldar, que não perecem enquanto o Mundo dura; e há também os Nascidos-depois, Homens mortais, que são os filhos de Ilúvatar, e, no entanto, encontram-se sob a governança dos Senhores. Ilúvatar concebeu o Mundo, e revelou o seu desígnio aos Poderes; e, destes, alguns ele apontou para serem Valar, Senhores do Mundo e governantes das coisas que lá existem. Mas Alkar, que viajara sozinho pelo Vazio antes do Mundo, buscando ser livre, desejava que o Mundo fosse um reino seu. Portanto, ele desceu ao mundo como um fogo cadente; e fez guerra aos Senhores, seus irmãos. Mas eles estabeleceram suas mansões no Oeste, em Valinor, e o encerraram para fora; e o enfrentaram em batalha no Norte, e o prenderam, e o Mundo teve paz e tornou-se por demais belo.

"Após uma grande era, veio a se dar que Alkar suplicou perdão; e submeteu-se a Manwë, senhor dos Poderes, e foi libertado.

Mas ele tramou contra seus irmãos, e enganou os Primogênitos que habitavam em Valinor, de maneira que muitos se rebelaram e foram exilados do Reino Abençoado. E Alkar destruiu as luzes de Valinor e fugiu para a noite; e ele se tornou um espírito sombrio e terrível, e foi chamado de Morgoth, e estabeleceu o seu domínio na Terra-média. Mas os Valar fizeram a Lua para os Primogênitos e o Sol para os Homens para pôr em confusão a Escuridão do Inimigo. E naquele tempo, ao surgir do Sol, os Nascidos-depois, que são os Homens, surgiram no Leste do mundo; mas eles caíram sob a sombra do Inimigo. Naqueles dias, os exilados dos Primogênitos fizeram guerra a Morgoth; e três casas dos Pais de Homens juntaram-se aos Primogênitos: a casa de Bëor, e a casa de Haleth, e a casa de Hador. Pois essas casas não eram sujeitas a Morgoth. Porém Morgoth teve a vitória, e tudo arruinou.

"Eärendel era o filho de Tuor, filho de Huor, filho de Gumlin, filho de Hador; e sua mãe era dos Primogênitos, filha de Turgon, último rei dos Exilados. Ele partiu por sobre o Grande Mar, e chegou por fim ao reino dos Senhores, e às montanhas do Oeste. E ele renunciou a todos que amava, sua esposa e seu filho, e toda a sua gente, quer dos Primogênitos, quer dos Homens; e desnudou-se.[17] E entregou-se a Manwë, Senhor do Oeste; e submeteu-se a ele e lhe suplicou. E ele foi levado e nunca mais veio ter entre os Homens. Mas os Senhores se apiedaram, e enviaram o seu poder, e a guerra foi retomada no Norte, e a terra foi partida; mas Morgoth foi sobrepujado. E os Senhores o mandaram para o Vazio exterior.

"E eles chamaram os Exilados dos Primogênitos e os perdoaram; e aqueles que retornaram habitam desde então em ventura em Eressëa, a Ilha Solitária, que é Avallon, pois está à vista de Valinor e da luz do Reino Abençoado. E para os homens das Três Casas eles fizeram Vinya, a Nova Terra, a oeste da Terra-média no meio do Grande Mar, e a chamaram de Andor, a Terra da Dádiva; e dotaram a terra e todos que lá viveram depois de um bem maior do que de outras terras dos mortais. Mas na Terra-média habitavam homens menores, que não conheciam os Senhores nem os Primogênitos, exceto por rumores; e entre eles havia alguns que serviram Morgoth outrora, e eram amaldiçoados. E havia seres malignos sobre a terra, feitos por Morgoth nos dias de seu domínio, demônios e dragões e arremedos das criaturas de Ilúvatar.[18] E lá também se esconderam muitos de seus serviçais, espíritos de mal, que sua vontade ainda governava embora sua presença não mais estivesse entre eles. E desses Sauron era o principal, e seu poder cresceu. Donde a sorte dos homens na Terra-média era má, pois os Primogênitos que permaneceram entre eles minguaram ou partiram para o Oeste, e sua gente, os homens de Númenor, estavam distantes e iam apenas às costas em navios que atravessavam o Grande Mar. Mas Sauron tomou conhecimento dos navios de Andor, e os temia, com receio de que homens livres se tornassem senhores da Terra-média e libertassem sua gente; e, movido pela vontade de Morgoth, ele tramou destruir Andor, e arruinar (se pudesse) Avallon e Valinor.[19]

"Mas por que haveríamos de ser enganados, e nos tornar os instrumentos de sua vontade? Não foi ele, mas sim Manwë, o belo, Senhor do Oeste, que nos dotou com nossas riquezas. Nossa sabedoria vem dos Senhores, e dos Primogênitos que os veem face a face; e nos tornamos altivos e maiores do que outros de nossa raça — aqueles que serviram Morgoth outrora. Temos conhecimento, poder e vida mais resistente do que eles. Ainda não caímos. Donde o domínio do mundo é nosso, e haverá de ser, desde Eressëa até o Leste. Mais que isso nenhum mortal pode ter."

"Exceto escapar da Morte", disse Herendil, erguendo o rosto para o do pai. "E da uniformidade. Dizem que Valinor, onde os Senhores habitam, não possui limites."

"Não dizem a verdade. Pois todas as coisas no mundo possuem um fim, uma vez que o próprio mundo é contido, para que não possa ser Vazio. Mas a Morte não é decretada pelos Senhores: ela é a dádiva do Uno, e uma dádiva que no desgastar do tempo mesmo os Senhores do Oeste hão de invejar.[20] Assim os sábios de outrora disseram. E embora talvez não possamos mais compreender aquela palavra, ao menos possuímos sabedoria suficiente para saber que não podemos escapar, a não ser para um destino pior."

"Mas o decreto de que nós de Númenor não podemos pisar nas praias dos Imortais, ou andar por sua terra — é apenas um decreto de Manwë e seus irmãos. Por que não haveríamos de fazer isso? O ar lá dá vida duradoura, dizem."

"Talvez dê", disse Elendil; "e talvez seja apenas o ar que precisem aqueles já que possuem vida duradoura. Para nós talvez seja a morte, ou a loucura."

"Mas por que não haveríamos de experimentá-lo? Os Eressëanos vão para lá, e ainda assim nossos marinheiros de outrora costumavam se demorar em Eressëa sem prejuízo."

"Os Eressëanos não são como nós. Eles não possuem a dádiva da morte. Mas de que serve discutir a governança do mundo? Toda certeza está perdida. Não é cantado que a terra foi feita para nós, mas que não podemos desfazê-la? E quer gostemos ou não, podemos nos lembrar que haveremos de deixá-la. Os Primogênitos não nos chamam de Hóspedes? Vê o que esse espírito de desassossego já causou. Aqui, quando eu era jovem, não havia males da mente. A Morte chegava tarde e sem outra dor além do cansaço. Dos Eressëanos obtivemos tantas coisas de beleza que nossa terra tornou-se quase tão bela quanto a deles; e talvez mais bela a corações mortais. Diz-se que outrora os próprios Senhores por vezes caminhavam nos jardins que nomeamos em homenagem a eles. Lá pusemos suas efígies, feitas pelos Eressëanos que os contemplaram, como os retratos de amigos amados.

"Não havia templos nesta terra. Mas na Montanha falávamos ao Uno, que não possui efígie. Era um local sacro, intocado por artes mortais. Então Sauron veio. Por muito tempo ouvimos rumores sobre ele dos marinheiros que retornavam do Leste. As histórias diferiam: alguns diziam que ele era um rei maior do que o rei de Númenor; alguns diziam que era um dos Poderes, ou de sua prole, enviado para governar a Terra-média. Alguns relatavam que ele era um espírito maligno, quiçá o próprio Morgoth retornado; mas ríamos desses.[21]

"Parece que rumores também lhe chegaram sobre nós. Não faz muitos anos — três dozenas e oito[22] —, mas parecem muitos desde que ele aqui chegou. Tu eras apenas um menino, e não sabia então o que acontecia no leste desta terra, longe de nosso lar no oeste. Tarkalion, o rei, foi persuadido por rumores sobre Sauron, e enviou uma missão para descobrir que verdade havia nos contos dos marinheiros. Muitos conselheiros o dissuadiram. Meu pai me contou, e ele era um deles, que aqueles que eram mais sábios e tinham maior conhecimento do Oeste receberam mensagens dos Senhores advertindo-os a terem cuidado. Pois os Senhores disseram que Sauron obraria o mal; mas ele não poderia vir para cá a não ser que fosse convocado.[23] Tarkalion tornou-se soberbo, e não aceitava poder algum na Terra-média maior do que o seu próprio. Portanto, os navios foram enviados, e Sauron foi convocado a lhe render homenagens.

"Vigias foram colocados no porto de Moriondë no leste da terra,[24] onde as rochas são escuras, aguardando por ordem do rei sem cessar o retorno dos navios. Era noite, mas havia uma Lua brilhante. Avistaram navios ao longe, e pareciam rumar para oeste a uma velocidade maior do que a tempestade, embora houvesse pouco vento. De repente, o mar ficou agitado; ergueu-se até se tornar como uma montanha, e rolou por sobre a terra. Os navios foram erguidos, e lançados terra adentro, e pousaram nos campos. Naquele navio que foi lançado mais alto e desceu seco sobre uma colina havia um homem, ou alguém na forma de um homem, mas maior do que qualquer um mesmo da raça de Númenor em estatura.

"Pôs-se de pé na rocha[25] e disse: 'Isso foi feito como um sinal de poder. Pois sou Sauron, o magno, serviçal do Forte' (e assim falou sombriamente). 'Aqui cheguei. Alegrai-vos, homens de Númenor, pois tomarei vosso rei para ser meu rei, e o mundo há de ser entregue na mão dele.'

"E pareceu aos homens que Sauron era grande; embora temessem a luz em seus olhos. A muitos ele pareceu belo, a outros, terrível; porém, a alguns, maligno. Mas o levaram ao rei, e ele se humilhou diante de Tarkalion.

"E vê o que aconteceu desde então, passo a passo. A princípio ele revelou apenas segredos de ofícios, e ensinou a feitura de muitas coisas poderosas e maravilhosas; e elas pareceram boas. Nossos navios agora navegam sem o vento, e muitos são feitos de metal que percorre rochas ocultas, e não afundam na calmaria ou na tempestade; mas não são mais belos de aparência. Nossas torres ficam cada vez mais resistentes e mais elevadas, mas a beleza elas deixam para trás no solo. Nós que não temos inimigos estamos preparados para o combate com fortalezas inexpugnáveis — e a maioria no Oeste. Nossas armas se multiplicam como que para uma guerra perene, e os homens estão deixando de dar amor ou atenção à feitura de outras coisas para serem usadas ou desfrutadas. Mas nossos escudos são impenetráveis, nossas espadas não podem ser resistidas, nossos dardos são como trovão e atravessam milhas certeiros. Onde estão nossos inimigos? Começamos a matar uns aos outros. Pois Númenor agora parece exígua, ela que antes era tão grande. Os homens cobiçam, portanto, as terras que outras famílias possuem há muito tempo. Eles se afligem como homens a ferros.

"Donde Sauron tem pregado libertação; diz ao nosso rei para que estenda a sua mão em direção ao Império. Ontem era sobre o Leste. Amanhã — será sobre o Oeste.

"Não tínhamos templos. Mas agora a Montanha foi despojada. Suas árvores foram derrubadas, e encontra-se desnuda; e em seu cume há um Templo. É feito de mármore, e de ouro, e de vidro e aço, e é notável, porém terrível. Homem algum ora lá. O Templo aguarda. Por muito tempo Sauron não nomeou seu mestre pelo nome que desde antigamente é maldito aqui. Falava a princípio do Forte, do Poder Mais Antigo, do Mestre. Mas agora ele fala abertamente de Alkar,[26] de Morgoth. Profetizou o seu retorno. O Templo há se ser sua morada. Númenor há de ser o centro do domínio do mundo. Enquanto isso, Sauron lá habita. Ele divisa a nossa terra da Montanha, e está acima do rei, o próprio orgulhoso Tarkalion, da linhagem escolhida pelos Senhores, a semente de Eärendel.

"Ainda assim, Morgoth não vem. Mas sua sombra veio; ela jaz sobre os corações e mentes dos homens. Está entre eles e o Sol, e tudo o que se encontra abaixo dele."

"Há uma sombra?", perguntou Herendil. "Não a vi. Mas ouvi outros falarem dela; e dizem que é a sombra da Morte. Porém, Sauron não a trouxe; ele promete que há de nos salvar dela."

"Há uma sombra, mas é a sombra do medo da Morte, e a sombra da cobiça. Mas há também uma sombra de mal mais sombrio. Não mais vemos o nosso rei. Seu desprazer recai sobre homens, e eles partem; estão lá à noite, e pela manhã já não se encontram. O ar livre não é seguro; paredes são perigosas. Mesmo junto ao coração da casa espiões podem se sentar. E há prisões, e câmaras subterrâneas. Há tormentos; e há ritos malignos. As matas à noite, que outrora eram belas — homens vagavam e dormiam lá por prazer, quando tu eras criança —, estão repletas agora de horror. Mesmo os nossos jardins não ficam completamente imaculados, após o sol se pôr. E agora mesmo durante o dia fumaça sobe do templo: flores e relva murcham onde ela baixa. As canções antigas estão esquecidas ou alteradas; distorcidas em outros significados."

"Sim: as que se aprende dia a dia", disse Herendil. "Mas algumas das novas canções são vigorosas e encorajadoras. Contudo, sei agora que alguns nos aconselham a abandonar a língua antiga. Dizem que devemos deixar o eressëano e reviver a fala ancestral dos Homens. Sauron a ensina. Com isso, ao menos, creio que ele não faz bem."

"Sauron nos engana duplamente. Pois os homens aprenderam línguas com os Primogênitos, e, portanto, se de fato voltássemos aos primórdios, encontraríamos não os dialetos maljeitosos dos homens, nem a fala simples de nossos pais, mas sim a língua dos Primogênitos. Mas o eressëano é de todas as línguas dos Primogênitos a mais bela, e eles a usam em colóquio com os Senhores, e ela une suas variadas gentes umas às outras, e eles a nós. Se abandonarmos a língua, ficaremos separados deles, e empobrecidos.[27] Sem dúvida é isso o que ele pretende. Mas a malícia dele não tem fim. Escuta agora, Herendil, e atenta. Aproxima-se a hora em que todo esse mal dará um fruto amargo, caso não seja podado. Havemos de esperar que o fruto esteja maduro, ou de cortar a árvore e lançá-la ao fogo?"

Herendil levantou-se de súbito, e foi até a janela. "Está frio, pai", disse ele; "e a Lua se foi. Acredito que o jardim esteja vazio. As árvores crescem perto demais da casa." Ele puxou um pesado pano bordado de um lado ao outro da janela e então retornou, agachando-se ao lado do fogo, como se que acometido por um calafrio repentino.

Elendil inclinou-se para frente na cadeira, e continuou em voz baixa. "O rei e a rainha estão envelhecendo, embora nem todos saibam, pois são vistos raras vezes. Perguntam onde está a vida eterna que Sauron lhes prometeu caso construíssem o Templo para Morgoth. O Templo está construído, mas eles estão envelhecidos. Porém, Sauron previu isso, e ouvi dizer (já se espalhou o sussurro) que ele afirma que a mercê de Morgoth é retida pelos Senhores, e não pode ser cumprida enquanto eles barrarem o caminho. Para conquistar a vida, Tarkalion deve conquistar o Oeste.[28] Vemos agora o propósito das torres e das armas. Já se fala da guerra — apesar de não darem nome ao inimigo. Mas te digo: é sabido por muitos que a guerra irá para oeste até Eressëa — e além. Percebes a extremidade de nosso perigo, e da loucura do rei? Contudo, essa sina aproxima-se ligeira. Nossos navios são chamados de volta dos [?cantos] da terra. Não notaste e te espantaste que tantos estão ausentes, especialmente os da gente mais jovem, e que no Sul e no Oeste de nossa terra tanto obras como passatempos definham? Num porto secreto no Norte há construções e forjaduras que me foram relatadas por mensageiros de confiança."

"Relatadas a ti? Que queres dizer, pai?", perguntou Herendil, como que temeroso.

"Exatamente o que disse. Por que me olhas com tamanha estranheza? Pensavas que o filho de Valandil, principal dos sábios de Númenor, seria enganado pelas mentiras de um serviçal de Morgoth? Eu não faltaria com fidelidade ao rei, nem proponho algo que lhe cause mal. A casa de Eärendel tem a minha lealdade enquanto eu viver. Mas se devo escolher entre Sauron e Manwë, então tudo mais deve vir depois. Não me curvarei a Sauron, nem ao seu mestre."

"Mas falas como se tu fosses um líder nessa questão — ai de mim, pois te amo; e embora tenhas jurado lealdade, ela não te salvará do perigo de traição. Até mesmo desaprovar Sauron é considerado rebeldia."

"Sou um líder, meu filho. E tenho em conta o perigo tanto para mim como para ti e para todos a quem amo. Faço o que é certo e meu direito de fazer, mas não posso mais ocultar de ti. Deves escolher entre teu pai e Sauron. Mas te dou liberdade de escolha e não imponho sobre ti qualquer obediência para com um pai, caso eu não tenha convencido tua mente e teu coração.

Hás de ser livre para ficar ou ir, sim, mesmo relatar como te parecer bom tudo o que eu disse. Mas se ficares e aprenderes mais, o que envolverá conselhos mais secretos e outros [?nomes] além do meu, então ficarás obrigado por honra a manter-te quedo, aconteça o que acontecer. Ficarás?"

"*Atarinya tye-meláne*", disse Herendil de súbito, e, agarrando os joelhos do pai, deitou a [?cabeça ali] e chorou. "É uma hora maligna que [?impôs] tal escolha sobre ti", disse seu pai, colocando uma mão na cabeça do filho. "Mas o destino logo chama alguns a serem homens. Que dizes?"

"Eu fico, pai."

Christopher Tolkien comentou: "A narrativa termina aqui. Não há razão para pensar que algo mais tenha sido escrito. O manuscrito, que se torna cada vez mais rápido perto do fim, termina em rabiscos". Ele então prosseguiu com a sua avaliação sobre quais seriam, na época, os planos de seu pai para continuar a história:

Existem várias páginas de anotações que dão alguma ideia dos pensamentos de meu pai — em determinado estágio — para a continuação da história além do ponto em que ele a abandonou. Essas em alguns pontos são bastante ilegíveis e, em todo caso, eram concomitantes a ideias que mudavam rapidamente: são os vestígios de pensamentos, não afirmações de conceitos formulados. E, ainda mais importante, pelo menos algumas dessas anotações claramente precederam a narrativa que foi de fato escrita e foram empregadas nela, ou substituídas por algo diferente, e é bem possível que isso se aplique a todas elas, mesmo aquelas que se referem à parte posterior da história que nunca foi escrita. Mas elas deixam bem claro que meu pai estava preocupado acima de tudo com a relação entre o pai e o filho, que era fundamental. Em Númenor, ele engendrara uma situação em que havia o potencial de conflito angustiante entre eles, totalmente incompatível com a harmonia pacífica com que os Errols começavam — ou terminavam. [A família Errol — ancestrais e descendentes — são os protagonistas centrais da narrativa pretendida em *A Estrada Perdida*.] O relacionamento de Elendil e Herendil foi sujeitado a uma profunda ameaça. Esse conflito poderia ter muitos problemas narrativos dentro da estrutura do evento conhecido, o ataque a Valinor e a Queda de Númenor, e nessas anotações meu pai estava simplesmente esboçando algumas soluções, nenhuma das quais ele desenvolveu ou a elas retornou.

Uma questão aparentemente secundária era as palavras "as Águias do Senhor do Oeste": o que significavam, e como se encaixavam na história? Parece que ele estava tão intrigado por elas quanto Alboin Errol ao usá-las ([*Road*], pp. 38, 47). Ele indaga se "Senhor do Oeste" significa o Rei de Númenor, ou Manwë, ou se é o título propriamente de Manwë, mas tomado à sua revelia pelo Rei; e conclui: "provavelmente este último". Segue-se um "cenário" no qual Sorontur, Rei das Águias, é enviado por Manwë, e Sorontur, voando contra o sol, lança uma grande sombra sobre o solo. Foi então que Elendil pronunciou a frase, mas as palavras foram escutadas, relatadas, e ele foi levado diante de Tarkalion, que declarou que o título era seu. Na história tal como escrita de fato, Elendil fala as palavras a Herendil ([*Road*] p. 62 [neste volume, p. 324]) quando vê as nuvens erguendo-se do Oeste no céu do entardecer e estendendo "grandes asas" — o mesmo espetáculo que fez Alboin Errol dizê-las, e os homens de Númenor no *Akallabêth* (p. 363) [neste volume, p. 261]; e Herendil responde que se decretou que o título pertence ao Rei. O resultado da prisão de Elendil não está claro nas anotações, mas é dito que Herendil recebeu o comando de um dos navios, que o próprio Elendil juntou-se à grande expedição porque seguiu Herendil, que quando chegaram a Valinor Tarkalion manteve Elendil como refém no navio de seu filho, e que quando desembarcaram nas praias Herendil foi derrubado. Elendil o resgatou e o levou a bordo, e, "perseguidos pelos raios de Tarkalion", velejaram de volta para o leste. "Ao se aproximarem de Númenor, o mundo se curva; e veem a terra deslizar na direção deles"; e Elendil cai nas profundezas e se afoga.* Esse conjunto de anotações termina com

* Seria interessante saber se uma anotação provocantemente obscura, escrita de forma isolada, refere-se a essa história vagamente vislumbrada: "Se um falhar com o outro, eles perecem e não retornam. Assim, no último momento Elendil deve prevalecer sobre Herendil para detê-lo, senão teriam perecido. Naquele instante ele se vê como Alboin: e percebe que Elendil e Herendil pereceram".

referências à chegada dos Númenóreanos à Terra-média, e às "histórias posteriores"; "os navios voadores", "as cavernas pintadas", "como Amigo-dos-Elfos andou pela Rota Reta".

Outras anotações referem-se a planos elaborados pelos "antissaurianos" para um ataque ao Templo, planos revelados por Herendil "com a condição de que Elendil seja poupado"; o ataque é frustrado e Elendil, capturado. Associado a esse tópico ou distinto dele está uma sugestão de que Herendil é detido e aprisionado nas masmorras de Sauron, e de que Elendil renuncia aos Deuses para salvar o filho.

Meu palpite é de que tudo isso foi rejeitado quando a narrativa em si foi escrita, e que as palavras de Herendil que a concluem demonstram que meu pai na ocasião tinha em mente uma solução bastante distinta, na qual Elendil e seu filho permaneciam unidos diante de quaisquer eventos que se abatessem sobre eles.*

Nas narrativas mais antigas não há indícios da duração do reino de Númenor desde sua fundação até a sua ruína; e apenas um rei é nomeado. Em sua conversa com Herendil, Elendil atribui todos os males que ocorreram à chegada de Sauron: eles surgiram, portanto, dentro de pouco tempo (quarenta e quatro anos, p. 329); enquanto no "Akallabêth", quando uma grande extensão da história númenóreana já havia transcorrido, esses males começaram muito antes, e são na verdade traçados até o décimo segundo governante, Tar-Ciryatan, o Construtor de Navios, que tomou o cetro quase um milênio e meio antes da Queda ("Akallabêth", p. 349, *Contos Inacabados*, p. 300 [neste volume, p. 214]).

Das palavras de Elendil no final de "A Estrada Perdida" um cenário sinistro vem à tona: o afastamento do rei transtornado e envelhecido da vista do público, o desaparecimento inexplicado de pessoas impopulares com o "governo", informantes, prisões, torturas, segredos, medo da noite; propaganda na forma

*Sugeri ([*Road*] p. 31) que, uma vez que Elendil de Númenor aparece em QdN II (§14 [*Road*, p. 28]) como rei em Beleriand, ele devia estar entre aqueles que não participaram da expedição de Tar-kalion e que "permaneceram sentados em seus navios na costa leste da terra" (QdN §9 [*Road*, pp. 27–8]).

da "reescrita da história" (como exemplificada pelas palavras de Herendil acerca do que agora era dito a respeito de Eärendel, p. 322); a multiplicação de armas de guerra, cujo propósito é ocultado, porém é adivinhado; e, por trás de tudo, a terrível figura de Sauron, o verdadeiro poder, divisando toda a terra do alto da Montanha de Númenor. Os ensinamentos de Sauron levaram à invenção de navios de metal que cruzam os mares sem velas, mas que são hediondos aos olhos daqueles que não abandonaram ou não se esqueceram de Tol-eressëa; à construção de fortalezas sombrias e torres desgraciosas; e a mísseis que passam com um barulho como o de trovões e atingem seus alvos a muitas milhas de distância. Além disso, Númenor é vista pelos jovens como superpopulosa, entediante, "conhecida demais": "cada árvore e folha de grama contadas", nas palavras de Herendil; e aparentemente essa causa de descontentamento é usada por Sauron para promover a política de expansão e ambição "imperiais" que ele força sobre o rei. Nessa época, quando meu pai voltou ao mundo do primeiro homem a carregar o nome "Amigo-dos-Elfos", ele encontrou lá uma imagem daquilo que mais condenava e temia no seu próprio mundo.

NOTAS

1. *Lavaralda* (em substituição a *lavarin*) não é mencionada em "Uma Descrição da Ilha de Númenor" (*Contos Inacabados*, p. 232 [nem, consequentemente, neste volume]) entre as árvores trazidas pelos Eldar de Tol-eressëa.
2. *sete dozenas de anos* é uma emenda de *quatro vintenas de anos* (escrito inicialmente *três vintenas de anos*); ver nota 10.
3. *Vinya* foi escrita acima de *Númenor* no manuscrito; ela ocorre novamente em uma parte do texto que foi reescrita ([*Road*] p. 64), traduzida como "a Nova Terra". O nome apareceu pela primeira vez em uma emenda de QdN ["A Queda de Númenor"] I, [*Road*] p. 19, §2.
4. Quanto a *Terendul*, ver o *Etymologies* [*Road*, p. 392], radical TER, TERES.
5. Tal como o texto foi originalmente escrito, a seguir vinha o seguinte trecho:

> "Poldor me chamou de *Eärendel* ontem."
>
> Elendil suspirou. "Mas esse é um belo nome. Amo essa história acima de todas; de fato escolhi teu nome porque lembrava o dele. Mas não tive a presunção de dar o nome dele mesmo a ti, nem de me comparar a Tuor, o magno, que dos Homens foi o primeiro a navegar estes mares. Ao menos podes responder teus amigos tolos que Eärendel foi o principal dos marinheiros, e por certo isso ainda é considerado digno de honra em Númenor, não?"

"Mas eles não se importam com Eärendel. E nem eu. Desejamos levar a cabo o que foi deixado incompleto."

"Que querer dizer?"

"Tu sabes: pisar no extremo Oeste [...]" (etc. como na [*Road*] p. 60).

6. Essa é a primeira aparição de um Númenóreano chamado *Valandil.* Numa reescrita posterior [...] Valandil é irmão de Elendil, e eles são os fundadores dos reinos númenóreanos na Terra-média ([*Road*] pp. 33–4). O nome mais tarde foi dado tanto a um Númenóreano mais antigo (o primeiro Senhor de Andúnië) como a um posterior (o filho mais novo de Isildur e terceiro Rei de Arnor): Índice Remissivo de *Contos Inacabados*, verbetes *Valandil* e referências.
7. No "Quenta" ([*The Shaping of Middle-earth*] p. 151) não é contado que Tuor se "perdeu". Quando sentiu a velhice insinuar-se nele, ele "construiu um grande navio, *Eärámë*, Ala de Águia, e com Idril içou vela na direção do pôr do sol e do Oeste, e não constou mais de qualquer história ou canção". Posteriormente o seguinte trecho foi acrescentado ([*Shaping*] p. 155): "Mas Tuor apenas, entre os homens Mortais, foi contado entre a raça mais antiga e unido aos Noldoli, a quem amava, e depois disso habitava ainda, ou assim se diz, em seu navio, viajando pelos mares das Terras-élficas, ou descansando por um tempo nos portos dos Gnomos de Tol Eressëa; e seu destino foi separado do destino dos Homens".
8. Essa é a forma final no "Quenta" do desembarque de Eärendel em Valinor, onde em emendas feitas no segundo texto Q II ([*Shaping*] p. 156) Eärendel "disse adeus a todos que amava na última costa, e foi apartado deles para sempre", e "Elwing pranteou Eärendel; contudo, nunca mais o achou, e eles estão separados até que o mundo finde". Posteriormente, Elendil retoma de forma mais completa o assunto ([*Road*] p. 64). No QS a história é mais uma vez mudada, fazendo com que Elwing entrasse em Valinor (ver [*Road*] pp. 324–5, §§1–2, e comentário).
9. *Nuaran Númenóren*: as letras ór foram riscadas (somente) no texto datilografado.
10. *Tens apenas quatro dozenas* substituiu *Mal tens duas vintenas e dez.* Como na mudança registrada na nota 2, uma contagem duodecimal substitui uma decimal; mas em ambos os casos o número de anos é muito estranho. Pois Herendil foi chamado de "garoto", "rapaz" e "jovem", e ele se encontra "no início da idade adulta" ([*Road*] p. 58); como, então, ele pode ter quarenta e oito anos? Mas a sua idade é dada de forma inequívoca, e, além disso, Elendil diz depois ([*Road*] p. 66) que faz 44 anos desde que Sauron chegou e que Herendil na época era um menino; portanto, podemos apenas concluir que nessa época a longevidade dos Númenóreanos implicava que eles cresciam e envelheciam numa velocidade diferente daquela de outros homens, e não se tornavam completamente adultos antes de por volta dos cinquenta anos. Cf. *Contos Inacabados*, pp. 305–6.

11. A missão de Orontor, da qual ele poderia jamais retornar, parece uma premonição da viagem de Amandil ao Oeste, da qual ele jamais retornou (Akallabêth, pp. 361–2 [este volume, pp. 258-59]).

12. O manuscrito (seguido do texto datilografado) é confuso aqui, uma vez que, além do texto como impresso, a canção inteira que Fíriel cantou também é apresentada, com uma tradução; assim, os dois versos iniciais e os dois finais e suas traduções são repetidos. No entanto, está claro por marcações a lápis no manuscrito que meu pai passou de imediato a uma segunda versão (omitindo a maior parte da canção) sem riscar a primeira. O texto da canção foi emendado em três estágios. Mudanças feitas provavelmente muito próximas à época da composição foram *Valion númenyaron* (traduzido "dos Senhores do Oeste") > *Valion: númessier* no verso 2, e *hondo-ninya* > *indo-ninya* no verso 9; *Vinya* foi escrita acima de *Númenor* como uma alternativa no verso 8 (cf. nota 3). Antes das emendas tardias, o texto era o seguinte:

Ilu Ilúvatar en kárę eldain a fírimoin
ar antaróta mannar Valion: númessier.
Toi aina, mána, meldielto — enga morion:
talantie. Mardello Melko lende: márie.
Eldain en kárier Isil, nan hildin Úr-anar.
Toi írimar. Ilqainen antar annar lestanen
Ilúvatáren. Ilu vanya, fanya, eari,
i-mar, ar ilqa ímen. Írima ye Númenor.
Nan úye sére indo-ninya símen, ullume;
ten sí ye tyelma, yéva tyel ar i-narqelion,
írę ilqa yéva nótina, hostainiéva, yallume:
ananta úva táre fárea, ufárea!
Man táre antáva nin Ilúvatar, Ilúvatar
enyárę tar i tyel, írę Anarinya qeluva?

O Pai fez o Mundo para Elfos e Mortais, e o entregou nas mãos dos Senhores. Eles estão no Oeste. São sacros, abençoados, e amados: salvo pelo sombrio. Ele é caído. Melko partiu da Terra: isso é bom. Para os Elfos eles fizeram a Lua, mas, para os Homens, o Sol vermelho; que são belos. A todos eles deram em medida as dádivas de Ilúvatar. O Mundo é belo, o céu, os mares, a terra, e tudo o que há neles. Encantadora é Númenor. Mas meu coração não descansa aqui para sempre; pois aqui há término, e haverá um fim e o Desvanecer, quando tudo estiver contado, e tudo estiver enumerado enfim, mas ainda assim não será suficiente, não o bastante. O que há o Pai, ó Pai, de me dar naquele dia além do fim, quando meu Sol findar?

Subsequentemente, *Mardello Melko* no verso 4 foi alterado para *Melko Mardello*, e os versos 5–6 tornaram-se

En kárielto eldain Isil, hildin Úr-anar.
Toi írimar. Ilyain antalto annar lestanen

Então, após o texto datilografado ter sido feito, *Melko* foi alterado para *Alkar* no texto e na tradução; ver nota 15.

A ideia dos versos 5–6 da canção reaparece nas palavras de Elendil a Herendil posteriormente ([*Road*] p. 64): "Mas os Valar fizeram a Lua para os Primogênitos e o Sol para os Homens para pôr em confusão a Escuridão do Inimigo". Cf. QS §75 (*O Silmarillion*, p. 145): "Pois o Sol foi disposto como um sinal do despertar dos Homens e do esvanecer dos Elfos, mas a Lua acalenta a memória deles".

13. Quanto a *hon-maren* "coração da casa", ver o *Etymologies* [*Road*, p. 364], radical KHO-N.

14. Aqui o texto datilografado feito na Allen & Unwin ([*Road*] p. 8, nota de rodapé) termina. O leitor da editora (ver [*Road*] p. 97) disse que "somente os dois capítulos preliminares [...] e um dos últimos capítulos [...] foram escritos". Pode-se supor que o texto datilografado terminava naquele ponto porque nada mais havia sido escrito naquela época, mas não acho que foi essa a razão. No ponto em que o texto datilografado é interrompido (no meio de uma página manuscrita) não há nenhum indício de qualquer interrupção na composição, e parece muito mais provável que o datilógrafo simplesmente desistiu, pois o manuscrito aqui se torna confuso e difícil pelas reescritas e substituições.

Nas partes anteriores de "A Estrada Perdida", apliquei todas as correções no manuscrito, por mais ligeiras e leves que tenham sido feitas, visto que todas aparecem no texto datilografado. A partir desse ponto não há evidências externas para indicar quando as emendas a lápis foram feitas; contudo, continuo a aplicá-las no texto como antes.

15. A longa narrativa contada por Elendil a Herendil sobre a história antiga, desde "Há Ilúvatar, o Uno" até "e arruinar (se pudesse) Avallon e Valinor" na [*Road*] p. 65, é uma substituição da passagem original muito mais breve. O texto substituto deve ser posterior ao envio de "A Estrada Perdida" à Allen & Unwin, pois Morgoth é chamado aqui de *Alkar* conforme o texto foi escrito inicialmente, não de *Melko*, enquanto na canção cantada por Fíriel no capítulo anterior *Melko* só foi alterado a lápis para *Alkar*, e essa mudança não foi aplicada ao texto datilografado. A passagem original diz o seguinte:

> Ele falou da rebelião de Melko [*posteriormente* > Alkar *e subsequentemente*], mais magno dos Poderes, que teve início na feitura do Mundo; e de sua rejeição pelos Senhores do Oeste após ter obrado o mal no Reino Abençoado e causado o exílio dos Eldar, os primogênitos da terra, que habitavam agora em Eressëa. Contou da tirania de Melko na Terra-média, e como ele escravizara os Homens; das guerras que os Eldar travaram com ele, e foram derrotados, e dos Pais de Homens que os auxiliaram; como Eärendel levou a súplica deles aos Senhores, e Melko foi sobrepujado e empurrado para além dos confins do Mundo.
>
> Elendil fez uma pausa e olhou para Herendil. Ele não se mexeu, nem fez qualquer sinal. Portanto, Elendil prosseguiu. "Não percebes então, Herendil, que Morgoth é um causador de males, e que levou o pesar aos nossos pais? Não lhe devemos lealdade, exceto pelo medo. Pois de seu quinhão da governança do Mundo ele foi despojado há muito tempo. Tampouco necessitamos de ter

esperança nele: os pais de nossa raça eram seus inimigos; donde não podemos esperar amor dele ou de quaisquer de seus serviçais. Morgoth não perdoa. Mas ele não pode retornar ao Mundo em presentes poder e forma enquanto os Senhores estiverem em seus tronos. Ele está no Vazio, embora sua Vontade permaneça e guie seus serviçais. E sua vontade é sobrepujar os Senhores, e retornar, e reter domínio, e vingar-se daqueles que obedecem aos Senhores.

"Mas por que haveríamos de ser enganados [...]" (etc. como na [*Road*] p. 65).

As últimas frases ("Mas ele não pode retornar ao Mundo [...]") ecoam de perto, ou talvez sejam ecoadas de perto, por (ver nota 25) uma passagem em QdN ["A Queda de Númenor"] II (§1) [*Road*, p. 29].

16. Em QS [Quenta Silmarillion] §10 [*Road*, pp. 206–7], é dito que Melko era "coevo de Manwë". Creio que o nome *Alkar*, "o Radiante", para Melko não ocorra em nenhum outro lugar fora desse texto.

17. Ver nota 8. A referência ao *filho* de Eärendel indica que Elros ainda não havia surgido, tal como não havia surgido em QdN II ([*Road*], p. 34).

18. "arremedos das criaturas de Ilúvatar": cf. QdN II §1 [*Road*, pp. 24–5] e comentário [*Road*, p. 29].

19. Aqui a longa passagem substituta termina (ver nota 15), embora tal como escrita ela continuasse com basicamente as mesmas palavras da forma anterior ("Pois Morgoth não pode retornar ao Mundo enquanto os Senhores estiverem em seus tronos [...]"); essa passagem foi posteriormente riscada.

20. As palavras "uma dádiva que no desgastar do tempo mesmo os Senhores do Oeste hão de invejar" foram um acréscimo a lápis ao texto, e são a primeira aparição dessa ideia: uma expressão bastante similar encontra-se em um texto do "Ainulindalë" escrito anos depois (cf. *O Silmarillion*, p. 72: "A morte é sua sina, o dom de Ilúvatar, o qual, conforme se desgasta o Tempo, até os Poderes hão de invejar").

21. Cf. QdN II §5 [*Road*, p. 26]: "Alguns diziam que ele era um rei maior do que o Rei de Númenor; alguns diziam que era um dos Deuses ou de seus filhos, enviado para governar a Terra-média. Alguns relatavam que ele era um espírito maligno, quiçá o próprio Morgoth retornado. Mas isso era considerado apenas como uma fábula tola dos Homens selvagens".

22. Esse cálculo duodecimal encontra-se no texto conforme escrito; ver nota 10.

23. Cf. QdN II §5 [*Road*, p. 26]: "pois [os Senhores] disseram que Sauron obraria o mal caso viesse; porém, ele não podia vir a Númenor a não ser convocado e guiado pelos mensageiros do rei".

24. Creio que o nome *Moriondë* não ocorre em nenhum outro lugar. O porto no leste sem dúvida é o precursor de Rómenna.

25. Essa é a história da chegada de Sauron a Númenor encontrada em QdN II §5 [*Road*, pp. 26–7], que foi substituída logo após por uma versão na qual o içamento dos navios por uma grande onda e seu lançamento terra adentro foram removidos; ver [*Road*] pp. 9, 26–7. Na primeira versão de QdN II, o mar ergueu-se como uma *montanha*, o navio que levava Sauron

foi colocado sobre uma *colina*, e Sauron postou-se na colina para pregar a sua mensagem aos Númenóreanos. Em "A Estrada Perdida", o mar ergueu--se como uma *colina*, alterada a lápis para *montanha*, o navio de Sauron foi lançado sobre uma *rocha elevada*, alterada a lápis para *colina*, e Sauron falou de pé na rocha (que permaneceu inalterada). Vejo essas como as melhores evidências de que, dessas duas obras associadas (ver notas 15, 21 e 23), "A Estrada Perdida" foi escrita primeiro.

26. *Alkar*: alteração a lápis de *Melko*: ver nota 15.
27. Quanto ao eressëano ("latim-élfico", qenya), a fala comum de todos os Elfos, ver [*Road*] p. 56. A presente passagem é a primeira aparição da ideia de um componente linguístico no ataque do "governo" númenóreano à cultura e influência eressëanas; cf. "A Linhagem de Elros" em *Contos Inacabados* (pp. 302–3) [neste volume, pp. 233-35], a respeito de Ar-Adûnakhôr, o vigésimo governante de Númenor: "Foi o primeiro Rei a assumir o cetro com um título na língua adûnaica [...] Nesse reinado, as línguas-élficas não foram mais usadas, nem se permitiu que fossem ensinadas, mas foram mantidas em segredo pelos Fiéis"; e a respeito de Ar-Gimilzôr, o vigésimo terceiro governante: "Proibiu totalmente o uso das línguas eldarin" (de maneira muito similar no "Akallabêth", p. 352 [neste volume, p. 235]). Mas, é claro, na época de "A Estrada Perdida" a ideia do adûnaico como um dos idiomas de Númenor não havia surgido, e a proposta é apenas de que "a fala ancestral dos Homens" devesse ser "revivida".
28. Isso remonta a QdN I §6 [*Road*, p. 15]: "Sûr disse que as dádivas de Morgoth eram vedadas pelos Deuses, e que para obter a plenitude do poder e a vida imortal ele [o rei Angor] devia ser mestre do Oeste".

AGRADECIMENTOS

Como sempre é o caso ao se estudar detalhadamente as obras de J.R.R. Tolkien, somos inevitavelmente lembrados de que aqui está um autor que não só era dotado de uma imaginação extraordinária como também era um acadêmico erudito que foi capaz de trazer à sua criatividade literária (ou, como Tolkien preferiria chamá-la, "subcriatividade") o rigor e a disciplina versada de um filólogo e de um estudante dos ricos mundos dos mitos, lendas e folclores.

Uma vez que a maioria dos textos publicados usados na compilação deste livro foi o produto do papel de quase uma vida inteira de Christopher Tolkien na compreensão, curadoria e ordenação do legendário de Tolkien, eles também são um lembrete do talento ímpar de Christopher como editor assíduo: abençoado como foi com um estilo de escrita hábil e elegante que é propriamente seu, mas que complementa perfeitamente o de seu pai.

Esses dois — Tolkien, pai e filho — encontram-se em primeiro lugar e no centro como os "únicos geradores" e amanuenses das histórias reunidas neste volume. Ainda assim, também é necessário agradecer algumas outras pessoas por sua generosa ajuda.

Sou profundamente grato aos Diretores do Tolkien Estate e aos executores literários de Christopher Tolkien, não só por aprovarem este projeto, mas também por sua positividade e envolvimento ativo na forma de comentários detalhados e construtivos que auxiliariam de modo significativo o desenvolvimento do livro, da concepção ao volume acabado. Durante a jornada do livro ao prelo, a família Tolkien, membros do Conselho Diretor e a comunidade tolkieniana como um todo perderam Priscilla Tolkien, a última dos filhos do Professor. Ela era uma ardente defensora da obra de seu pai e uma amiga incansável daqueles que viajavam pela Terra-média, e é por isso que este volume é carinhosamente dedicado à sua memória.

Na HarperCollins, meu apreço e gratidão a David Brawn, Diretor Editorial de Espólios, por sugerir esse projeto e por confiar em mim para realizá-lo, assim como por ficar atenciosamente de olho em seu progresso; a Hannah Stamp, Editora Executiva de Publicações, por sua assistência atenciosa e olho para os detalhes; o designer Terence Caven, cujos *layouts* compreensivos e elegantes não dão a dimensão das muitas versões pelas quais passamos para chegar aqui; e o Gerente de Produção Simon Moore, por ajudar a todos nós a trabalhar contra o relógio e fazer com que esses livros sejam impressos e entregues a todos os cantos do mundo numa época em que esse tipo de logística se mostra mais complicada do que nunca.

Esse é no mínimo o décimo segundo projeto (livros e calendários) em que tive a felicidade de trabalhar com o Diretor Editorial de Tolkien da HarperCollins, Chris Smith, como meu editor. Como sempre, Chris foi um modelo de paciência e, ainda mais importante, um apoiador constante com palavras sábias, tranquilizadoras e encorajadoras, de tal maneira que o livro final é realmente tão seu quanto meu.

Apesar de Alan Lee e eu sermos amigos há mais de vinte anos, nunca tivemos a oportunidade de colaborar em um projeto, de modo que *A Queda de Númenor* é um marco especial e, como sempre com a obra magistral de Alan, estou maravilhado com a beleza e o dinamismo das visões da Terra-média e de Númenor que foram capturadas em suas novas e evocativas ilustrações coloridas e nas numerosas decorações a lápis encontradas nestas páginas.

Os agradecimentos finais são para o meu agente, Philip Patterson; e, por sua lealdade incomensurável, para meu marido sofredor de longa data, David Weeks, que — sem reclamar — passou muitos meses da nossa vida conjunta vivendo nos dias tumultuosos da Segunda Era da Terra-média.

Brian Sibley

Este livro foi impresso na Ipsis, em 2022,
para a HarperCollins Brasil. O papel do miolo é
pólen natural 70g/m², e o da capa é couchê 150g/m².

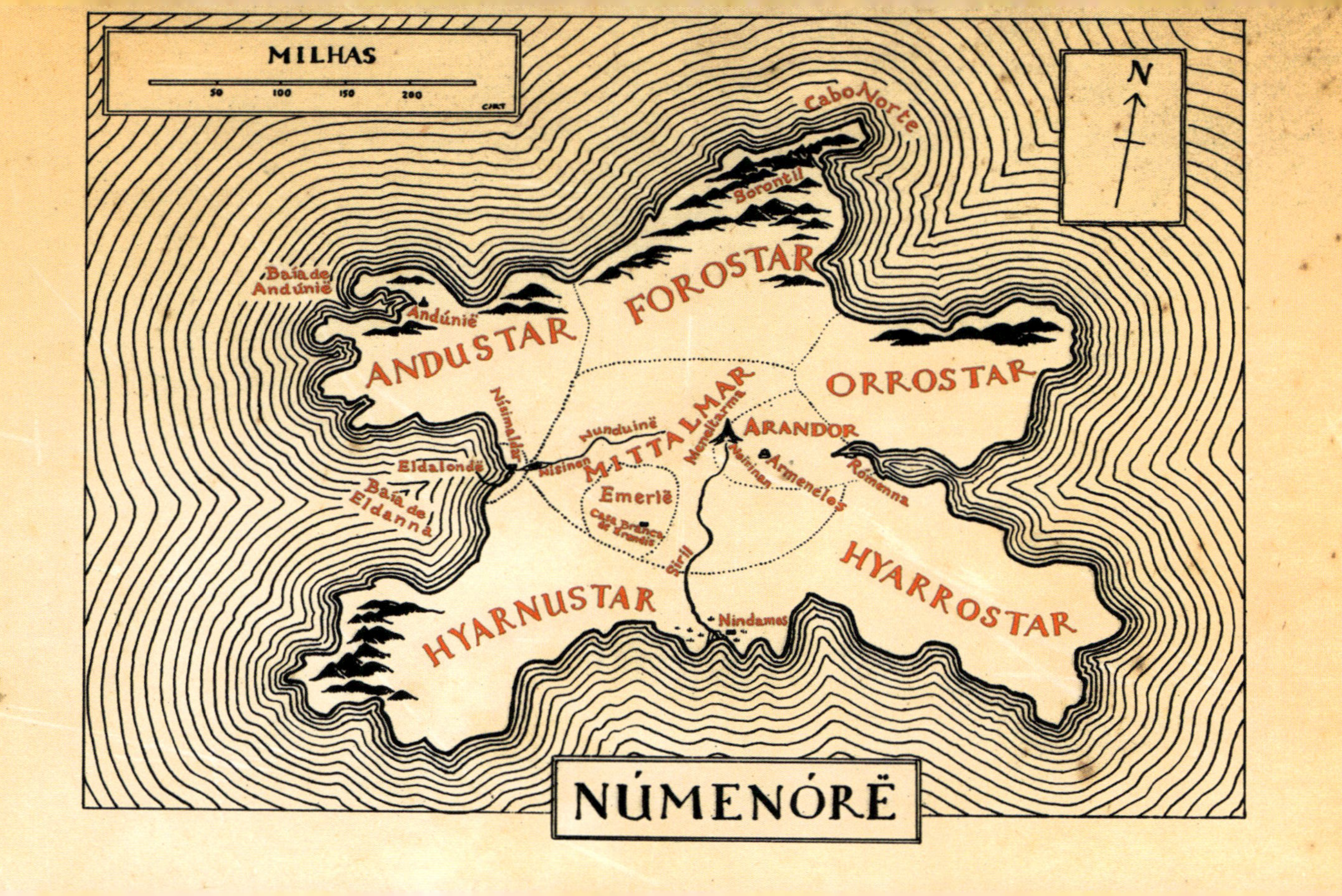

MILHAS
50
100
150
200
N
Cabo Norte
Borontil
FOROSTAR
Baía de Andúnië
Andúnië
ANDUSTAR
ORROSTAR
MITTALMAR
Meneltarma
ARANDOR
Nísimaldar
Nunduinë
Nísinen
Noirinan
Armenelos
Rómenna
Eldalondë
Baía de Eldanna
Emerië
Casa Branca de Erendis
Siril
HYARROSTAR
HYARNUSTAR
Nindamos
NÚMENÓRË

Baía de Gelo Forochel
Angmar
Carn Dûm
Aqui outrora foi o Reino-bruxo de Angmar
O Reino Perdido de
ARNOR
EMYN UIAL
(Colinas do Vesperturvo)
ERED LUIN
Lhûn (Lûn)
Forlindon
Forlond
Golfo de Lhûn
Mithlond
(Portos Cinzentos)
Harlond
Harlindon
(Montanhas Azuis)
Nenuial
(Lago vesperturvo)
Annúminas
Colinas do Norte
Fornost
Colinas do Vento
ARTHEDAIN
ERIADOR
Colinas das Torres
Colinas Brancas
Colinas Distantes
Vila-dos-Hobbits
O CONDADO
Ponte do Brandevin
Floresta Velha
Bri
Estrada Leste-Oeste
Pântanos-dos-Mosquitos
Topo-do-vento (Amon Sûl)
Última Ponte
RHUDAUR
Mata-dos-Trols
Colinas-dos-Túmulos
Colinas do Sul
Caminho Verde
Sarn Ford
CARDOLAN
Mitheithel
(Fontegris)
Bruinen
(Ruidoságua)
Eregion
(Azevim)
Porta de Moria
Nîn-in-Eilph
(Cisnefrota)
Tharbad
Glanduin
Baranduin
(Brandevin)
MINHIRIATH
Eryn Vorn
Gwathló (Griságua)
Lond Daer
ENEDWAITH
Estrada Norte-Sul
Terra Parda
Isengard
Angren (Isen)
Adorn
ERED NIMRAIS
Drúwaith Iaur
Lefnui
Pinnath Gelin
Anfalas (Praia-comprida)
Andrast (Ras Morthil)
O OESTE DA
TERRA-MEDIA
NO FIM DA
TERCEIRA ERA
CJRT
Milhas
50 100 150 200